やさしくわかる
学校法人の経営分析

第2版

有限責任監査法人トーマツ 著

同文舘出版

第 2 版 は し が き

　日本では、人生100年時代を迎えようとしており、超スマート社会（Society 5.0）の実現に向けて人工知能（AI）やビッグデータの活用などの技術革新が急速に進んでいる。こうした社会の大転換、激動を乗り越えて、豊かな人生を生き抜くために必要な力を身に付け、活躍できるような人材を育成するには、教育の力の果たす役割は大きい。

　しかし、少子化という現実のもとでは、教育研究のための原資である事業活動収入を増加させることは難しい。顧客である学生生徒等が減少するにもかかわらず、従来以上の成果を期待されるため、学校法人の一部では経営が成り立たなくなる事態の到来も予想され、学校法人の経営力の強化が重要な課題となっている。また公益法人として税制上の恩恵を受け、税金を財源とする補助金等を国から受けている学校法人においては、社会の幅広い層の関心を集めており、経営の透明性を強化しアカウンタビリティ（説明責任）を徹底することが求められている。

　本書は計算書類によって学校法人の財政状態や経営状況をどのように判断するか、また把握された経営状況をもとに、どのような経営判断を行うかについて解説したものである。初版は平成27年の学校法人会計基準の大幅改正の直後に発刊し、改正後会計基準に基づく計算書類の経営分析をわかりやすく紹介することを主目的として解説したものであった。

　この度、初版発行後7年以上が経過し、学校法人を取り巻く環境も大きく変わってきた。少子化に加速度がかかり、私立学校法改正に伴い中期的な計画の策定が大学設置法人において義務化され、多様なステークホルダーの要請も相まって経営管理の必要度が高まっている。さらに学校法人の組織再編、法人統合等の事例も増えつつあり、経営の抜本的改革に対する

ニーズも高まっている。一方で、社会的に影響力の多い学校法人においてさらに、ガバナンスの改革と強化に関する注目を浴びている。こうした状況を背景とし、最新の学校法人の財政データや組織再編・財務改善の事例、経営分析の考え方等を反映した第2版を発刊することとした。

　第2版は有限責任監査法人トーマツの大学等教育機関向けサービスを全国で展開している、パブリックセクター・ヘルスケア事業部のメンバーが改訂・執筆を担当している。本書が学校法人のさらなる理解と健全な経営のための参考となれば幸いである。

　本書を執筆するにあたっては、『今日の私学財政』をはじめとする日本私立学校振興・共済事業団が公表した資料や研究成果を大いに参考とさせていただいた。事業団による長年の調査結果等がなければ本書を執筆することはできず、これらの資料の利用を快く承諾いただいた日本私立学校振興・共済事業団には深く感謝申し上げる。

　また、同文舘出版株式会社の青柳裕之氏と大関温子氏には、本書出版に際し、格別のご尽力を賜った。改めて謝意を表したい。

令和4年3月

有限責任監査法人トーマツ
　パブリックセクター・ヘルスケア事業部

【目次】

第1章 学校法人会計の特徴と開示制度

1 学校法人 ……………………………………………………………… 1
2 学校法人における開示制度 ………………………………………… 4
3 学校法人において作成される計算書類 …………………………… 9
4 学校法人会計の特徴 ……………………………………………… 31
5 学校法人における会計方針 ……………………………………… 38
コラム1　職員作りこそ大学作り ………………………………… 51

第2章 学校法人における経営分析

1 経営分析の意義 …………………………………………………… 53
2 学校法人において計算書類を分析する意義 …………………… 60
3 学校法人における環境変化と財務分析の必要性 ……………… 65
4 学校法人における財務分析の利用方法 ………………………… 70
5 財務分析にあたっての留意事項 ………………………………… 71
6 財務情報の入手 …………………………………………………… 73
7 財務分析の進め方 ………………………………………………… 77
8 自己診断チェックリストによる財務分析 ……………………… 91
9 非財務的な指標による評価 ……………………………………… 95
コラム2　ガバナンス強化と「ガバナンス・コード」 ………… 98
コラム3　中期計画の策定とモニタリング …………………… 100

第3章 資金収支による財務分析

1 資金収支計算書の概要 …………………………………………………… 101
2 活動区分資金収支計算書 ………………………………………………… 113
3 活動区分資金収支計算書の分析 ………………………………………… 122

第4章 事業活動収支計算書の分析

1 事業活動収支計算書の意義 ……………………………………………… 127
2 大学法人、短期大学法人、高等学校法人合計の事業活動収支計算書 … 143
3 事業活動収支計算書の分析 ……………………………………………… 152
コラム4　公的研究費ガイドライン改正への対応 ………………………… 170

第5章 貸借対照表の分析

1 貸借対照表の概要 ………………………………………………………… 171
2 貸借対照表の記載項目 …………………………………………………… 172
3 貸借対照表の財務分析 …………………………………………………… 182
コラム5　Afterコロナ、Withコロナの働き方 …………………………… 199

第6章 財務分析のケーススタディ

1 財務分析の実施結果 ……………………………………………………… 207
2 財務分析の実施結果の検討 ……………………………………………… 217
3 総合所見 …………………………………………………………………… 228

コラム6	ESG情報の開示と統合報告	235

第7章 財務内容の改善策

1	はじめに	239
2	中長期経営計画による総合的な経営改善	240
3	予算制度のあり方（予算制度の見直し）	257
4	管理会計のあり方（管理会計の進化）	261
5	収入拡大のための方策：学生・生徒募集戦略の見直し	267
6	広報費（募集活動費）の有効活用（有効な支出の方策）	274
7	収入拡大のための方策：外部資金の獲得	277
8	ブランディング（収入向上策）	281
9	施設設備の有効活用（収入向上策）	288
10	人件費の有効な管理（支出抑制策）	289
11	経費の削減（支出削減策）	291
コラム7	学校法人が出資する会社の管理	293

第8章 学校法人の再生・再建手法

1	はじめに	295
2	自力での再生が困難となった場合の再生・撤退スキーム	296
3	M&A等による再生・再建スキーム	313
コラム8	DXを通じた大学の経営強化	328

略　称

文科省	文部科学省
私学法	私立学校法　昭和24年12月15日法律第270号 最終改正　令和元年12月11日法律第71号
文部科学大臣所轄法人	私学法第4条において所轄庁が文部科学大臣とされている法人
知事所轄法人	私学法第4条において所轄庁が都道府県知事とされている法人
私学振興助成法	私立学校振興助成法 昭和50年7月11日法律第61号 最終改正　平成24年8月22日法律第67号
事業団	日本私立学校振興・共済事業団
基準	学校法人会計基準 昭和46年4月1日文部省令第18号 最終改正　平成25年4月22日文部科学省令第15号
実務指針	日本公認会計士協会学校法人委員会実務指針
委員会報告	日本公認会計士協会学校法人委員会報告
研究報告	日本公認会計士協会学校法人委員会研究報告

第1章

学校法人会計の特徴と開示制度

① 学校法人

(1) 学校法人とは

　学校法人とは、私立学校の設置を目的として、私立学校法の定めるところにより設立される法人をいう（私学法第3条）。ここで私立学校とは、学校法人が設置する学校（私学法第2条第3項）をいうが、私学法では学校等について以下のように定義している。

　学　　校：学校教育法（昭和22年法律第26号）第1条に規定する学校及び就学前の子どもに関する教育、保育等の総合的な提供の推進に関する法律（平成18年法律第77号）第2条第7項に規定する幼保連携型認定こども園（私学法第2条第1項）、すなわち幼稚園、小学校、中学校、義務教育学校、高等学校、中等教育学校、特別支援学校、大学、高等専門学校及び幼保連携型認定こども園が該当する。

　専修学校：学校教育法第124条に規定する専修学校（私学法第2条第2項）

　各種学校：学校教育法第134条第1項に規定する各種学校（私学法第2条第2項）

　なお、専修学校又は各種学校の設置のみを目的とする私学法第64条第4項で定める法人を、準学校法人と呼ぶ場合もある。

　また、私学法第30条では、学校法人を設立しようとする者は、寄附行為において、その目的、名称、設置する私立学校の名称等所定の事項を定めた上、

文部科学省令で定められた手続（私学法施行規則第2条等）に従い所轄庁の認可を受けなければならない旨を定めている。ここでいう所轄庁とは、学校等の種類により以下のように定められている（私学法第4条）。

文部科学大臣が所轄するもの（以下本書では、「文部科学大臣所轄法人」という）
- 私立大学及び私立高等専門学校（以下本書では、「私立大学等」という）
- 私立大学等を設置する学校法人
- 私立大学等とそれ以外の私立学校、私立専修学校又は私立各種学校とを併せて設置する学校法人

都道府県知事が所轄するもの（以下本書では、「知事所轄法人」という）
- 私立大学等以外の私立学校並びに私立専修学校及び私立各種学校
- 私立大学等以外の私立学校並びに私立専修学校及び私立各種学校を設置する学校法人及び準学校法人

⑵ 学校法人の管理運営制度

　学校法人には、役員として、理事5人以上及び監事2人以上を置かなければならない（私学法第35条第1項）。理事のうち1人が、寄附行為の定めるところにより、理事長となる（私学法第35条第2項）。学校法人の役員等の役割は以下の通りであり、その関係を図で示すと図表1－1の通りである。

① 理事会
　学校法人は理事をもって組織する理事会を置く（私学法第36条第1項）。理事会は学校法人の業務を決し、理事の職務の執行を監督する（私学法第36条第2項）。

② 理事長
　理事長は学校法人を代表し、その業務を総理する（私学法第37条第1項）。また、理事長が理事会の議長となる（私学法第36条第4項）。

③ 理事
　理事長を除く理事は、理事長を補佐して学校法人の業務を掌理し、理事長

に事故があればその職務を代理し、理事長が欠けたときはその職務を行う（私学法第37条第2項）。

④ 監事

監事は、学校法人の業務及び財産の状況を監査する（私学法第37条第3項）。

⑤ 評議員会

学校法人には評議員会を置かなければならない（私学法第41条第1項）。

理事長は予算、借入金及び重要な資産の処分に関する事項、事業計画、寄附行為の変更、合併、解散等の重要事項についてはあらかじめ評議員会の意見を聴かなければならない（私学法第42条第1項）。なお、これらの事項は、寄附行為をもって評議員会の議決を要する事項とすることも可能である（私学法第42条第2項）。

図表1-1　学校法人の機関の概要

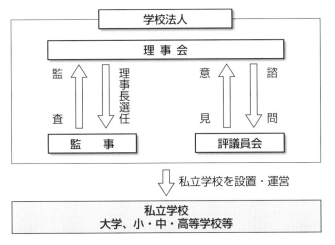

出典：研究報告第17号「学校法人の監査人と監事の連携のあり方等について」平成22年1月13日、日本公認会計士協会　I 監査人と監事の関係　1．私立学校法と監事制度の概要（6）より

(3) 私学助成制度

わが国の学校教育のなかで私立学校は大きな役割を果たしており、私学の

振興を図ることは学校教育の発展を図る上で重要な意味を持つため、国は法令に基づき私学助成を行っている。

国が設けている助成制度として以下のものがある。

① 私立大学等経常費補助金（私学振興助成法第4条）

私立の大学、短期大学、高等専門学校の教育研究条件の維持向上及び修学上の経済的負担の軽減に資するとともに、経営の健全性を高めるため、国が日本私立学校振興・共済事業団（以下本書では、「事業団」という）を通じて私立大学等の教育又は研究に係る経常的経費の2分の1以内を学校法人に補助するもの。

② 私立高等学校経常費助成費等補助金（私学振興助成法第9条）

私立の高等学校、中等教育学校、中学校、小学校、幼稚園、特別支援学校又は幼保連携型認定こども園の教育条件の維持向上及び修学上の経済的負担の軽減に資するとともに、経営の健全性を高めるため、都道府県が行う私立高等学校等の経常費助成費に対し国が補助するものをいう。

その他、私立学校教育研究装置等施設整備費補助金、私立大学等研究設備整備費等補助金、私立学校施設高度化推進事業費補助金等がある。

2 学校法人における開示制度

(1) 私学法に基づく学校法人の開示制度

学校法人は、会計年度終了後2ヶ月以内に、財産目録、貸借対照表、収支計算書及び事業報告書を作成する必要がある（私学法第47条第1項）。そして、学校法人が公共性の高い法人としての説明責任を果たし、関係者の理解と協力を一層得られるようにしていく観点から、情報の公表及び公開が求められている。

文部科学大臣所轄法人は、財務情報及び監事の監査報告書を公表することが義務付けられている（私学法第63条の2第1項）。

また、すべての学校法人は、財務情報及び監事の監査報告書の情報を各事

務所に備えておき、開示請求があった場合（知事所轄法人は利害関係人からの請求に限る）は、正当な理由がある場合を除いて、これを閲覧に供しなければならない（私学法第47条第2項）。

図表 1 － 2　私学法第47条第2項に基づく情報公開の留意事項

公開することが義務付けられる書類	財産目録、貸借対照表、収支計算書（資金収支計算書、事業活動収支計算書、活動区分資金収支計算書）、事業報告書、監事の監査報告書、収益事業に係る財務書類、役員等名簿、役員に対する報酬等の支給の基準
財務情報閲覧の対象者 （知事所轄法人の場合）	・当該学校法人の設置する私立学校に在学する者その他の利害関係人、例えば、学生生徒やその保護者、雇用契約にある者、債権者、抵当権者等 ・単に近隣に居住する者というだけでは該当しないものとされている。 ・入学希望者については、入学の意思が明確に確認できると判断した場合等は、該当するとされている。
閲覧の拒否	積極的な情報公開の観点から慎重に判断すべきではあるが、正当な理由があれば閲覧の拒否は可能 　　例えば、以下の理由が考えられる。 ・就業時間外や休業日等の請求（請求権の濫用） ・誹謗中傷目的等明らかに不法・不当な目的であること ・公開すべきではない個人情報が含まれる場合

　この情報の公表・公開制度は、すべての学校法人に共通に義務付ける最低限の内容を規定しているものであり、設置する学校の実情に応じ、より積極的な対応が期待されている。ただし、各都道府県に対しては、小規模な法人が多い知事所轄法人に、過度の負担とならないよう配慮を求めることとされている。

　また、財産目録、貸借対照表、収支計算書等の財務情報だけでは学校法人の状況を理解するのには限界があるため、法人の概要、事業の概要、財務の概要について記載した事業報告書の作成及び開示が求められている。

　事業報告書の記載内容の例は下表のよおりである。

1．法人の概要
 (1) 建学の精神
 (2) 学校法人の沿革
   ① 法人設立年月
   ② 学校設置年月 等
 (3) 設置する学校・学部・学科等
 (4) 学校・学部・学科等の学生数の状況
   ① 入学定員、収容定員、現員数 等
 (5) 役員の概要
   ① 定員数、現員数、氏名 等
 (6) 評議員の概要
   ① 定員数、現員数、氏名 等
 (7) 教職員の概要
   ① 学校別、本務兼務別員数 等
 (8) その他
   ① 系列校の状況 等
2．事業の概要
 (1) 事業の概要
 (2) 主な事業の目的・計画及びその進捗状況
 (3) 施設等の状況
   ① 現有施設設備の所在地等の説明
   ② 主な施設設備の取得又は処分計画及びその進捗状況
 (4) その他
   ① 当該年度の重要な契約
   ② 係争事件の有無とその経過
   ③ 決算日後に生じた学校法人の状況に関する重要な事実
   ④ 対処すべき課題 等
3．財務の概要
 (1) 決算の概要
   ① 貸借対照表の状況
   ② 収支計算書の状況
 (2) 経年比較
   ① 貸借対照表
   ② 収支計算書
     ア 資金収支計算書
     イ 消費収支計算書(注)
 (3) 主な財務比率比較
 (4) その他
   ① 有価証券、借入金、学校債、その他重要な資産・負債、収入・支出の状況
   ② 収益事業の状況
   ③ 関連当事者等との取引等の状況 等

注：平成25年基準改正後は事業活動収支計算書となる。

出典：研究報告第12号「学校法人における事業報告書の記載例について」平成21年2月17日、日本公認会計士協会学校法人委員会、Ⅰ　記載項目

(2) 私学振興助成法と学校法人会計基準

　私学振興助成法は、経常的経費について補助金の交付を受ける学校法人は、学校法人会計基準(昭和46年文部省令第18号)に従って、会計処理を行い、貸借対照表、収支計算書その他の財務計算に関する書類を作成するとともに、当該書類と収支予算書を所轄庁に届け出なければならないと定めている(私学振興助成法第14条第1項・第2項)。

　「基準」は、第1章「総則」、第2章「資金収支計算及び資金収支計算書」、第3章「事業活動収支計算及び事業活動収支計算書」、第4章「貸借対照表」、第5章「知事所轄学校法人に関する特例」、第6章「幼保連携型認定こども園を設置する社会福祉法人に関する特例」及び「附則」から構成されており、学校法人会計における原則、資金収支計算及び事業活動収支計算の目的・方法、資産に関する会計処理、基本金の組入れ・取崩し、計算書類の記載方法等が規定されている。

　わが国において学校法人における会計処理と計算書類の開示を規定している基準は、事実上学校法人会計基準しかないため、学校法人会計とは学校法人会計基準に従った会計といっても差し支えない。

　なお、学校法人会計基準だけでなく、文部科学省から発出される通知、日本公認会計士協会が公表する学校法人委員会実務指針、学校法人委員会報告、研究報告等によって学校法人会計の実務が進められている。

(3) 私学振興助成法に基づく公認会計士監査

　経常的経費について補助金の交付を受ける学校法人は、補助金の額が寡少であって、所轄庁の認可を受けたときを除き、財務計算に関する書類に監査人(公認会計士又は監査法人)の監査報告書を添付しなければならない(私学振興助成法第14条第3項)。ここで、補助金の額が寡少とは、1会計年度に1学校法人に交付される補助金が1,000万円に満たない場合をいう(「私立学校振興助成法等の施行について」昭和51年4月8日文管振第153号)。

　日本公認会計士協会による監査実施状況調査(2020年度)によると、文部

科学大臣所轄法人で644、知事所轄法人で高校・中学・小学校を設置している法人で804、幼稚園のみを設置している法人で3,160の法人が、公認会計士又は監査法人による私学振興助成法監査を受けている。

(4) 私学振興助成法が求める会計制度と私学法に基づく開示制度

私学振興助成法は、経常的経費について補助金の交付を受ける学校法人に対して計算書類を所轄庁に提出することを求めている。一方、私学法は会計年度終了後2ヶ月以内に、財産目録、貸借対照表、収支計算書及び事業報告書を作成し、インターネットの利用による公表（文部科学大臣所轄法人に限る）及び利害関係者の求めに応じて閲覧させることを求めている。

私学振興助成法及び私学法の定める内容を比較すると、図表1－3の通りである。

図表1－3 会計に関する私学振興助成法と私学法の比較

摘　要	私学振興助成法	私学法
適用される学校法人	経常的経費について補助金の交付を受ける学校法人	すべての学校法人
作成する計算書類	資金収支計算書（資金収支内訳表、人件費支出内訳表）、活動区分資金収支計算書、事業活動収支計算書（事業活動収支内訳表）、貸借対照表（固定資産明細表、借入金明細表、基本金明細表）	財産目録、収支計算書(注)、貸借対照表、事業報告書
適用される会計基準	学校法人会計基準	一般に公正妥当と認められる学校法人会計の基準その他の学校法人会計の慣行（実際上は、学校法人会計基準）
公表の義務	なし	あり（文部科学大臣所轄法人）
公開の義務	なし	あり

| 公認会計士監査 | あり | なし |

注:「学校法人会計基準の一部改正に伴う私立学校法第47条の規定に基づく財務情報の公開に係る書類の様式参考例等の変更について（通知）」（平成25年11月27日25文科高第616号）では、資金収支計算書、活動区分資金収支計算書及び事業活動収支計算書がこれに該当するものとされている。ただし、知事所轄法人で活動区分資金収支計算書を作成していない場合は、資金収支計算書と事業活動収支計算書となる。

❸ 学校法人において作成される計算書類

⑴ 計算書類の体系

基準では、学校法人は資金収支計算書及びこれに附属する内訳表（資金収支内訳表、人件費支出内訳表）、資金収支計算書に基づき作成する活動区分資金収支計算書、事業活動収支計算書及びこれに附属する事業活動収支内訳表、貸借対照表及びこれに附属する明細表（固定資産明細表、借入金明細表、基本金明細表）を作成しなければならないと定めている（基準第4条）。

また、私学法第26条第1項に規定する事業に関する会計（以下本書では、「収益事業会計」という）に係る会計処理及び計算書類の作成は、一般に公正妥当と認められる企業会計の原則に従って行うこととされている（基準第3条第1項）。したがって、収益事業に係る貸借対照表、損益計算書等は計算書類とは別に作成される。

図表1－4　計算書類の体系

資金収支計算書	〈附属する内訳表〉 資金収支内訳表、人件費支出内訳表 （資金収支計算書に基づき作成する表） 活動区分資金収支計算書
事業活動収支計算書	〈附属する内訳表〉 事業活動収支内訳表
貸借対照表	〈附属する明細表〉 固定資産明細表、借入金明細表、基本金明細表

収益事業会計（私学法第26条第1項の収益事業を行っている場合）	貸借対照表 損益計算書 その他一般に公正妥当と認められる企業会計の原則によって求められる計算書類等

(2) **資金収支計算書**

　学校法人は、以下の目的のために資金収支計算書を作成する（基準第6条）。
　① 当該会計年度の諸活動に対応する全ての収入及び支出の内容を明らかにする。
　② 当該会計年度における支払資金（現金及びいつでも引き出すことができる預貯金）の収入及び支出のてん末を明らかにする。

　支払資金は、貸借対照表の流動資産に計上される現金預金残高と理解することができる。したがって、資金収支計算書は1事業年度における現金預金の増減の内訳を示したものと考えることができる。

　ただし、資金収支計算書は諸活動に対応する収入及び支出を発生主義で計上した上で、最終的に資金収入調整勘定及び資金支出調整勘定の計上により、実際の現金預金の増減に一致させるという計算構造であることに留意が必要である。

　例えば、学生生徒等納付金収入の授業料収入には、未収入金や前年度の前受金収入からの振替部分を含めた収益計上すべき金額（諸活動に対応する収入の金額）が計上されている。授業料として実際に入金された金額だけが授業料収入として計上されているわけではない。資金収入調整勘定において前期末前受金、期末未収入金の金額を控除することにより、最終的に現金預金の増加額に修正するのが資金収支計算書の構造である。

　資金収支計算書には収入の部と支出の部を設け、収入又は支出の科目ごとに当該会計年度の決算の額を予算の額と対比して記載する（基準第9条）。資金収支計算書に記載される科目は基準別表第一「資金収支計算書記載科目（第10条関係）」に、様式は第一号様式（第12条関係）に記載されている。様式を要約して示すと、図表1－5の通りである。

資金収支計算書の記載科目には大科目、小科目の区分がある。例えば、学生生徒等納付金収入が大科目に該当し、その内訳である授業料収入、入学金収入といった科目が小科目に該当する。

図表1－5　資金収支計算書の様式（抜粋）

資　金　収　支　計　算　書
年　　　月　　　　日から
年　　　月　　　　日まで

（単位：円）

収入の部			
科　　目	予　　算	決　　算	差　　異
学生生徒等納付金収入 ………			
前年度繰越支払資金			
収入の部合計			
支出の部			
科　　目	予　　算	決　　算	差　　異
人件費支出 ………			
翌年度繰越支払資金			
支出の部合計			

資金収支計算書に記載される科目を主に大科目を中心に要約して示すと、図表1－6の通りである。

図表1－6　資金収支計算書に記載される科目（例）（小科目は一部のみ記載）

収入の部	支出の部
学生生徒等納付金収入 　授業料収入 　……… 手数料収入 　入学検定料収入 　……… 寄付金収入 　特別寄付金収入 　一般寄付金収入 補助金収入 　国庫補助金収入 　地方公共団体補助金収入 　……… 資産売却収入 　施設売却収入 　設備売却収入 　有価証券売却収入 　……… 付随事業・収益事業収入 　補助活動収入 　附属事業収入 　受託事業収入 　収益事業収入 受取利息・配当金収入 　第3号基本金引当特定資産運用収入 　その他の受取利息・配当金収入 雑収入 　施設設備利用料収入 　……… 借入金等収入 　長期借入金収入 　……… 前受金収入 　授業料前受金収入 　……… その他の収入 　第2号基本金引当特定資産取崩収入 　○○引当特定資産取崩収入 　前期末未収入金収入 　貸付金回収収入 　預り金受入収入	人件費支出 　教員人件費支出 　……… 教育研究経費支出 　消耗品費支出 　……… 管理経費支出 　消耗品費支出 　……… 借入金等利息支出 　借入金利息支出 　学校債利息支出 借入金等返済支出 　借入金返済支出 　学校債返済支出 施設関係支出 　土地支出 　……… 設備関係支出 　教育研究用機器備品支出 　……… 資産運用支出 　有価証券購入支出 　第2号基本金引当特定資産繰入支出 　収益事業元入金支出 　……… その他の支出 　貸付金支払支出 　前期末未払金支払支出 　預り金支払支出 　……… 〔予備費〕 資金支出調整勘定 　期末未払金（△） 　前期末前払金（△） 　………

資金収入調整勘定 　期末未収入金（△） 　前期末前受金（△） 　……… 前年度繰越支払資金 収入の部合計	翌年度繰越支払資金 支出の部合計

注１：収入の部合計と支出の部合計は一致する必要がある。
注２：前年度繰越支払資金は貸借対照表の前年度末現金預金残高、翌年度繰越支払資金は貸借対照表の本年度末現金預金残高と一致する必要がある。

(3) 事業活動収支計算書

　学校法人は以下の目的のために事業活動収支計算書を作成する（基準第15条）。

① 当該会計年度における教育活動、教育活動以外の経常的な活動、その他の活動に対応する事業活動収入及び事業活動支出の内容を明らかにする。

② 基本金組入れ額を控除した当該会計年度の諸活動に対応するすべての事業活動収入及び事業活動支出の均衡の状況を明らかにする。

　事業活動収入とは、当該会計年度の学校法人の負債とならない収入をもって計算される（基準第16条第１項）。また、事業活動支出は、当該会計年度において消費する資産の取得価額及び当該会計年度における用役の対価に基づいて計算される（基準第16条第２項）。

　事業活動収入は企業会計でいう収益よりは広い概念という見解もあるが、ここでは収益とほぼ同様の概念と理解して差し支えないと考える。事業活動支出も同様に企業会計でいう費用とほぼ同様の概念と理解することができる。したがって、事業活動収支計算書は企業会計でいう損益計算書に相当する計算書と、まずは理解しておけば足りる。

　なお、学校法人会計においては消費税等の会計処理は税込方式が原則であり、事業活動収支計算書における各科目の金額は消費税等が含まれていることに留意が必要である。

　事業活動収支計算書に記載される科目は、基準別表第二「事業活動収支

算書記載科目（第19条関係）」に、様式は第五号様式（第23条関係）に記載されている。様式を要約して示すと、図表１−７の通りである。

図表１−７　事業活動収支計算書の様式（抜粋）

事業活動収支計算書
年　　月　　日から
年　　月　　日まで

（単位：円）

		科　目	予　算	決　算	差　異
教育活動収支	事業活動収入の部	学生生徒等納付金 　授業料 　…… 手数料 　入学検定料 　…… 寄付金 　特別寄付金 　一般寄付金 　現物寄付 経常費等補助金 　国庫補助金 　地方公共団体補助金 　…… 付随事業収入 　補助活動収入 　附属事業収入 　…… 雑収入 　施設設備利用料 　…… 教育活動収入計			

		科　目	予　算	決　算	差　異
教育活動収支	事業活動支出の部	人件費 　教員人件費 　…… 教育研究経費 　消耗品費 　…… 管理経費 　消耗品費 　…… 徴収不能額等 　徴収不能引当金繰入額 　徴収不能額 教育活動支出計			
教育活動収支差額					

		科　目	予　算	決　算	差　異
教育活動外収支	事業活動収入の部	受取利息・配当金 　第3号基本金引当特定資産運用収入 　その他の受取利息・配当金 その他の教育活動外収入 　収益事業収入 　…… 教育活動外収入計			
	事業活動支出の部	科　目	予　算	決　算	差　異
		借入金等利息 　借入金利息 　学校債利息 その他の教育活動外支出 　…… 教育活動外支出計			
教育活動外収支差額					
経常収支差額					

		科　　目	予　算	決　算	差　異
特別収支	事業活動収入の部	資産売却差額 …… その他の特別収入 　施設設備寄付金 　現物寄付 　施設設備補助金 　過年度修正額 　…… 特別収入計			
		科　　目	予　算	決　算	差　異
		資産処分差額 …… その他の特別支出 　災害損失 　過年度修正額 　…… 特別支出計			
特別収支差額					
［予備費］			（　　）		
基本金組入前当年度収支差額					
基本金組入額合計			△	△	
当年度収支差額					
前年度繰越収支差額					
基本金取崩額					
翌年度繰越収支差額					

（参考）

事業活動収入計			
事業活動支出計			

注：小科目は抜粋して記載

(4) 貸借対照表

　学校法人が貸借対照表を作成する目的は、以下の通りである。
　① 学校法人の財政状態が健全であるかどうかの情報を提供する。
　② 教育研究のための必要な資産の保有状況を表示する。

　貸借対照表には、資産、負債、純資産の部を設け、科目ごとに当会計年度末の額を前会計年度末の額と対比して記載するものとされている。

　資産の部は、大科目である固定資産と流動資産に区分される。さらに固定資産は中科目として有形固定資産、特定資産、その他の固定資産に区分される（なお、有形固定資産の内訳科目である土地や建物等は、小科目という）。

　ここで、特定資産とは使途が特定された預金等をいい、第2号基本金の組入対象となる金銭その他の資産である第2号基本金引当特定資産、将来の施設設備取得のために積み立てている預金等である施設設備拡充引当特定資産、第3号基本金に対応する奨学基金等である第3号基本金引当特定資産、将来の退職金の支払いに充てるための退職給与引当特定資産等が該当する。

　また負債の部は大科目である固定負債と流動負債に、純資産の部は大科目である基本金と繰越収支差額に区分される。

　貸借対照表に記載される科目は基準別表第三「貸借対照表記載科目（第33条関係）」に、様式は第七号様式（第35条関係）に記載されている。

　なお、学校法人の貸借対照表は、固定性配列法に基づき記載されており、固定資産が流動資産より先に、固定負債が流動負債より先に記載される。また、流動・固定の区分は1年基準（ワン・イヤールール）に従って行われる。すなわち、貸借対照表日から1年を超えて使用又は保有する資産を固定資産とし、返済期限が貸借対照表日から1年を超える負債を固定負債とする。

　貸借対照表の要約した様式を示すと、図表1－8の通りである。

図表1－8　貸借対照表の様式

貸 借 対 照 表
年　　月　　日

(単位：円)

資産の部			
科　目	本年度末	前年度末	増　減
固定資産 　有形固定資産 　　土地 　　建物 　　構築物 　　教育研究用機器備品 　　管理用機器備品 　　図書 　　車両 　　建設仮勘定 　　…… 　特定資産 　　第2号基本金引当特定資産 　　第3号基本金引当特定資産 　　××引当特定資産 　　…… 　その他の固定資産 　　借地権 　　電話加入権 　　施設利用権 　　ソフトウェア 　　有価証券 　　収益事業元入金 　　…… 流動資産 　現金預金 　未収入金 　……			
資産の部合計			
負債の部			

科　目	本年度末	前年度末	増　減
固定負債 　　　長期借入金 　　　学校債 　　　退職給与引当金 　　　…… 流動負債 　　　短期借入金 　　　未払金 　　　前受金 　　　預り金 　　　……			
負債の部合計			
純資産の部			

科　目	本年度末	前年度末	増　減
基本金 　　第1号基本金 　　第2号基本金 　　第3号基本金 　　第4号基本金 繰越収支差額 　　翌年度繰越収支差額			
純資産の部合計			
負債及び純資産の部合計			

注：小科目は一部のみ記載

(5) 重要な会計方針等

　貸借対照表の脚注において、引当金の計上基準その他の計算書類の作成に関する重要な会計方針等が記載される。記載される内容は、以下の通りである（基準第34条）。

> 1．重要な会計方針
> (1) 引当金の計上基準
> (2) その他計算書類の作成に関する重要な会計方針
> 2．重要な会計方針の変更等
> 3．減価償却額の累計額の合計
> 4．徴収不能引当金の合計額
> 5．担保に供されている資産の種類及び額
> 6．翌年度以後の会計年度において基本金への組入れを行うこととなる金額
> 7．当該会計年度の末日において第4号基本金に相当する資金を有していない場合のその旨と対策
> 8．その他財政及び経営の状況を正確に判断するために必要な事項

「学校法人会計基準の一部改正に伴う計算書類の作成について（通知）」（平成25年9月2日25高私参第8号）（以下本書では、「第8号通知」という）では別添として注記事項記載例が示されている。これによると、その他の重要な会計方針として以下を例示している。

・有価証券の評価基準及び評価方法
・たな卸資産の評価基準及び評価方法
・外貨建資産・負債等の本邦通貨への換算基準
・預り金その他経過項目に係る収支の表示方法
・食堂その他教育活動に付随する活動に係る収支の表示方法

また、「8．その他財政及び経営の状況を正確に判断するために必要な事項」に記載される事項として以下を例示している。

・有価証券の時価情報
・デリバティブ取引
・学校法人の出資による会社に係る事項
・主な外貨建資産・負債
・偶発債務
・通常の賃貸借取引に係る方法に準じた会計処理を行っている所有権移転外ファイナンス・リース取引
・純額で表示した補助活動に係る収支

・関連当事者との取引
・後発事象
・学校法人間の財務取引

(6) 活動区分資金収支計算書

　資金収支計算書、事業活動収支計算書、貸借対照表が学校法人の計算書類における基本3表ということになるが、このほかに平成25年の基準改正により資金収支計算書を基に活動区分資金収支計算書の作成が必要となった。ただし、知事所轄法人においては、改正後の基準が適用された後も作成しないことが認められている（基準第37条）。

　活動区分資金収支計算書とは、資金収支計算書に記載される資金収入及び資金支出の決算額を次に掲げる活動ごとに区分して記載する計算書をいう（基準第14条の2）。

① 教育活動
② 施設若しくは設備の取得又は売却その他これらに類する活動（施設整備等活動）
③ 資金調達その他①、②以外の活動（その他の活動）

活動区分資金収支計算書の様式を示すと、図表1－9の通りである。

図表1-9　活動区分資金収支計算書の様式（「基準」第四号様式）

活 動 区 分 資 金 収 支 計 算 書
年　　月　　日から
年　　月　　日まで

（単位：円）

	科　目	金　額
教育活動による資金収支	**収入** 　学生生徒等納付金収入 　手数料収入 　特別寄付金収入 　一般寄付金収入 　経常費等補助金収入 　付随事業収入 　雑収入 　……	
	教育活動資金収入計	
	支出 　人件費支出 　教育研究経費支出 　管理経費支出	
	教育活動資金支出計	
	差引	
	調整勘定等	
	教育活動資金収支差額	

	科　目	金　額
施設整備等活動による資金収支	**収入** 　施設設備寄付金収入 　施設設備補助金収入 　施設設備売却収入 　第2号基本金引当特定資産取崩収入 　○○引当特定資産取崩収入 　……	
	施設整備等活動資金収入計	

設備整備等活動による資金収支	支出	施設関係支出 設備関係支出 第2号基本金引当特定資産繰入支出 ○○引当特定資産繰入支出 ……	
		施設整備等活動資金支出計	
	差引		
	調整勘定等		
	施設整備等活動資金収支差額		
小計（教育活動資金収支差額＋施設整備等活動資金収支差額）			
その他の活動による資金収支		科　目	金　額
	収入	借入金等収入 有価証券売却収入 第3号基本金引当特定資産取崩収入 ○○引当特定資産取崩収入 ……	
		小計	
		受取利息・配当金収入 収益事業収入 ……	
		その他の活動資金収入計	
	支出	借入金等返済支出 有価証券購入支出 第3号基本金引当特定資産繰入支出 ○○引当特定資産繰入支出	
		収益事業元入金支出 ……	
		小計	
		借入金等利息支出 ……	
		その他の活動資金支出計	

	差引	
	調整勘定等	
	その他の活動資金収支差額	
支払資金の増減額（小計＋その他の活動資金収支差額）		
前年度繰越支払資金		
翌年度繰越支払資金		

(7) 内訳表による部門別開示

　基準では、学校法人の各部門の経営状況を的確に把握するため、部門別計算を求めている。そのため学校法人は資金収支計算書の部門別の内訳表として資金収支内訳表及び人件費支出内訳表、事業活動収支計算書の部門別内訳表として事業活動収支内訳表の作成が必要である。

　なお、私学法上の財務書類等の開示制度においては、これらの内訳表は開示対象とはなっていない。ホームページ等において内訳表を掲載している学校法人も少ないため外部者がこれを検討するのは困難であるが、内部管理目的で財務分析を行う際には部門別の観点は大変重要である。

① 資金収支内訳表

　資金収支内訳表は以下の部門ごとに記載する（基準第13条）。

　　ⅰ　学校法人
　　ⅱ　各学校（専修学校及び各種学校を含み、以下のⅲからⅴを除く）
　　ⅲ　研究所
　　ⅳ　各病院
　　ⅴ　農場、演習林その他研究所や各病院と同程度の規模を有する各施設

　なお、資金収支計算書においては、上記の部門をさらに以下のように細分して記載することを求めている（基準第13条第2項）。

・2以上の学部を置く大学は、学部に細分して記載する。
・2以上の学科を置く短期大学にあっては、学科に細分して記載する。

・2以上の課程を置く高等学校にあっては、課程に細分して記載する。

部門別内訳表における「学校法人」部門とは、いわゆる法人本部に属する業務に必要な収入額または支出額のみが計上される。「学校法人」部門の業務の範囲は以下の通りである。

> 文管企第250号「資金収支内訳表等の部門別計上及び配分について（通知）」（昭和55年11月4日文部省管理局通知）別紙資金収支内訳表等の部門別計上及び配分についてA資金収支内訳表について　3．「学校法人」部門の取扱い
> (1)　「学校法人」部門の業務の範囲は、次に掲げる業務とする。
> 　ア　理事会及び評議員会等の庶務に関すること
> 　イ　役員等の庶務に関すること
> 　ウ　登記、認可、届出その他の法令上の諸手続に関すること
> 　エ　法人主催の行事及び会議に関すること
> 　オ　土地の取得又は処分に関すること（他の部門の所掌に属するものを除く。）
> 　カ　法人運営の基本方針（将来計画、資金計画等）の策定事務に関すること
> 　キ　学校、学部・学科（学部の学科を含む。）等の新設事務に関すること
> 　ク　その他「学校法人」部門に直接かかわる庶務・会計・施設管理等に関すること
> 　ケ　他の部門の業務に属さない事項の処理に関すること

資金収支内訳表の記載は基準第二号様式に定められており、資金収支計算書の収入の部については、大科目では学生生徒等納付金収入から借入金等収入、支出の部では同じく人件費支出から設備関係支出までが記載される（図表1－10参照）。

図表1-10 資金収支内訳表の様式例(抜粋)

資金収支内訳表
年　　月　　日から
年　　月　　日まで

収　入　の　部

(単位:円)

部門 科　目	学校法人	A大学			B高等学校	総　額
		文学部	経済学部	計		
学生生徒等納付金収入						
授業料収入						
省略						
計						

支　出　の　部

(単位:円)

部門 科　目	学校法人	A大学			B高等学校	総　額
		文学部	経済学部	計		
人件費支出						
教員人件費支出						
省略						
計						

② **人件費支出内訳表**

　人件費支出内訳表は、資金収支計算書に記載される人件費支出の決算額の

内訳を資金収支内訳表と同じ部門別に記載したものである。

人件費支出内訳表の様式は、基準第三号様式（基準第14条関係）に定められている。

図表1－11　人件費支出内訳表の記載例

人 件 費 支 出 内 訳 表
年　　月　　日から
年　　月　　日まで

（単位：円）

部門　　　　　　　　　　科　目	学校法人	A大学			B高等学校	総　額
		文学部	経済学部	計		
教員人件費支出						
本務教員						
本俸						
期末手当						
その他の手当						
所定福利費						
……						
兼務教員						
職員人件費支出						
本務職員						
本俸						
期末手当						
その他の手当						

所定福利費						
……						
兼務職員						
役員報酬支出						
退職金支出						
教員						
職員						
……						
計						

③ **事業活動収支内訳表**

　事業活動収支計算書に記載される事業活動収入、事業活動支出、基本金組入額の決算額を部門ごとに記載したものが事業活動収支内訳表である。なお、事業活動収支内訳表は事業活動収支計算書における当年度収支差額まで記載すればよく、前年度繰越収支差額から翌年度繰越収支差額までは記載する必要はない。

　事業活動収支内訳表は、以下の部門ごとに記載する（基準第24条第13条第1項）。

　　ⅰ　学校法人
　　ⅱ　各学校（専修学校及び各種学校を含み、以下のⅲからⅴを除く）
　　ⅲ　研究所
　　ⅳ　各病院
　　ⅴ　農場、演習林その他研究所や各病院と同程度の規模を有する各施設

　資金収支内訳表とは異なり、各学校をさらに学部等に細分して記載する必要はない。事業活動収支内訳表の様式は基準第六号様式に定められている。

図表1−12 事業活動収支内訳表の記載例（抜粋）

事業活動収支内訳表
年　　月　　日から
年　　月　　日まで

（単位：円）

科目		部門	学校法人	A大学	B高等学校	総額
教育活動収支	事業活動収入の部	学生生徒等納付金				
		授業料				
		入学金				
		実験実習料				
省略						
当年度収支差額						
（参考）						
事業活動収入計						
事業活動支出計						

(8) 収益事業会計

　私立学校法第26条第1項では、私立学校の教育に支障のない限り、その収益を経営に充てるために、収益を目的とする事業を行うことができるとされている。これを収益事業といい、収益事業に関する会計（収益事業会計）については、学校法人会計基準が適用されず一般に公正妥当と認められる企業会計の原則に従って行われる（基準第3条）。そのため収益事業会計については、学校法人の計算書類とは別に貸借対照表、損益計算書等を作成する必

要がある。

収益事業の種類として、文部科学大臣の所轄に属する学校法人においては、「文部科学大臣の所轄に属する学校法人の行うことのできる収益事業の種類を定める件」（文部科学省告示第96号　最終改正平成28年6月23日）（以下本書では、「告示第96号」という）第2条により以下の18業種が定められている。

> ①農業、林業、②漁業、③鉱業、採石業、砂利採取業、④建設業、⑤製造業（「武器製造業」に関するものを除く。）、⑥電気・ガス・熱供給・水道業、⑦情報通信業、⑧運輸業、郵便業、⑨卸売業、小売業、⑩保険業（「保険媒介代理業」及び「保険サービス業」に関するものに限る。）、⑪不動産業（「建物売買業、土地売買業」に関するものを除く。）、物品賃貸業、⑫学術研究、専門・技術サービス業、⑬宿泊業、飲食サービス業（「料亭」、「酒場、ビヤホール」及び「バー、キャバレー、ナイトクラブ」に関するものを除く。）、⑭生活関連サービス業、娯楽業（「遊戯場」に関するものを除く。）、⑮教育、学習支援業、⑯医療、福祉、⑰複合サービス事業、⑱サービス業（他に分類されないもの）

ただし、これらの事業においても、収益を目的とせず、学校の教育の一部として又はこれに付随して行われる事業については、収益事業として扱わない。

なお、文科省は「文部科学大臣所轄学校法人が行う付随事業と収益事業の扱いについて（通知）」（20文科高第855号　平成21年2月26日）において、文部科学大臣所轄法人における収益事業の規模は、以下の範囲であることを求めている。

> 全収益事業に関する売上高及び営業外収益 ＜ 学校法人全体の帰属収入(注)

注：帰属収入には、特定年度のみに臨時的に生じた収入（資産売却差額等）及び保育事業による収入は含まない。また、帰属収入とは平成27年度から適用されている新基準では、事業活動収入合計に相当する。

法人税法においては、学校法人は公益法人等に該当するため収益事業の所得にのみ課税される。法人税法上の収益事業の範囲については法人税法施行令第5条第1項において34業種が定められているが、私立学校法上の収益事業とは一部相違がある。したがって、収益事業の計算書類に計上された収益

第1章 学校法人会計の特徴と開示制度

だけでなく、事業活動収支計算書に計上された事業活動収入から生じた所得についても法人税が課税される可能性があることに留意が必要である。

❹ 学校法人会計の特徴

　学校法人会計は発生主義会計が適用されるという点で企業会計と大きく異なるものではない。ただし、教育研究等の発展のために存在し営利を目的としないという学校法人の特性から、基本金や事業活動収支の均衡といった企業会計にはない特徴がある。同様に、金融商品の時価評価や固定資産の減損会計等企業会計において適用されている会計基準のうち一部採用されていないものもある。学校法人会計の特徴として以下があげられる。

(1) 企業会計原則が適用されている

　基準第2条では、学校法人は、次に掲げる原則によって、会計処理を行い、計算書類を作成しなければならないとしている。

> 真実性の原則：財政及び経営の状況について真実な内容を表示すること。
> 複式簿記の原則：すべての取引について、複式簿記の原則によって、正確な会計帳簿を作成すること。
> 明瞭性の原則：財政及び経営の状況を正確に判断することができるように必要な会計事実を明りょうに表示すること。
> 継続性の原則：採用する会計処理の原則及び手続並びに計算書類の表示方法については、毎会計年度継続して適用し、みだりにこれを変更しないこと。

　これらの原則の考え方は、企業会計原則における一般原則と異なるものではない。
　また、基準第25条では「資産の評価は取得価額をもってするものとする。」と定めている。あるいは時の経過によりその価値を減少する固定資産に対する減価償却（基準第26条）、徴収不能のおそれのある金銭債権に対する徴収

不能引当金（基準第28条）等の発生主義に基づく会計処理も規定している。
　したがって、複式簿記に基づき、また取得原価主義及び発生主義が適用される会計という点で、企業会計と本質的に異なるものではないと考えられる。

(2) 資金収支計算と事業活動収支計算

　学校法人会計では、資金収支計算及び事業活動収支計算の2系統の計算が行われる。資金収支計算の結果作成される計算書類が資金収支計算書、事業活動収支計算の結果作成される計算書類が事業活動収支計算書及び貸借対照表となる。そのため学校法人では、資金収支を記帳する資金収支元帳と事業活動収支計算書及び貸借対照表に記載される科目を記帳する総勘定元帳の2系統の会計帳簿を備えるのが一般的である。

　資金収支計算と事業活動収支計算との間には概ね図表1－13のような対応関係がある。また、事業活動収支計算においては、減価償却額や退職給与引当金繰入額のように資金収支は伴わないが、発生主義に基づき資産・負債の状況を適切に表示するための収支及び基本金の組入れ、取崩しが計上される。

図表1－13　資金収支と事業活動収支及び貸借対照表の増減との対応関係

資金収支計算	事業活動収支計算
資金収入	事業活動収入（例えば授業料）の発生 負債の増加（例えば資金の借入れ） 資産の減少（例えば売却による不動産の減少）
資金支出	事業活動支出（例えば人件費）の発生 資産の増加（例えば土地の購入） 負債の減少（例えば借入金の返済）

(3) 基本金

　貸借対照表の純資産の部は、基本金と繰越収支差額からなる。ここで基本金とは学校法人が、その諸活動の計画に基づき必要な資産を継続的に保持するために維持すべきものとして、その事業活動収入のうちから組み入れた金額をいう（基準第29条）。

　基本金は第1号から第4号まであり、その内容は以下の通りである。

〔第1号基本金〕
　学校法人が設立当初に取得した固定資産で教育の用に供されるものの価額又は新たな学校の設置若しくは既設の学校の規模の拡大若しくは教育の充実向上のために取得した固定資産の価額

〔第2号基本金〕
　学校法人が新たな学校の設置又は既設の学校の規模の拡大若しくは教育の充実向上のために将来取得する固定資産の取得に充てる金銭その他の資産の額

〔第3号基本金〕
　基金として継続的に保持し、かつ、運用する金銭その他の資産の額

〔第4号基本金〕
　恒常的に保持すべき資金として別に文部科学大臣の定める額

　基本金の定義を分かりやすくするために、基準第29条の文言を2つに区分して整理すると、次の通りである。

① 基本金とは「学校法人が、その諸活動の計画に基づき必要な資産を継続的に保持するために維持すべきもの」の金額である。
② 基本金は、事業活動収入のうちから組み入れる。

　①の記載については、学校法人における諸活動の計画に基づき必要な資産（基本金組入対象資産）の価額相当額が基本金として計上すべき金額（基本金要組入れ額）と理解することができる。なお、基本金組入対象資産の価額とは減価償却後の簿価ではなく取得価額であることに留意が必要である。基本金組入対象資産と基本金との関係を図で示すと、図表1-14の通りである。

基本金組入対象資産の残高（ただし、取得価額ベースの金額）と対応する第１号から第３号基本金の残高は、負債によって第１号基本金の組入対象資産を取得した場合等を除き、基本的には一致する。

　したがって、基本金組入対象資産の増減額と基本金組入高及び取崩高は基本的には整合する（基本金組入対象資産を負債によって取得した場合や取替更新の場合等の例外はあるが、本書では詳細な解説は省略する）。

　②の記載については、学校法人の収入は事業活動収入と負債による収入しかないが、負債による収入ではなく事業活動収入を財源として基本金を組み入れるということを意味する。すなわち、返済が必要な負債による収入をもって基本金の組入れの財源にすることはできず、自己資金をもって基本金の財源とする必要がある。したがって、第１号基本金の組入対象資産のうち、借入金や未払金等の負債によって取得した部分については基本金の組入れを

図表１－14　基本金組入対象資産と基本金要組入額

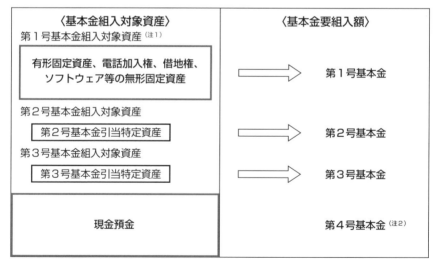

注１：基本金組入対象資産の取得価額相当であり、減価償却後の簿価ではないことに留意が必要である。
注２：第４号基本金の金額は別途文部科学大臣裁定で定める算出方法により決定される。なお、第４号基本金に対応する資産を第４号基本金引当特定資産等として計上することは求められていないため、資産との対応関係を示す矢印は記載していない。

行わず、当該未払金の支払いや借入金の返済を行った年度に、その返済額等を基本金に組み入れるものとしている。

(4) 事業活動収支の均衡

　事業活動収支計算の目的の一つは、基本金組入額を控除した当該会計年度の諸活動に対応するすべての事業活動収入及び事業活動支出の均衡の状態を明らかにすることにある（基準第15条）。すなわち事業活動収支の均衡がどの程度達成されているか、あるいは達成されていないかを示すことが事業活動収支計算の目的と考えることができる。

　ここで事業活動収支の均衡とは、以下の算式が成立していることである。

> 事業活動収入合計　−　基本金組入額　＝　事業活動支出合計

　すなわち事業活動収支計算書における当年度収支差額が0であることを意味する。

> 事業活動収入合計　−　事業活動支出合計　−　基本金組入額　＝　0

　別の見方をすると、事業活動収支の均衡は以下のように示すことができる。

> 事業活動収入合計　＝　事業活動支出合計　＋　基本金組入額

　事業活動収支の均衡とは、事業活動収入合計と事業活動支出合計及び基本金組入額の合計が一致している状態である。すなわち当年度の事業活動支出と基本金組入額（簡略化した説明をすると、基本金組入対象資産の当年度増加額）を、確実に当年度の事業活動収入で賄っていくことを求めているということもできる。

　なお、事業活動収支の均衡が達成されておらず当年度収支差額がマイナスとなっている場合だけでなく、大幅にプラスとなっている場合も好ましくないと考えられている。そのような場合は、教育研究活動等に十分な支出が行われていない可能性があるからである。

事業活動収支の均衡が求められるのは、施設設備の取替えや更新の財源を基本的に自前で調達する必要がある学校法人にとっては、教育研究活動を将来的に継続していくために、必要な資産を基本金として自己資金で確実に確保できるようにすることが求められるためとされている。

　企業は収入を拡大し利益を獲得するために設備投資を行う。逆に言うと企業においては、利益の獲得が見込まれないにもかかわらず設備投資を行うことは本来的には許されない。これに対し、学校法人が施設設備の取得を行うのは、教育研究等の水準の維持発展のためであり、事業活動収入や収支差額を増加させることを目的とするものではない。施設設備の取得を行っても収入が増加するわけではない以上、当年度の事業活動支出だけでなく、当年度における保持すべき資産の増加額も確実に当年度の事業活動収入によって賄うべきという事業活動収支の均衡という考え方は、学校法人の経営目標として合理性を有する。学校法人の教育研究活動を将来的に継続していくことができるかを判断する上で、事業活動収支均衡の考え方は、依然として重要である。

(5) 予算の重視

　学校法人における予算とは、学校法人の教育研究その他の活動の具体的な計画を、所要の計算体系に基づいて、科目と金額とにより表示し、総合編成したものであり、学校法人全般にわたる運営に役立てられるものである。

　予算制度は学校法人会計の基礎的前提の1つであり、そのため補助金の交付を受ける学校法人は収支予算書を所轄庁に届け出ることが求められている（私学振興助成法第14条第2項）。

　また、資金収支計算書及び事業活動収支計算書では予算と実績を比較する様式になっており、予算の実行状況を明らかにすることが求められている。

　このように学校法人において予算制度が重要視される理由について、日本会計研究学会（スタディ・グループ学校法人会計）「予算制度と監査・予算原則・予算監査」では、以下のように記載している。

> 第1章　予算制度と監査
> 　第1節　予算制度の意義
> 　かくして学校法人において予算制度が重要である理由は、これを次のごとく要約できるであろう。
> (1) 学校法人の維持存続を確保するためには、収入・支出の成り行き管理は許されず、収入と支出との均衡を前以て計画し、収入・支出との実行すなわち法人の運営は、かかる予算にもとづいて行なわれねばならない。
> (2) 学校法人の資産に対しては何びとの所有権も持分権も成立せず、資産運用上のいかなる損失をも負担せしめうる義務者は存在しないので、資産運用の受託者である理事者のアカウンタビリテイは、これを事後的にのみ確定するだけでは不十分である。

　学校法人における収入の大部分は学生生徒等納付金であり、次年度の入学者数が確定した段階でほぼ次年度の収入は予想可能である。したがって、予算編成時点で教育研究活動の成果が最大となるよう最適な資源配分を行うとともに、事業活動収支の均衡を達成するために収入の範囲内で支出をコントロールすることが重要である。

　また、各年度の収入及び支出の総額及び内訳を一覧で見ることができる資金収支計算書は、補助金の配分の基礎資料としてだけでなく、学校法人の予算管理のためのツールとして有用な書類であるといえる。

(6) 総額主義

　基準では、計算書類に記載する金額は、総額をもって表示するとされており、原則として取引を相殺して表示できない。純額表示が認められるのは、以下の場合のみである（基準第5条）。

　・預り金に係る収入と支出その他経過的な収入と支出
　・食堂に係る収入と支出その他教育活動に付随する活動に係る収入と支出

　したがって、例えば授業料の減免等を行った場合においても、減免前の授業料全額を授業料収入、減免額を教育研究経費支出の奨学費支出として両建てで計上するといった処理を行うことになる。

5 学校法人における会計方針

(1) 学校法人において適用される会計方針

会計方針とは、計算書類の作成にあたって、その財政及び経営の状況を正確に判断するために採用した会計処理の原則及び手続並びに表示の方法をいう。学校法人が計算書類を作成するために採用される会計方針は、以下の通りである。

① 引当金の計上基準

引当金とは、将来の特定の事業活動支出であって、当年度の負担に属する額を当年度の事業活動支出として計上した場合の貸方科目である。

引当金を計上するための要件として以下がある。

- その発生が当年度以前の事象に起因
- 発生の可能性が高い
- その金額を合理的に見積もることが可能

学校法人において計上される引当金としては、例えば、以下が挙げられる。

(i) 徴収不能引当金

未収入金等の債権の徴収不能に備えるために計上される引当金であり、一般に以下のような基準に基づき計上される。

- 債権金額に徴収不能実績率を乗じて算出する方法
- 債権ごとに、債務者の支払能力等を検討して個別に徴収不能見積額を計上する方法

(ii) 退職給与引当金

教職員の退職給与の支給に備えるため計上される引当金である。学校法人の退職金制度には、学校独自に退職金の一時払いを行う場合もあるが、各都道府県ごとに設立されている私学退職金団体に加入している場合、公益財団法人私立大学退職金財団に加入している場合が多い。さらには学校法人独自の年金制度を有している場合等があり、それぞれで会計処理の方法が相違する。

各制度の概要と会計処理の方法は、図表1-15の通りである。

図表1-15 退職金制度の概要と会計処理

退職金制度	制度の概要	会計処理の方法
退職金団体に加入せず退職金の一時払いを行っている場合	学校法人が保有する支払資金から退職一時金を支給	退職金の期末要支給額の100%を退職給与引当金として計上
事前積立方式を採用している私学退職金団体に加入している場合	・各都道府県ごとに、社団または財団として設立された退職金団体（例えば、東京都ならば公益財団法人東京都私学財団）に負担金を支出し、教職員の退職時に退職金団体より交付金を受け入れる制度 ・各団体の運営方法は、定款、寄附行為、業務方法書等により定められているが、一般的には事前積立方式が多いとされている。 ・事前積立方式とは、登録された全教職員について将来必要とされる交付を賄うに足る掛金を予測し交付金に要する資金を事前に積み立てていく方式をいう。	（掛金等の負担金の処理） 　人件費の「所定福利費」あるいは「私学退職金社団掛金支出」等の細分科目を設けて処理 （教職員退職時に退職金団体から受け入れる交付金の処理） 　雑収入の「私学退職金社団交付金収入」等の適当な小科目を設けて処理 （退職給与引当金の計上基準） 　退職金の期末要支給額の100%から私学退職金団体の交付金の額を控除した額を計上 （算式） 期末要支給額の100%－期末交付金相当額
公益財団法人私立大学退職金財団に加入している場合	・公益財団法人私立大学退職金財団は、各大学法人からの拠出金により、私立大学等に常時勤務する教職員の退職金給付に必要な資金を学校法人に交付し、教職員の待遇の安定と改善に資することを目的として、昭和56年8月に設立 ・年度ごとに実際に退職する教職員に対し必要とされる交付金の額に見合うだけの資金を、各学校法人に配分し徴収する賦課方式に、一定の積立金を保有して運営する財政方法（修正賦課方式）を採用している。	（掛金等の負担金の処理） 　人件費において「私立大学退職金財団負担金」等の細分科目を用いて表示 （教職員退職時に受け入れる交付金の処理） 　雑収入の「私立大学退職金財団交付金収入」等の適当な小科目を用いて表示 （退職給与引当金の計上基準） 　退職金の期末要支給額の100%を基にして、私立大学退職金財団に対する掛金の累積額と交付金の累積額の差額である繰入調整額を加減して計上する。 （算式） 期末退職金要支給額の100%－（掛金の累積額－交付金累積額）

その他に、独自の年金制度を法人内の資金で運営している法人、私学退職金団体や私立大学退職財団以外の外部年金制度に加入している法人等も存在する。このような場合、企業会計においては、年金数理計算に基づき退職給付債務を計算し、それから年金資産の時価を控除して負債計上するが、学校法人会計においては明確な基準はない。

　なお、引当金の計上要件を充たすものであれば、徴収不能引当金及び退職給与引当金以外の引当金の計上が否定されるものではないと考えられる。

② **有価証券の評価基準及び評価方法**

　基準第25条において「資産の評価は、取得原価をもってするものとする。」と規定されており、学校法人における有価証券の評価基準は原価法となる。また、評価方法は移動平均法が適用される。

図表1－16　有価証券の時価情報
① **総括表**

(単位：円)

	当年度（令和××年3月31日）		
	貸借対照表計上額	時　価	差　額
時価が貸借対照表計上額を超えるもの	×××	×××	×××
（うち満期保有目的の債券）	(××)	(××)	(××)
時価が貸借対照表計上額を超えないもの	×××	×××	△×××
（うち満期保有目的の債券）	(××)	(××)	(△××)
合　　計	×××	×××	×××
（うち満期保有目的の債券）	(××)	(××)	(××)
時価のない有価証券	××		
有価証券合計	×××		

② **明細表**

(単位：円)

種類	当年度（令和××年3月31日）		
	貸借対照表計上額	時価	差額
債券	×××	×××	(△)×××
株式	×××	×××	(△)×××
投資信託	×××	×××	(△)×××
貸付信託	×××	×××	(△)×××
その他	×××	×××	(△)×××
合計	×××	×××	×××
時価のない有価証券	××		
有価証券合計	×××		

　なお、債券の貸借対照表価額については、取得原価又は償却原価法による価額となる。ここで償却原価法とは、債券を債券金額より高い又は低い価額で取得した場合において、当該差額に相当する金額を償還期に至るまで、毎期一定の方法で貸借対照表価額に加減する方法をいう。

　学校法人においては、企業会計とは異なり時価のある有価証券について時価評価を行うことはないが、保有する有価証券の簿価総額あるいは含み損または含み益に金額的重要性がある場合は、有価証券の時価情報を注記する（図表1－16参照）。

③ **有価証券の評価換え**

　有価証券の時価が著しく下落した場合には、回復する可能性があると認められるときを除いて時価まで評価減を行わなければならない（基準第27条）。

　当該会計処理の概要は、図表1－17の通りである。

図表1-17　有価証券の評価減の概要

時価	市場価格（有価証券が市場で取引され、そこで成立している価格） 　市場価格のない有価証券のうち債券等については、当該有価証券を取引した金融機関等において合理的に算定した価額を時価とする。
時価のある有価証券の評価	・時価が取得価格に比べて50％以上下落 　特に合理的と認められる理由が示されない限り回復可能と認められないため、通常は評価換えを行う。 ・時価の下落率が30％以上50％未満 　著しく低くなったと判断するための合理的な基準を設けて判断する。
時価のない有価証券のうち株式の評価	当該株式の発行会社の実質価額（一般に公正妥当と認められた企業会計の基準に従い作成された財務諸表を基礎とした1株当たりの純資産額）を時価とみなす。 　時価が取得価額に比べて50％以上下落した場合には、十分な証拠によって裏付けられない限り、回復可能とは認められない。

④ たな卸資産の評価基準及び評価方法

　たな卸資産（販売目的で保有する物品や貯蔵品、消耗品等）の評価は、基準第25条に基づき原価法となる。一方、評価方法については先入先出法、総平均法等複数の方法の選択適用が認められている。

⑤ **外貨建資産・負債等の本邦通貨への換算基準**

　外貨建資産・負債の円貨換算表示に当たり、どの時点の為替相場で換算するかについては、基準は規定していない。これに関連する通知等も発出されていないため、短期金銭債権、長期金銭債権等の区分に係らず、事業年度末日の為替相場、取得時または発生時の為替相場いずれを採用するかは学校法人の任意ということになる。なお、企業会計においては決算日レートによる換算が原則である。

　外貨建資産・負債に金額的重要性がある場合には、換算基準の差が計算書類に大きな影響を与えることになるため、本邦通貨への換算基準の注記が求められている。

また、同じ趣旨で主な外貨建資産・負債につき、取得時または発生時の為替相場で換算している場合には、その旨、年度末日の為替相場による円換算額及び換算差額を注記する必要がある（図表1－18参照）。

図表1－18　主な外貨建資産・負債の注記の記載例

（単位：円）

科　目	外貨建	貸借対照表計上額	年度末日の為替相場による円換算額	換算差額
特定資産 （定期預金）	米ドル××	××	××	△××
長期借入金	ユーロ××	××	××	××

⑥ デリバティブの会計処理

　為替予約取引や金利スワップ取引等のデリバティブ取引について、学校法人会計では特に処理基準等は示されていない。したがって、企業会計のように決算期ごとにデリバティブ取引を時価評価して貸借対照表に計上することはなく、デリバティブ取引に係る価格変動、金利変動及び為替変動により損失が確定しているか、または確定が見込まれる場合を除いて、契約上の決済時まで会計処理が行われない。

　ただし、デリバティブ取引の契約金額又は決済金額に重要性がある場合には、決済時に多額の損益が計上される可能性があり、会計年度末において時価の変動による影響額の注記が必要となる（研究報告第16号Q17）。

図表1-19 デリバティブ取引に関する注記の記載例

デリバティブ取引の契約額等、時価及び評価損益

(単位:円)

対象物	種類	当年度(令和××年3月31日)			
		契約額等	契約額等のうち1年超	時価	評価損益
為替予約取引	売建 米ドル	×××	×××	××	××
金利スワップ取引	受取変動・支払固定	×××	×××	××	××
合計		×××	×××	××	××

注1:上記、為替予約取引及び金利スワップ取引は、将来の為替・金利の変動によるリスク回避を目的としている。
注2:時価の算定方法
　為替予約取引……先物為替相場によっている。
　金利スワップ取引……取引銀行から提示された価格によっている。

⑦ 固定資産の減価償却の方法

　基準第26条では、固定資産のうち時の経過によりその価値を減少するものについては、減価償却を行うものとされている。減価償却の方法には定率法や生産高比例法等があるが、学校法人においては定額法によらなければならない。

　定額法による減価償却額は、以下の算出方法により算定する。

減価償却額 =(取得価額 - 残存価額)÷ 耐用年数

　固定資産の耐用年数は、学校法人が固定資産の使用状況等を勘案して自主的に決定すべきものであるが、実務上は委員会報告第28号「学校法人の減価償却に関する監査上の取扱い」において参考として掲載された固定資産耐用年数表や税法上の耐用年数を使用することが多い。

　また、定額法で減価償却を行う場合の残存価額を0とすることも妥当な会計処理として取り扱われている。

なお、減価償却は、資金支出を伴うものではないが事業活動支出として事業活動収入から控除される。したがって、減価償却額相当の資金が法人内に留保されるため、減価償却には、資産の取替更新に必要な資金を積み立てるのと同等の効果があることに留意が必要である。

⑧ 図書

　長期間にわたって保存、使用することが予定される図書は、取得価額の多寡に係らず有形固定資産として計上される。図書は原則として減価償却は必要ないものとされている。なお、学習用図書、事務用図書等のように通常その使用期間が短期間であることが予定される図書は、取得した年度の事業活動支出として取扱いが可能である。

　また、CDやDVD、レコード、テープ等についても図書に準じて会計処理を行うことが求められている。

⑨ ソフトウェア

　ソフトウェアについては、その使用により将来の収入獲得又は支出削減が確実であると認められる場合には、当該ソフトウェアの取得に要した支出額を資産として計上する。

⑩ リース取引の処理方法

　リース取引にはファイナンス・リース取引とオペレーティング・リース取引があるが、ファイナンス・リース取引については、通常の売買取引に係る方法に準じた会計処理を行う。

　すなわち、リース物件及びこれに係る債務をそれぞれ該当する固定資産等の科目及び負債の未払金（長期未払金）に計上する。ただし、リース契約1件当たりのリース料総額が300万円以下の所有権移転外ファイナンス・リース取引については、通常の賃貸借取引に係る方法に準じた会計処理を行うことができるといった例外的な取扱いが認められている。

⑪ 固定資産の評価

　近年、大規模な災害等により、校地校舎等の固定資産が使用困難となり、かつ処分もできないような状況が生じており、このような状況にある固定資

産についても資産計上を続けることは、学校法人の財政状態を適切に表さないと考えられる。そのため、第8号通知により、これまで実際に処分するまでは貸借対照表の資産計上額から除くことができなかった固定資産について、実際の処分を行わない場合でも一定の条件を付して、貸借対照表の資産計上額から除くことができるものとされた。

この場合、備忘価額を除いた額を特別収支の有姿除却等損失で計上することになるが、以下の(ⅰ)から(ⅲ)までの条件のすべてに該当することが必要である。

(ⅰ) 固定資産の使用が困難である場合
(ⅱ) 処分ができない場合
(ⅲ) 上記(ⅰ)、(ⅱ)に該当する固定資産であって、備忘価額を残して貸借対照表の資産計上額から除くことについて理事会及び評議員会の承認を得た場合

⑫ 消費税等の会計処理

学校法人では、消費税等の会計処理は、特別な事情がある場合には税抜方式が認められているものの、原則的には税込方式であることに留意が必要である（委員会報告第34号「学校法人における消費税の会計処理及び監査上の取扱いについて（中間報告）」）。

(2) 学校法人会計基準と企業会計との相違

学校法人は複式簿記を前提として取得原価主義、発生主義を採用している点で企業会計と本質的に相違するものではない。しかしながら、企業会計では2000年以降連結中心の開示制度、金融商品の時価評価、退職給付会計、固定資産の減損会計等の新たな会計基準が適用されたため、相違する事項が存在する。相違点を要約すると、図表1-20の通りである。

図表1−20　企業会計と学校法人会計の比較

摘　要	企業会計	学校法人会計
連結決算	金融商品取引法に基づき有価証券報告書において連結財務諸表を開示している会社は、連結計算書類の作成が必要。 　連結財務諸表を開示している有価証券報告書提出会社は、会社法においても連結計算書類の開示が求められている。	学校法人に対して出資による支配はありえないため、学校法人を対象とする連結決算は想定されていない。 　ただし、学校法人の出資割合が総出資額の2分の1以上である会社に重要性があると認められる場合は、当該会社の状況を注記することとされている。
関連当事者との取引の開示	会社と関連当事者との取引のうち、重要な取引は注記により開示される。ここで、関連当事者とは、ある当事者が他の当事者を支配しているか、又は、他の当事者の財務上及び業務上の意思決定に対して重要な影響力を有している場合の当事者等をいう。	学校法人の計算書類の透明性を高めるため関連当事者との取引を注記する（関連当事者の範囲については研究報告第16号「計算書類の注記事項の記載に関するQ&A」Q25参照）。 　また、関連当事者の注記に該当しない場合であっても、広く貸付金・保証債務等の学校法人間の取引を注記することが求められている。
有価証券の会計処理	(1) 売買目的有価証券、(2) 満期保有目的の債券、(3) 子会社株式及び関連会社株式、(4) その他有価証券に分類し、(1)、(4)に分類される時価のある有価証券については時価をもって評価する。	時価評価は行わない。 　ただし、取得価額に比して時価が著しく下落した場合にはその回復が認められるときを除き時価まで評価減を行う。 　重要性があると認められる場合は、有価証券の時価情報を注記することとされている。
デリバティブ取引の会計処理	原則として時価評価 　ただし、ヘッジ会計の適用がある。	時価評価やヘッジ会計等について規定がなく、損失が確定又は確定に準じた場合を除き、決済時まで会計処理は行わない。 　重要性があると認められる場合は、デリバティブ取引の契約額等、時価及び評価損益を注記することとされている。

外貨建資産負債等の換算基準	原則として決算日レートで換算する。	資産・負債の属性等にかかわりなく取得時レート法、決算日レート法いずれの換算方法も認められている。 　ただし、主な外貨建資産・負債につき、取得時又は発生時の為替相場で換算している場合には、年度末日の為替相場による円換算額と換算差額を注記することが必要である。
固定資産の減損会計	資産の収益性の低下により投資額の回収が見込めなくなった状態において、一定の条件の下で回収可能性を反映させるよう帳簿価額を減額する会計処理（減損会計）が行われる。	適用されない。
資産除去債務	資産除去債務とは、当該有形固定資産の除去に関して法令または契約で要求される法律上の義務及びそれに準ずるものであり、有形固定資産の取得、建設、開発または通常の使用によって発生したときに負債として計上される。	適用されない。
退職給付会計	退職以後に従業員に支給される給付のうち認識時点までに発生していると認められるものを割引計算して退職給付債務を測定、年金資産の時価評価額を控除した金額について退職給付引当金（連結財務諸表においては「退職給付に係る負債」）として計上する。	要支給額の100%を基に退職給与引当金を計上するが、退職給付会計は導入されていない。

引当金	引当金の要件を満たしているものがあれば計上しなければならない。例えば、貸倒引当金、賞与引当金、退職給付引当金、役員退職慰労引当金、債務保証損失引当金、製品保証引当金等様々なものがある。	退職給与引当金、徴収不能引当金を除き、明文化された規定はない。 ただし、引当金の要件を満たす限り計上は妨げられないものと考える。
固定資産の減価償却の方法	定額法以外にも定率法、生産高比例法等が認められている。	定額法のみ 図書も資産計上する（原則として図書の減価償却は行わない）。
合併・学校の分離に関する会計処理	企業結合会計基準において、取得、共通支配下の取引、共同支配企業の形成等の場合ごとに会計処理を定めている。	日本公認会計士協会から研究報告第7号「学校法人の合併又は学校の分離に係る会計処理について（中間報告）」が公表されており、パーチェス法、持分プーリング法を採用した場合にどのような会計処理を行うかが示されている。ただし、当該研究報告ではパーチェス法、持分プーリング法を適用する要件等は明確ではなく、学校法人の任意となっている。
継続企業の前提	一般に公正妥当と認められた企業会計の基準は、継続企業の前提（企業が将来にわたって継続して事業活動を行うという前提）を基礎とする。そのため、継続企業の前提に重要な疑義を生じさせるような事象又は状況が存在する場合であって、当該事象又は状況を解消し、又は改善するための対応をしてもなお継続企業の前提に関する重要な不確実性が認められるときは、継続企業の前提に関する事項を財務諸表に注記する。	企業会計と同様に学校法人会計においても継続企業の前提が基礎となるため、継続法人の前提に重要な不確実性が認められ、継続企業の前提に関する事項を記載する必要があると学校法人が判断した場合には、計算書類に「その他財政及び経営の状況を正確に判断するために必要な事項」として注記する。
消費税の会計処理	税抜き方式が原則	税込方式が原則

学校法人は営利を目的とする存在ではない。利益を獲得して株主に配分するために設立される株式会社とは会計のあり方も当然相違する。したがって、例えば収益性が低下した固定資産の価額を切り下げる固定資産の減損会計について、企業会計の基準をそのまま適用するのは適当ではないと考えられる。そもそも学校法人は、教育研究のために施設設備を保有しており、収益獲得そのものを目的としているわけではないからである。

　また、企業会計には存在しない基本金制度や基本金組入れ後の収支の均衡を目標とする事業活動収支の均衡といった考え方が学校法人会計の特徴の1つであり、学校法人会計になじみのない方にとって分かりにくいのも確かである。これについても、学校法人の財務の健全性を維持することを志向した制度であり、学校法人が永続的に教育研究の水準を維持発展させていくべき存在であることを考えると、十分な合理性があるものと思われる。

　学校法人は、営利を目的としない法人であるが、公的機関ではなく民間の法人である。したがって、企業と同様に将来にわたって存続していくためには収入の範囲内で支出を抑え、今後の発展のために必要な投資を実行できるだけの余剰を確保しなければならない。学校法人会計は、そのような判断を行うために有益な情報を提供しなければならないという点でも企業と同じである。学校法人会計と企業会計は異なる点はあるものの、その異なる理由や合理性を理解することが重要である。

第 1 章　学校法人会計の特徴と開示制度

> **Column**
>
> ## コラム 1　職員作りこそ大学作り
>
> 　少子高齢化に伴う授業料・受験料、私学助成金の減少、人件費の高止まり、施設の老朽化（DX含む）への対応等は、大学経営に大きな影響を及ぼし、このままの経営では大学の持続可能性を維持することが困難になっている。このような環境変化を踏まえて健全経営という観点から大学経営を俯瞰する。まずは収益目線から考える。令和 2 年12月25日公表「令和 2 年度学校基本調査」（文部科学省）によれば大学数は今でも増加している。少子高齢化の一方で大学数が増加しているため、定員割れにより収益を圧迫していると想定される。すなわち、学生獲得競争は年々激化しており、特色あるカリキュラムなどの差別化戦略、奨励金の拡充などによる価格戦略などにより収益獲得競争に勝ち残る必要がある。一方で、費用に目を移すと多くの大学で費用の多くを占めるのは教職員の人件費であり、これらは、今後、日本が国際競争力を維持するうえで優秀な人材を輩出し、研究開発力の維持の観点からも簡単に削減できない。すなわち、大学の健全経営は社会課題と位置付けることができる。
>
> 　本コラムでは今後の大学経営の舵取りに関与していくであろう職員に光を当て今後の在り方を考察する。従前より、文部科学省でも各大学の生き残りを念頭に事務職員等の在り方を議論し、職員に期待される役割は大きく変わっている。平成28年 3 月31日公布「大学設置基準等の一部を改正する省令（平成28年文部科学省令第18号）」により、平成28年度から各大学における SD（スタッフ・ディベロップメント）の義務化が発端と考えられる。また、働き方改革とともに近時の新型コロナウイルス感染症拡大等は、SDGs などの社会課題解決やデジタル化への対応等を加速化させ、学生の学び方、地域・保護者と大学とのかかわりあい方、教職員の働き方に大きな変化をもたらしている。言い換えるならば、今後はVUCA（「変動性」・「不確実性」・「複雑性」・「曖昧性」）を前提とした大学経営の舵取りの中で、職員にも VUCA を前提とした変化が求められる。具体的には以下のように求められる能力等もより高度化されると想定される。
>
> - 終身雇用の崩壊により組織ではなく市場で生き残るための能力・経験
> - アジャイルしながら予測通りにいかないことを前提に物事に取り組む軌道修正力
> - well-being、ダイバーシティに標榜される多様な背景を持つ職員とのコミュニケーション力
> - 前例にとらわれず仮説志向に基づき自分なりに正解を作り出す力

しかし、職員育成は国家公務員の人事制度体系を準用した年功序列的な人事制度、ゼネラリスト育成に資する人事制度などを前提としているためこれらの能力・経験を職員が身につけづらい。この背景には総務、人事企画、教育・学生支援、管財など業務が多岐にわたるため業務のマニュアル化が進み前例踏襲主義が蔓延していると推察される。また、SDの義務化に伴って各種研修が実施されているが大学間でも横並びで同様の研修が行われていることも実態の１つである。ここにはどのような職員を育てたいかという大学の意思がなく、規制対応の一環としてSDに取り組んでいるおそれがある。今後の大学経営の中でどのような職員が必要なのかを各大学がおかれている環境に応じて求められる職員像を定義づけして、求められる職員像を満たす職員を育成するためにはという観点からSDを活用すべきと考える。

　人材輩出という機能を社会的に担っている大学だからこそ、学生はもちろん職員育成を通じて国際競争力を備えた学び舎としての大学とすべく、職員作りこそ大学作りと捉えることが肝要である。

第2章

学校法人における経営分析

1 経営分析の意義

(1) 経営分析とは

　経営分析とは、企業や学校法人といった種々の組織体の経営者、管理者等あるいは外部の利害関係者（ステークホルダー）が、何らかの意思決定を行うために当該組織の経営状況を把握し評価することをいう。

　いかなる組織も目的や使命があって設立されている。そのため、組織運営に携わる経営者や管理者には組織の目的等を達成する責任があり、その達成状況を評価し、十分な成果を上げていない部分があればその原因を調査し改善を図る必要がある。

　また、外部の利害関係者が資金や役務等を提供するのは、その組織の目的等に賛同したからであり、その達成状況には強い関心を持つはずである。なぜなら、目的等が十分達成されていない場合には、その組織との関係を継続しないという判断も必要だからである。

　このように組織内外の関係者にとって、その目的等に比較して十分な成果を上げているかどうか、あるいは今後も上げていけるかどうかを判断することが重要であり、そのために行うのが経営分析である。

　なお、経営状況の評価を客観的に行うためには、定量的な指標を用いることが必要である。株式会社においては利益を獲得しそれを株主に分配するという営利を目的として設立されているため、当期純利益等の財務諸表に記載される成果が経営成績そのものと考えられる。したがって、株式会社におけ

る経営分析においては、一般的に財務諸表の分析すなわち財務分析を重視することになる。

　ただし、組織の成果は、経営者の能力、その組織に所属する人材の能力、顧客からの信頼、社会的な信用といった定量化が困難な要素による部分が大きく、財務諸表はそれらをすべて反映するものではない。財務分析とは、あくまで財務面から見た組織の経営状況の評価であり、経営分析とは必ずしもイコールではないことに留意が必要である。

(2)　**財務分析の手法**

　財務分析は、財務面から経営の状況を把握し評価することである。したがって、単に比率を算出することではなく、経営管理という目的のためにはその比率を解釈し問題点を把握し、改善に繋げなければならない。また、外部の利害関係者にとっては、対象となる企業等に対し合理的な意思決定を行う場合の根拠とならなければならない。

　そのためには、財務諸表を単独で見ただけでは有効ではなく、過去の数値、予算や事業計画等の目標値、同業他社、業界平均値と比較する必要がある。また、比較にあっては法人全体だけでなく、部門等の主要な構成単位に分解して行うことも有益である。

　財務分析の手法を大きく分けると実数分析と比率分析がある。

① **実数分析**

　計算書類における諸項目をその絶対額でもって分析する手法であり、規模的な要因まで含めて比較することによりその特徴を把握する方法である。

- ・趨勢比較：同一法人について時系列的に比較分析する方法
- ・相互比較：他の法人の計算書類、財務分析の統計資料、標準又は目標として設定された指標と比較分析する方法
- ・１人当たり情報：学生生徒数あるいは教職員数等の人数と計算書類の金額を組み合わせて分析する方法

② 比率分析

　計算書類における諸項目間の実数値の割合を比率として算定して分析する手法である。規模的な要因を排除して法人相互間の経営状況及び財政状態を評価することができる。比率分析を使えば、事業活動収入合計が1,000億円を超える大規模法人も1億円以下の法人も同じ土俵で評価することが可能となる。比率分析の手法として以下がある。

　・構成比率分析

　全体を100とした場合の各構成部分を百分比で示す方法である。計算書類の各科目の金額は、その実数の大きさだけではなく、その全体に対する割合が重要な意味を持つため、この手法は広く用いられている。

　・関係比率分析

　計算書類のある科目の金額と他の科目の金額を比較し、その割合をもって分析する方法である。関係比率分析は、1つの計算書内における科目間の比較だけでなく、他の計算書に計上される科目間の比較も含まれる。

(3) 企業会計における財務分析の手法

　企業会計においては、収益性、安全性、成長性、生産性等の観点から財務分析を行うのが一般的である。

① 収益性

　企業の目的は基本的には利益を上げていくことであり、最小の資本で最大の利益を上げることができる企業は収益性が高いと評価される。収益性を示す代表的な比率としては総資産当期純利益率がある。

$$総資産当期純利益率 \ = \ 当期純利益 \ \div \ 総資産$$

　総資産は、自己資本か他人資本かを問わず投下された資本の総額を意味し、これを使用してどの程度の割合で利益を獲得したかを示す比率である。したがって、総資産当期純利益率が高いほど投下された資本を有効に活用して高い収益性を上げたということができる。

総資産当期純利益率は、以下の算式で示されるように売上高当期純利益率と総資産回転率に分解することができる。

$$\frac{当期純利益}{総資産} = \underbrace{\frac{当期純利益}{売上高}}_{(売上高当期純利益率)} \times \underbrace{\frac{売上高}{総資産}}_{(総資産回転率)}$$

売上高当期純利益率は売上高に対する当期純利益の割合であり、この比率が高いということは事業として採算が良いことを示している。一方、総資産回転率は、総資産に対して何倍の売上高を計上したかを示すものであり、これが高い場合は、投下された資本が有効に活用されているということができる。

すなわち総資産当期純利益率が単に同業他社と比較して高いというだけではなく、高い利益率を上げられる採算性の良い事業を行っているから高いのか、投下資本を有効に活用し大きな売上高を上げているから高いのか、それとも両方の要因で優れているから高いのかという観点から分析することが可能である。

企業会計における損益計算書では、売上総利益、営業利益、経常利益、税引前当期純利益、当期純利益等の段階別の損益が開示される。採算性の分析にあたっては、どの段階の損益から利益率が高いかが重要であり、以下のような比率を算出する場合が多い。

売上高総利益率	売上総利益（粗利益） ÷ 売上高
売上高営業利益率	営業利益 ÷ 売上高
売上高経常利益率	経常利益 ÷ 売上高

総資産回転率をさらに詳細に分析するために、以下のように総資産を構成する主要資産ごとに回転率を算出する場合が多い。これらの比率も少ない資産で高い売上高を上げているという意味で高い方が望ましい。

売上債権回転率	売上高 ÷ 売上債権（売掛金、受取手形等）
棚卸資産回転率	売上高 ÷ 棚卸資産（商品、製品、原材料、仕掛品等）
有形固定資産回転率	売上高 ÷ 有形固定資産

② 安全性又は流動性の分析

　企業経営は常に順調に推移するとは限らず、不振に陥る場合も当然に想定される。そのような状況においても倒産という最悪の事態に陥らないような財務的な健全性を維持しているかどうかの評価が安全性である。倒産とは端的にいって負債が支払不能となることであるため、負債が過大となっていないかが安全性の観点からは重要である。また、利益を計上していても手元に支払いに回せる資金がなければいわゆる黒字倒産という可能性もある。したがって、現金預金及びすぐに資金化可能な資産を十分有しているかという観点も重要であり、これを流動性という。

　安全性又は流動性を示す代表的な財務比率は、以下の通りである。純資産比率、流動比率、当座比率及びインタレスト・カバレッジ・レシオは高い方が望ましいとされ、固定比率及び固定長期適合率は低い方が望ましいとされている。

純資産比率	純資産 ÷ 総資産
流動比率	流動資産 ÷ 流動負債
当座比率	当座資産（現金預金 ＋ 売上債権 ＋ 有価証券）÷ 流動負債
固定比率	固定資産 ÷ 純資産
固定長期適合率	固定資産 ÷ （純資産 ＋ 固定負債）
インタレスト・カバレッジ・レシオ	（営業利益 ＋ 金融収益） ÷ 支払利息

③ 成長性

　企業が存続していくためには、将来においても収益性や安全性を確保して

いくことが必要である。そのためには、成長性という観点も重要であり、以下の財務比率を算出する場合が多い。

売上高成長率	売上高増加額 ÷ 基準年度の売上高
総資産成長率	総資産増加額 ÷ 基準年度の総資産残高

その他、必要に応じて自己資本成長率、経常利益成長率、有形固定資産成長率、従業員増加率等を算出する場合がある。ただし、有形固定資産成長率や従業員成長率に比して売上高成長率が低い場合には、設備投資や人的投資に比して売上高が伸びておらず、収益性や安全性の点から懸念を生じる場合がある。

④ **生産性**

企業が事業に投入した経営資源（ヒト・モノ・カネ）と産出した付加価値との関係を分析し、どれだけ効率的に事業を行ったかという観点が生産性である。以下のように、投入した経営資源のインプットと結果であるアウトプットの比率により分析され、高い方が望ましい。

労働生産性	付加価値 ÷ 平均従業員数
設備生産性	付加価値 ÷ 有形固定資産
資本生産性	付加価値 ÷ 総資産（総資本）

なお、付加価値とは企業が事業活動から生み出した新たな価値であり、また外部から購入した原材料等に付加した価値をいう。付加価値の算出方法としては、経常利益＋人件費＋金融費用＋賃借料＋租税公課＋減価償却費で算出する方法（日銀方式）と生産高－外部購入価額で算出する方法（中小企業庁方式）等がある。

また、労働生産性も以下のように分解することが可能である。

$$\underset{(労働生産性)}{\frac{付加価値}{平均従業員数}} = \underset{(労働装備率)}{\frac{有形固定資産}{平均従業員数}} \times \underset{(有形固定資産回転率)}{\frac{売上高}{有形固定資産}} \times \underset{(売上高付加価値率)}{\frac{付加価値}{売上高}}$$

この算式で分かる通り、労働生産性すなわち従業員1人当たりの付加価値を大きくするためには、機械化を進めること（労働装備率の向上）、有形固定資産の効率性を高めること（有形固定資産回転率の向上）、付加価値の割合が高い事業を進めること（売上高付加価値率の向上）のいずれかが必要ということである。

なお、学校法人においても付加価値を経常収支差額＋人件費＋借入金等利息＋賃借料＋租税公課＋減価償却額で算出するか、あるいは事業活動収入－外部購入額（消耗品費、光熱水費、旅費交通費、支払手数料等）等の手法によって算出することにより、労働生産性等を分析することは可能である。

(4) 企業に対し適用される財務比率の学校法人への適用

学校法人は、教育研究の発展を目的として存在する。すなわち、社会にとって有為な人材を育成し、また有益な研究を行いその成果を社会に還元することが学校法人の目的と考えられる。ただし、有為な人材や有益な研究といっても、個人の価値観に左右される面があり客観的に評価するのは難しい。このように学校法人の成果を定量的に評価するのは難しいが、多額の基本金組入前当年度収支差額が学校法人の高い成果を意味するものではないと考えられる。

上記(3)①に記載したような総資産当期純利益率を学校法人にも適用し総資産収支差額比率を算出することは可能である。財務という観点からは当該比率が高い方が望ましいともいえるが、学校法人の成果を示す指標として適切かどうかは検討が必要である。

また、成果の定量的な評価が難しいため、投入された経営資源が有効に活用されて最大限の成果を上げているかという生産性の観点を適用することも難しい。労働生産性を計算することは可能であるし、最小のインプットで最大のアウトプットという生産性の考え方は、学校法人にとっても重要である。ただし、労働生産性が高い学校法人が常に良い法人といえるかどうかは議論が必要である。

一方、学校法人が教育研究活動を維持発展していくためには、人件費や経費を支出し、また教育研究活動に必要な資産を取得し継続的に維持していかなければならない。そのためにはこれらの支出を賄うための財源が必要であるが、学校法人の収入は、事業活動収入と負債による収入しかない。負債、特に借入れは将来の返済と利息の支払いが求められるため、事業活動収入の方が財源として望ましいことはいうまでもない。そのため、事業活動支出と基本金組入額は事業活動収入で賄っていくべきという事業活動収支の均衡が学校法人会計における基本的な目標となっているものと考えられる。

　逆にいうと、学校法人において支出と収入のバランスが崩れた場合は借入れに依存せざるを得ない。収支構造が改善されなければ、さらに借入れが増加し最悪の場合は倒産に至る可能性もあるといえる。少なくともこのような状況に陥っていないか、あるいは陥る可能性がないかといった観点で学校法人の計算書類を分析することは必要である。したがって、学校法人においては安全性または流動性の分析が中心的な課題となるものと考える（以下本書ではこのような観点を「財務安全性」という）。

　財務安全性を確保するためには、事業活動収支計算書における収支差額は経常的に一定のプラスが確保されていることが必要である。高い収益性が必ずしも学校法人の経営目標となるわけではないとしても、学校法人が存続・発展するだけの収支差額を確保するという意味で収益性という観点も必要である。

❷ 学校法人において計算書類を分析する意義

(1) 財務安全性の評価

　学校法人は、以下のような財務上の特徴を有する。

① 学校法人の収入は、学生生徒数に大きく依存しており、かつ就学期間中安定しているため、入学時に将来の収入額がほぼ確定する。

② 一般企業における増資のような手段は採れず、自己資金が不足した場合、

寄附金の募集という手段もあるが、借入れに依存せざるを得ない。
③ 財政が悪化したとしても教育研究活動の水準を維持する責務があるため、資産の売却で対処することは簡単ではない。

このように、学校法人においては、収入が非弾力的であるため、支出をコントロールすることにより、財務安全性を維持する必要がある。したがって、支出が収入規模に応じた適正なものかどうかを検討することが、財務分析において重要である。

また、収入においても、少なくとも現状の規模を維持しなければ教育研究活動の水準を低下させる可能性が高いため、収入基盤の安定性も検討が必要である。

学校法人の目的は教育研究活動等を維持発展させることであるが、学校法人を永続的に存続させるためには、毎年度少なくとも収入 ＞ 支出という関係が必ず成立していなければならない。

収入が支出を継続的に超過している状態を採算が取れている、あるいは収益性があるという言葉で表現できる。その意味で学校法人においても、採算性あるいは収益性といった概念は必要であり、採算性が将来にわたって確保できるかどうかの判断のために財務分析は必要となる。

財務安全性を判断するポイントを具体的に示すと、以下の通りである。一言で言えば、将来において負債の支払いが不能となって倒産する可能性がないかという判断を行うためのポイントということができる。

・一時的な資金不足が生じたとしても保有する金融資産で対応可能か
・経常的な支出を経常的な収入で賄っているか
・施設設備の取得は自己資金で対応しているか
・不足資金を借入れで対応した場合において、借入金の残高は返済可能な水準内にあるか
・余剰資金は想定されるリスクの下で適切に運用されているか、元本が大幅に毀損したり必要な時期に必要な資金が利用できないような状況に陥ることはないか

・退職金、施設設備に対する質的・量的な拡大、施設設備の維持等のために将来必要となる支出の水準はどの程度か、それに対応するに十分な収入を今後も確保することができるのか

(2) **外部利害関係者による分析**

　法人外部の利害関係者として保護者、学生生徒等、卒業生、行政機関、債権者、金融機関、地域社会等が考えられるが、共通する期待は、学校法人が教育研究等の成果を今後も継続的に上げていくことであると考えられる。

　一方、財務という観点からは、外部利害関係者は学生生徒等納付金、補助金や融資というかたちで学校法人に資金を拠出しており、拠出した資金が十分な成果につながるよう有効に活用されているかが関心事になるものと思われる。例えば、以下のような点である。

・どのような支出が行われたか
・支出間のバランスは適切か（例えば、経費と比較して施設設備の取得に支出が偏っていないか等）
・教育研究の成果に繋がらない支出が行われていないか
・教育研究等の成果を最大限に発揮するために適切に編成されたはずの予算と決算との差異が生じた要因は何か、予算編成時に想定していない要因があったのか、予算が不適切だったのではないか、あるいは予算執行時のチェックが不十分だったのではないか

　教育研究等の成果は、一定の投資を行わなければ達成できないのは確かであるが、多額の投資をすればそのまま成果に繋がるわけではないという点に難しさがある。適切な支出が行われているか、あるいは不適切な支出が行われていないかというのは、各人の価値観の問題でもあり一律に判断することは困難であるが、その判断材料の一つを提供するのも財務分析の機能といえる。

(3) **学校法人が財務分析を行う意義**

　財務分析は、財務安全性の良否等について判断することで終わるものでは

ない。法人内部において財務分析を行う意義は、財務の観点から経営上の問題点の有無を把握し、問題点があればその改善策を立案し、実際の改善に繋げることである。

そもそも、学校法人は年度の初めに学生生徒等の人数が決まれば、1年間の収入をほぼ確定することができる。収容定員充足率及び入学定員充足率を見れば、中期的にもかなりの確度で収入の予想を行うことが可能である。この点、激しい競争に晒され売上を安定的に確保できない可能性もある企業との大きな相違である。

したがって、想定可能な収入の範囲内に納まるよう支出をコントロールすればよいとはいえるが、現実には以下のような困難さがある。

① **人件費削減の難しさ**

学校法人の支出の大部分は人件費である。人件費を削減するためには、教職員数を減らすか給与水準を下げるかのどちらかしかないが、いずれも簡単にできる話ではない。教育研究の水準を維持するためには、学生生徒等の定員に応じた教職員数が必要なため人員数の削減には限界がある。また、給与水準の低下は教職員の強い反対が予想されるし、モラルの低下を招く可能性も考えられる。さらには平均と比較して低い給与水準では優秀な教職員が確保できないため、教育研究の水準を低下させるおそれがある。

② **施設設備維持費削減の難しさ**

学校法人は、教育研究活動を維持していくために多額の施設設備を保有している。したがって、施設設備の維持費が不可避的に発生するため、経費を多額に削減することはすぐには難しい。しかも、施設設備については設置基準等で必要な水準が定められているため、簡単に処分するわけにはいかない。

③ **収入増加の難しさ**

学校法人の主たる収入は学生生徒等納付金である。学生生徒等納付金は、学生生徒等の定員数である程度収入規模が決まってしまうため、それ以外の収入、例えば補助金の獲得、寄付金募集、受託事業等の拡大といった経営努力が必要である。とはいえ、現実問題としてこれらの収入を短期間に劇的に

増加させることは困難である。

④ **総論賛成各論反対への対応**

　収入規模に応じて支出を削減する必要性は分かっていても、自分の予算は減らして欲しくないと考えるのが通常である。総論賛成各論反対への対応という問題は、いかなる組織においても存在するが、利益のような定量的な業績評価指標を提示しにくい学校法人では特に対応が難しい。

　少子化という現実の前では、難しさを理由に必要な措置が取られなければ法人の存続が困難となる。収入規模に応じた支出水準の適正化以外に、有効な改善の手立てがない以上、この課題を解決するために財務分析を行う意義がある。

(4) **財務分析の機能**

　財務上の課題を解決するために、財務分析は以下の2つの機能を果たすものと考えられる。

① **財務面から見た経営上の問題点の発見・検証**

　財務面における問題点とは、収入と比較して支出が過大（あるいは支出に対して収入が過小）であること、及びこれに起因する過大な債務等にほぼ要約することができる。財務分析を行い、算出された財務比率等を期間比較あるいは事業団が発行する『今日の私学財政』を利用して法人平均等と比較すれば問題を明確に示すことができる。定量的な指標を用いることで、問題点がどの程度深刻かといった点が明確にできるからである。

　例えば、当法人の人件費の水準は高いのではという漠然とした問題意識を、人件費比率が大学法人平均等と比較し7％高いというかたちで具体化することが、財務分析を行う意義といえる。

② **財務上・経営上の問題点の伝達**

　財務分析は、財務上の課題を数値によって明確に示すため説明手法として有益である。人件費が多すぎるという説明よりも、同規模同系統の法人の人件費比率と比較して当法人は極端に高いといった説明の方が説得力をもつと

収入を劇的に増やすことは通常は困難であり、財務面の改善を図るには支出削減を行わざるを得ない。支出削減は痛みを伴い総論賛成各論反対になりがちであるため、客観的かつ定量的な評価である財務分析は、問題点及び改善策を伝達し理解してもらう手段として重要である。

(5) 財務分析の限界

学校法人における財務分析において使用される計算書類は、あくまで金銭で評価される価値の変動を示すものでしかない。経営の状況をすべて把握するには一定の限界がある。

① 財務分析は、財務数値を対象とするため、金銭評価されたもの以外は把握できない。したがって、金銭で評価されない要素が経営状況及び財政状態に重要な影響を与えていたとしても、適切に判断できないおそれがある。

② 計算書類に記載された数値は過去の数値である。過去の分析により将来の判断を行うのが財務分析ではあるが、環境がきわめて流動的な場合には過去の分析結果が役に立たない場合がある。特に外部の利害関係者にとっては、計算書類が公表された時点で既にそれは2ヶ月ないし3ヶ月前の情報であることに留意が必要である。

③ 合併・分離、主要施設の売却、退職金制度の大幅な変更等があった場合、計算書類には一種の異常値が含まれることになる。このような特殊事情を考慮しないで財務分析を行うと判断を誤るおそれがある。

❸ 学校法人における環境変化と財務分析の必要性

(1) 学校法人を取り巻く環境変化

学校法人を取り巻く環境は従来と比較して大変厳しいものとなっており、そのことが財務数値にも大きな影響を与えている。一般的には以下のような

事象を指していると考えられる。

① **18歳未満人口の減少**

　18歳人口は減少傾向を続けており、平成4年には205万人であったものが、令和元年では117万人となっている。文科省による予想では、令和22年では88万人にまで減少すると予想されている（令和2年度学校法人監事研修会配付資料（資料1）平尾私学部参事官付総括係長（併）法人改革支援係長講演資料「学校法人を取り巻く現状と課題等について」3．学校法人を取り巻く状況について　参考データ：18歳人口と高等教育機関への進学率等の推移より）。大学について考えると、進学率の上昇は見込まれるものの、大学に入学する世代の人口が減少する以上、大学経営は大変厳しいものになる。このような少子化の影響は、いうまでもなくすべての学校に及ぶことになる。

② **不祥事が発生した場合の影響の深刻化**

　学校法人においても以下のような事例が報道されている。

- ・補助金の不正使用
- ・資金運用を巡る多額の損失の発生
- ・理事者による学校法人の資金の私的流用
- ・多額の粉飾決算
- ・個人情報の流出
- ・不正入学
- ・論文不正
- ・セクハラ（セクシュアル・ハラスメント）・アカハラ（アカデミック・ハラスメント）等

　現在においては、不祥事はマスコミだけでなくインターネットを通じて世界中に広まり、誰もが知っている事件になってしまう可能性がある。不祥事の対応を誤ると、社会的に厳しく糾弾され法人経営の混乱を招き、その結果志願者の大幅な減少等につながり、法人の存立そのものを揺るがす事態にもなりかねない。不祥事の影響は、過去とは比較にならないほど学校法人経営に大きな悪影響を及ぼす可能性がある。

③ 収支が悪化した学校法人の増加

　学校法人会計は、学校法人に必要な財産の維持計算を目的としており、基本金組入れ後の事業活動収入と事業活動支出がイコールとなる事業活動収支の均衡を、法人経営上達成すべき目標としている。

　しかしながら、現実には基本金組入前当年度収支差額の段階からマイナスの法人が増加している。企業会計に例えると当期純損益が赤字であることを意味している。

　事業団の調査によると、基本金組入前当年度収支差額がマイナスの大学法人が令和元年度では全体の37.1％を占めており、平成10年度の14.4％と比較して大きく増加している（事業団、令和２年度版『今日の私学財政』大学・短期大学編）。

(2) 環境変化による財務への悪影響

　(1)で記載した環境変化に対し適切な対応策が取られない場合、以下のような状況に陥る可能性がある。

① 学生生徒等納付金の減少

　大多数の学校法人では、授業料や入学金といった学生生徒等納付金が事業活動収入の大半を占めている。顧客である学生生徒等が少子化の影響で減少すればその影響は大きい。さらには、学生生徒等の教育に対するニーズも多様化しているが、例えばニーズに適合しない学部学科を新設した大学がさらに志願者の減少に悩まされているといった事例も見受けられる。

　また、経営陣・労使間の紛争、不祥事や内部告発等も、広く社会に知られることとなって入学者数の減少につながるおそれがある。

② その他の収入の伸び悩み

　巨額の赤字を抱える国家財政を考えると、補助金の増加も期待できない。令和３年度の私学助成関係の予算額は4,085億円だが、対前年度で９億円のマイナスとなっている。また、収支の悪化を補うための資金運用も低金利が続いている現状において、高い運用利回りを上げて収入を補填することは容

易ではない。

③ 施設設備の過剰化、施設設備の維持費の過大化

　学生生徒数の増加を前提とした右肩上がりの収支予想に基づき施設設備の取得を行ったにもかかわらず、学生生徒数が確保できなかった場合、施設設備の維持費（修繕費、委託手数料、減価償却額等）の負担が収入に比して過大となってしまう可能性がある。また、学校法人は教育研究の水準を維持する責務があるため、安易に施設設備の処分を行うことは認められない。施設設備を保有する以上、メンテナンスもせずに放置することは許されないため、施設設備の維持費の削減には限界がある。

④ 過大な人件費負担

　学校法人は、学生生徒等の定員に応じて教育研究の水準を維持するだけの教職員数を確保する責務がある。したがって、大幅な定員割れを生じたからといって教職員数を大幅に削減することは困難である。給与水準の引下げも教職員から強く反発される可能性が高く、また人材確保という観点からも大幅な削減は難しい。

　通常、人件費の削減は容易ではなく、定員を十分確保できない場合は、収入と比較して過大な人件費を負担することになる。

　さらには、退職金の負担も今後の経営を圧迫する可能性がある。

(3) 法人経営への影響

　(2)で記載したように学校法人においては収入増加、支出削減ともに容易ではない。支出を収入で賄えない場合は従来から保有する金融資産を取り崩して充当するか、借入れに頼ることになる。

　金融資産が多額にあったとしても、一旦収支のマイナスの補填に使用した場合は、数年で使い切ってしまう可能性が高い。また、毎年度の収支のマイナスを借入れで賄った場合は、借入金残高が過大になり金利負担と返済負担が収支を圧迫することになる。その結果として人件費等の日常の支払いも困難となり、借入金等の債務の返済が不可能になるという状況がいわゆる倒産

第2章　学校法人における経営分析

である。

　倒産には、資産をすべて処分して学校法人を清算してしまう場合と、債務は整理するが教育活動は継続する場合に分かれるが、いずれにせよ債権者に対しては多大な損害を与えることになる。教育活動を継続できない場合は、学生生徒等は教育の機会を失い、教職員は職を失うことになる。また、教育

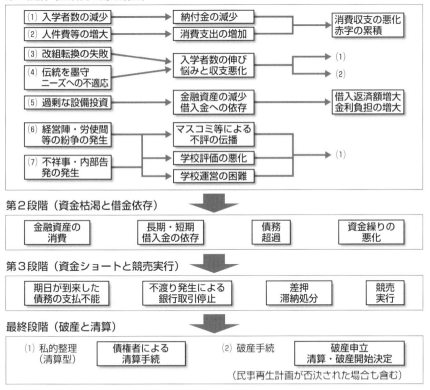

図表2－1　学校法人の経営困難の基本的なシナリオ

出典：「私立学校の経営革新と経営困難への対応―最終報告」平成19年8月1日、日本私立学校振興・共済事業団 学校法人活性化・再生研究会、p.60付属資料（6）
注：消費支出は現行基準における事業活動支出、消費収支の悪化は当年度収支差額あるいは基本金組入前当年度収支差額の悪化と読み替える必要がある。

活動を継続したとしても、倒産という事実は大変大きなインパクトを与えるため、その後定員を確保することは通常困難を伴う。このような倒産という最悪の状態を避けることが学校法人の経営者にとっては最低限の責務である。

学校法人が経営困難に陥るシナリオは、入学者数の減少・人件費等の増大・過剰な設備投資等による財政の窮迫に始まり、借入依存・資金繰りの悪化を経て、資金ショート、破産・清算に至るものであり、図表2－1のように整理される。

❹ 学校法人における財務分析の利用方法

学校法人外の者が財務分析を行う目的は、それぞれの立場によって異なる。とはいえ、将来にわたって教育研究の水準を維持発展できるだけの採算性を有しているのか、あるいは財政基盤が十分かという点では共通である。

一方、学校法人には、採算性や財政基盤を確立する責任があり、その責任達成のために財務分析が必要である。

法人内部においては、以下の場合に財務分析を行うことが有用と考えられる。

① **予算編成にあたっての利用**

予算編成にあたっては、能率性及び支出の経済性を保持するよう配慮しなければならない。すなわち、支出の効果が総体として最大になるように、予算上資金の配分を行う必要があるが、予算編成の過程において財務分析を行うことにより、能率性及び支出の経済性をチェックすることができる。

また、予算は具体的な事業計画に基づいて編成されるべきものであるが、安定した財政基盤あっての事業計画であり、予算編成の過程において財務分析を行うことにより財務の安全性が確保されているかチェックすることができる。

② **設備投資計画における利用**

施設設備への投資は、教育研究の充実・発展の必要性から行われるものであるが、多額の資金を必要とする場合は財務安全性への配慮も必要である。

設備投資計画を立案する際に財務分析を行うことにより、必要資金の調達方法の妥当性、内部資金の固定化に伴う資金繰りへの影響、固定資産の水準が適正か否か等をチェックすることができる。

③ 外部資金調達にあたっての説明資料

施設設備への投資、一時的な支払資金の不足等が生じた場合、外部金融機関より資金調達せざるを得ない場合がある。このような場合に財務分析を行うことにより、財務安全性、採算性、支払能力等について説得力ある説明を行うことができる。

④ 年度決算数値に基づく経営改善

年度末の財政状態及び経営状況を表している計算書類の数値に基づき財務分析を行うことにより、経営管理上の問題点を抽出し改善案を策定することができる。

⑤ 中期的な計画策定における利用

学校法人の収入・支出は固定的なものが多く、短期間に劇的に収入を増加ないし支出を削減させることは難しい。特に文部科学大臣所轄法人は、高度人材の育成の機関として、求められる教員・施設設備も多く、また、専門分化が進み、専攻により転学が容易ではないことから、中長期的視点に立った計画的な経営が求められる。教育研究活動を維持発展させながら、収支構造や財政状態を改善していくことが財務の課題であり、そのためには中期的な計画（原則として5年以上）を策定し改善を図ることが重要である。中期的な計画は、抽象的な目標に留まらず、データやエビデンスに基づく計画とすることが望ましく、財務分析の分析指標をKPIとして計画に織り込むことによって、教育研究の水準を向上させながら健全な財政状態を維持することの具体的な目標設定及び事後評価の実施が可能となる。

❺ 財務分析にあたっての留意事項

有用な財務分析を行うための前提条件として以下が必要である。

① 同じ会計処理及び表示方法が継続的に適用されていること
② 貨幣価値が安定している環境下にあること

これらが確保されていない場合、計算書類が提供する情報自体の有用性が乏しくなるため、財務分析の効果は著しく下落する。

また、計算書類は学校法人の事業活動のうち金額で表現される部分を集計したものであり、それだけでは事業活動をすべて把握できるわけではない。事業報告書等を合わせて閲覧し、分析対象年度に何が起こったかを理解しないと判断を誤ることになる。少なくとも以下の事象を把握した上で、計算書類の検討を行うことが必要である。

① **医学部等設置法人における附属病院の有無**

附属病院などを持っている法人の場合は、他の法人と比較すると、医療収入が大きく、学生生徒等納付金の割合が相対的に低くなる。また、学校よりも病院において多額の人件費が計上されることが多い。このような状況を把握せず財務分析を行うと、人件費が学生生徒等納付金を超過しており問題であるといった誤った判断を下す可能性があるため留意が必要である。なお、一般的に附属病院を有する学校法人は収支の規模が大きく、収支の構成も異なるため、『今日の私学財政』においても、すべての大学と医歯系法人を含まない大学とに区分して財務数値を集計している。

② **学校や学部を新設した場合**

学校や学部を新設した場合、完成年度までは本来の収入規模に達しないにもかかわらず、支出は完成年度の水準と大きくは変わらないため、収支差額のマイナス、人件費比率の上昇、専任教職員1人当たり学生数の低下等の傾向が現れやすくなる。

③ **単年度で多額の寄付金を受け入れた場合**

寄付金は任意性が強く、例年と比較して多額の寄付金を受け入れた場合は収支の傾向を誤って判断する可能性が生じるため留意が必要である。

なお、事業活動収支計算書では、施設設備の取得に充てるという寄付者の意思が明確なものが特別収支に計上される。そのため、臨時性が高い寄付金

が教育活動収支に計上されている可能性もある。有効な財務分析を行うためには、基準に準拠するだけでなく、寄付金を臨時性の有無により別途区分してみるといった配慮も必要である。

財務分析は、法人経営上における財務面の課題の抽出と改善案の策定のために行われるものであり、その目的を達成するためには、基準に準拠して作成された計算書類に対し調整を加えていくことも必要である。

❻ 財務情報の入手

外部者が財務分析を行うにあたっては、対象となる学校法人の財務情報を入手することがまず必要である。また、有効な財務分析を行うためには、同系統や同規模の法人の情報を入手し比較することが重要である。一般的には、以下の資料から学校法人の財務数値を入手することが可能である。

(1) 『今日の私学財政』

事業団は、大学、短期大学、高等専門学校、高等学校、中学校及び小学校を設置する学校法人から提出された「学校法人基礎調査」のうち財務関係について集計分析し、その主要データを『今日の私学財政』としてとりまとめている。

なお、『今日の私学財政』では、大学を設置している学校法人を大学法人（短期大学等大学以外の学校を設置している場合を含む）、大学法人以外で短期大学を設置している学校法人を短期大学法人（高等学校等の学校を設置している場合を含む）、高等学校又は中等教育学校を設置している学校法人で大学・短期大学・高等専門学校を設置している法人を除いたものを高等学校法人（以下本書では、「高等学校法人」という）と呼んでいる。

例えば、令和3年度版『今日の私学財政』大学・短期大学編を見ると、大学法人については、以下のデータが掲載されている。

```
貸借対照表
  5ヵ年連続貸借対照表
  5ヵ年連続貸借対照表（医歯系法人を除く）
  令和2年度貸借対照表（規模別）
  令和2年度貸借対照表（系統別）
  令和2年度貸借対照表（ブロック別）
事業活動収支計算書
  5ヵ年連続事業活動収支計算書
  5ヵ年連続事業活動収支計算書（医歯系法人を除く）
  令和2年度事業活動収支計算書（規模別）
  令和2年度事業活動収支計算書（系統別）
  令和2年度事業活動収支計算書（ブロック別）
資金収支計算書
  5ヵ年連続資金収支計算書
  5ヵ年連続資金収支計算書（医歯系法人を除く）
活動区分資金収支計算書
  5ヵ年連続活動区分資金収支計算書
  5ヵ年連続活動区分資金収支計算書（医歯系法人を除く）
  令和2年度活動区分資金収支計算書（規模別）
  令和2年度活動区分資金収支計算書（系統別）
  令和2年度活動区分資金収支計算書（ブロック別）
財務比率表
  5ヵ年連続財務比率表
  5ヵ年連続財務比率表（医歯系法人を除く）
  令和2年度財務比率表（規模別）
  令和2年度財務比率表（ブロック別）
```

　これらは、各学校法人の財務数値を合算した数値が示されているが、財務数値以外にも法人数、学生生徒等数、専任教員数、専任職員数が記載されている。また、規模別等の分類は以下のように行われている。
  ・規模別：0～499人から10,000人以上まで8段階
  ・ブロック別：北海道から九州まで11ブロック
  ・系統別：例えば複数の学部を設置する大学法人については、医歯他複数学部、薬他複数学部、理工他複数学部、文他複数学部、その他複数学部に分類している。
　したがって、財務分析を行うにあたっては、大学を設置している医歯系以

外の学校法人ならば医歯系法人を除く大学法人合計の計算書と比較し、さらには自分の属する規模、系統、ブロックのデータと比較することが有益である。

そのほか、法人数、学生生徒等数、専任教員数、専任職員数を利用して平均値や1人当たり数値を算出することも有益である。

(2) 各学校法人による財務内容の開示

第1章で記載したように、私学法は学校法人が公共性の高い法人としての説明責任を果たし、関係者の理解と協力を一層得られるようにしていく観点から会計年度終了後2ヶ月以内に、財産目録、貸借対照表、収支計算書及び事業報告書を作成し（私学法第47条第1項）、在学者その他利害関係者からの請求があれば、正当な理由ある場合を除き閲覧に供するとともに（私学法第47条第2項）、文部科学大臣が所轄庁である学校法人は、遅滞なく、文部科学省令で定めるところにより、公表しなければならない（私学法第63条の2）としている。これらを踏まえて、様々な取組みが各大学で進められている。

従来より文科省は、私学法で定める財務情報の開示は全ての学校法人に共通に義務付けるべき最低限の内容を規定したに過ぎないという立場であり、特に大学に対しては、ホームページ等を活用して一般に対して広く情報提供を行うよう積極的な取組みを依頼している。

文科省は、令和2年3月19日に元高私参第15号「令和元年度学校法人の財務情報等の公開状況に関する調査結果について（通知）」を発出し、大学、短期大学、高等専門学校を設置する学校法人の財務情報の公開状況を調査公表している。どの計算書類をどのような方法で公開しているかを集計した結果は、図表2-2の通りである。これによると、ほとんどすべての大学法人、短期大学法人等の財産目録、貸借対照表、事業活動収支計算書、資金収支計算書、事業報告書、監事の監査報告書が各法人のホームページから入手可能である。

図表 2 － 2　令和元年度学校法人の財務情報等の公開状況に関する調査結果

区　分	大学法人	短期大学法人等	合　計
全法人数	559	102	661
財産目録又はその概要	556 (99.5%)	101 (99.0%)	657 (99.4%)
うち学校法人のホームページに掲載しているもの	556 (99.5%)	101 (99.0%)	657 (99.4%)
うち広報誌等の刊行物に掲載しているもの	51 (9.1%)	7 (6.9%)	58 (8.8%)
貸借対照表又はその概要	558 (99.8%)	102 (100.0%)	660 (99.8%)
うち学校法人のホームページに掲載しているもの	558 (99.8%)	102 (100.0%)	660 (99.8%)
うち広報誌等の刊行物に掲載しているもの	237 (42.4%)	21 (20.6%)	258 (39.0%)
事業活動収支計算書又はその概要	558 (99.8%)	102 (100.0%)	660 (99.8%)
うち学校法人のホームページに掲載しているもの	558 (99.8%)	102 (100.0%)	660 (99.8%)
うち広報誌等の刊行物に掲載しているもの	250 (44.7%)	22 (21.6%)	272 (41.1%)
資金収支計算書又はその概要	557 (99.6%)	101 (99.0%)	658 (99.5%)
うち学校法人のホームページに掲載しているもの	557 (99.6%)	101 (99.0%)	658 (99.5%)
うち広報誌等の刊行物に掲載しているもの	213 (38.1%)	21 (20.6%)	234 (35.4%)
事業報告書又はその概要	555 (99.3%)	102 (100.0%)	657 (99.4%)
うち学校法人のホームページに掲載しているもの	554 (99.1%)	102 (100.0%)	656 (99.2%)
うち広報誌等の刊行物に掲載しているもの	67 (12.0%)	5 (4.9%)	72 (10.9%)

監事の監査報告書		555（99.3%）	102（100.0%）	657（99.4%）
	うち学校法人のホームページに掲載しているもの	555（99.3%）	102（100.0%）	657（99.4%）
	うち広報誌等の刊行物に掲載しているもの	29（5.2%）	6（5.9%）	35（5.3%）

出典：元高私参第15号「令和元年度学校法人の財務情報等の公開状況に関する調査結果について（通知）」別紙　令和元年度学校法人の財務情報等の公開状況に関する調査結果について【1．財務情報等の一般公開の状況について】(2)一般公開の内容（ホームページ・広報誌等の刊行物について）【複数回答】

❼ 財務分析の進め方

　財務分析を進めるにあたってのプロセスの一例を示すと、図表2−3の通りである。なお、ここでは、主に法人内部において経営改善を目的として行う財務分析について説明する。

(1) 実施目的の明確化

　財務分析は、財政状態や収支の状況を評価するために行われる。その目的は、法人外部の利害関係者においては、何らかの意思決定を行うための判断資料の入手、法人内部においては、実態を知り法人を良い方向に向けるための判断資料の入手ということになる。

　したがって、財務分析を行うに際しては、あらかじめ何らかの問題意識を持って実施することが効率的である。問題意識の例としては現在の収入を維持できるか、支出水準が同規模の他の法人と比較して高すぎるのではないか、負債の水準は適切か等が考えられる。

　端的にいえば財務上の課題とは、将来にわたって支出を賄うだけの収入を確保することが可能か、あるいは収入の範囲内に支出を抑制することができるかであり、少なくともその観点は常に意識して財務分析を行う必要がある。

図表2-3 財務分析実施のプロセス

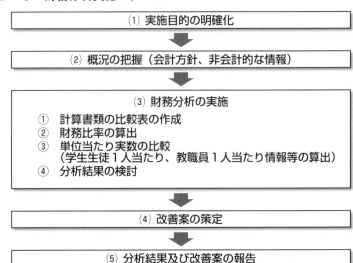

(2) 概況の把握

(1)でも記載した通り、財務分析を行うにあたって目的の明確化が不可欠であるが、その他に以下の点に留意する必要がある。

① 会計方針の把握

会計においては、見積りの要素が必ず入るため、会計方針の選択により事業活動収支計算書や貸借対照表の計上額が相違する。企業会計と比較すると学校法人間における会計方針の相違は少ないが、その概要は把握しておかなければならない。特に、会計方針の変更の有無には注意が必要であり、その理由及び影響額を把握しておく必要がある。

② 非会計的情報の把握

会計数値は金銭で表現されるものしか表示できないため、学校法人のすべてを表示できるものではない。教職員の能力、保有する施設設備、立地条件、学生生徒等の勉学やスポーツにおける活躍、学会等で高く評価される研究成果、総合的な知名度や評判、優秀な卒業生の輩出等が学校法人の価値を高め

るとしても、会計数値がそれらをすべて反映できるものではない。したがって、特に外部者が財務分析を行うにあたっては、非会計情報を可能なかぎり収集し、学校法人の実情を理解する努力が必要である。

非会計情報を検討するにあたっても、可能なかぎり定量的な指標を入手する必要がある。優秀な卒業生の輩出といった定性的な内容であっても、単なる印象ではなく客観的なデータで傾向を把握した方がより正しい判断に繋がるものと考える。

また、学校教育法施行規則第172条の2において、大学は以下の9つの項目にわたる教育情報の公表が義務付けられている。

大学は、次に掲げる教育研究活動等の状況についての情報を公表するものとする。
1 大学の教育研究上の目的及び卒業又は修了の認定に関する方針、教育課程の編成及び実施に関する方針、入学者の受入れに関する方針に関すること
2 教育研究上の基本組織に関すること
3 教員組織、教員の数並びに各教員が有する学位及び業績に関すること
4 入学者の数、収容定員及び在学する学生の数、卒業又は修了した者の数並びに進学者数及び就職者数その他進学及び就職等の状況に関すること
5 授業科目、授業の方法及び内容並びに年間の授業の計画に関すること
6 学修の成果に係る評価及び卒業又は修了の認定に当たっての基準に関すること
7 校地、校舎等の施設及び設備その他の学生の教育研究環境に関すること
8 授業料、入学料その他の大学が徴収する費用に関すること
9 大学が行う学生の修学、進路選択及び心身の健康等に係る支援に関すること

加えて、事業団では、平成26年10月より大学ポートレート（私学版）を公開している。大学ポートレートは、各大学が公的な教育機関としての説明責

任と教育の質の保証・向上という責務を果たすため、その支援方策として教育情報の活用・公表のための共通的な仕組みとして提供されるものである。大学ポートレートは、外部利害関係者が財務分析を行うにあたって必ず目を通しておくべきデータベースとなるものと考えられる。

(3) 財務分析の実施
① 計算書類の比較表の作成
　年度ごとの計算書類の数値は種々の要因により変動するが、中期ないし長期的には何らかの傾向を示すのが通常である。その傾向が法人経営にとって望ましい方向かどうかについて把握する必要がある。基本的には収入増加、支出減少、資産の増加、負債の減少、純資産の増加、収支差額のプラスといった点が財務的には良い方向となるため、まずはその傾向を把握する必要がある。

図表2－4　計算書類における望ましい状況

増加傾向が望ましい	減少傾向が望ましい
資産 運用資産（現金預金、有価証券、特定資産の部合計） 純資産 事業活動収入 経常収入 学生生徒等納付金 学生生徒等納付金以外の教育活動収入 受取利息・配当金 教育活動収支差額 経常収支差額 基本金組入前当年度収支差額 当年度収支差額	負債 借入金 事業活動支出 人件費 教育研究経費 管理経費 徴収不能額等 借入金等利息

注1：人件費、経費については、教育研究活動等の維持発展という観点からは増加する方が好ましいともいえるが、財務的には減少が望ましいといえる。収入等とのバランスを見て水準を検討する必要がある。

注2：有形固定資産と第1号基本金は教育研究活動等の維持発展という観点からは増加が好ましい。一方、多額の施設設備の取得による借入金の増加や維持費の増加が発生すると財務の悪化に繋がる可能性がある。したがって、有形固定資産等については、事業活動収入や借入金とのバランスが重要となる。

　また、教育活動収入が横ばいでも教育活動収支差額は伸びているといった財務的な特徴が法人ごとに存在するものである。あるいは年度によって大きく数字が変動している場合も考えられる。このような特徴を把握して、ここ数年間何が起きており学校法人はどのような方向で推移してきたのか、その延長で今後どのような方向に進むと考えられるのか、その方向は良い流れなのか否かといったストーリーを把握することが重要である。

　そのためには、貸借対照表、事業活動収支計算書、活動区分資金収支計算書等の年度別比較表を作成し、傾向と特徴を把握することがまず必要である。法人全体の他に各部門別にも作成すればさらに有益である。

　比較表作成にあたっては、単に金額だけでなく構成比率及び対前年増減比

図表2－5　趨勢を把握することが有益な情報

```
学生生徒数関係
    ・学生生徒数
    ・定員充足率（入学定員充足率、収容定員充足率等）
    ・志願動向等を示す指標（志願倍率、合格率、歩留率、推薦割合、中途退学者
      率、奨学費割合）
教職員関係
    ・教職員数
    ・教職員1人当たり学生数等
    ・非常勤教員対専任教員割合
    ・専任職員1人当たり学生数
    ・専任職員対専任教員割合
    ・専任教員1人当たり人件費
    ・専任職員1人当たり人件費
経費関係
    ・学生1人当たり教育研究経費
    ・学生1人当たり管理経費
```

率あるいは基準年度を100とした趨勢値等を併せて記載すると一層有用である。同時に学生生徒数、教職員数等の基礎データも記載するのが望ましい。図表2－5に記載した情報も趨勢を把握しておくことが望ましい。

　なお、趨勢把握という目的のためには、必ずしもすべての小科目を記載した比較表を作成する必要はない。木を見て森を見ずという状況になると正しい判断ができなくなるおそれがある点は留意が必要である。
　特に経費については計算書類に記載されたすべての小科目を記載するのではなく、集約して記載した方が有益なことが多い。例えば、金額の大きい費目を記載して後の費目はその他でまとめることにより10程度の科目に集約する方が、趨勢把握の目的のためには有益である。また、以下の観点で経費を分類して趨勢を把握することも有益である。
・設備費とそれ以外
　概況を把握するためには、経費を設備費（減価償却額、修繕費、維持管理のための業務委託費、水道光熱費、火災保険料等）とそれ以外に分類することも有益である。
・目的別分類による経費の再集計
　例えば、教育活動、研究活動、施設設備維持、学生生徒等への支援、学生募集等の目的によって経費を分類集計し年度比較を行うことも有益である。
・義務的経費とそれ以外
　義務的経費はその性格上支出を中止できない経費であり、基本的には翌年度以降も支出が継続するものである。経費を義務的経費と非義務的経費に分類して概況を把握することも有益である。

区　分	内　容
義務的経費	規定で定めている研究関係費や学会旅行費、恒常的印刷物、既定の各種保険料、土地その他の賃借料、既決機器装置のリース料、公租公課、既定の業務委託料、受託事業費など
非義務的経費	一般の消耗品や旅費交通費、修繕費、募集広告費等で義務的経費以外のもの

　この他に、学生生徒数に比例する変動費とそれ以外の固定費に分類する方法も考えられるが、学校法人においては変動費に属する項目はあまり多くないものと考えられる。

　計算書類の比較表を作成した後『今日の私学財政』における5ヶ年連続の計算書や規模別系統別等の集計値等を参照し、平均的傾向との乖離がないか確かめる必要がある。平均の傾向と異なることが問題となるのではなく、乖離の原因を分析し法人の特徴を把握することが重要である。

② **財務比率の算出**
　事業団が立案した財務比率を算出し、年度別に比較することにより傾向を分析する。同時に『今日の私学財政』等を参照し、平均値との比較を行い、乖離がある場合はその原因を分析する。なお、『今日の私学財政』では、設置法人別、規模別、系統別、ブロック別に区分して集計している。それぞれ傾向が異なるため、分析対象となる法人について適切な比較対象グループを選択することが重要である。

　財務比率は図表2－6の通りである。

図表2-6　財務比率
〈事業活動収支計算書関係〉

番号	名称	算出方法
1	人件費比率	人件費 ÷ 経常収入
2	人件費依存率	人件費 ÷ 学生生徒等納付金
3	教育研究経費比率	教育研究経費 ÷ 経常収入
4	管理経費比率	管理経費 ÷ 経常収入
5	借入金等利息比率	借入金等利息 ÷ 経常収入
6	事業活動収支差額比率	基本金組入前当年度収支差額 ÷ 事業活動収入
7	基本金組入後収支比率	事業活動支出 ÷ （事業活動収入 － 基本金組入額）
8	学生生徒等納付金比率	学生生徒等納付金 ÷ 経常収入
9	寄付金比率	寄付金 ÷ 事業活動収入
10	経常寄付金比率	教育活動収支の寄付金 ÷ 経常収入
11	補助金比率	補助金 ÷ 事業活動収入
12	経常補助金比率	経常費等補助金 ÷ 経常収入
13	基本金組入率	基本金組入額 ÷ 事業活動収入
14	減価償却額比率	減価償却額 ÷ 経常支出
15	経常収支差額比率	経常収支差額 ÷ 経常収入
16	教育活動収支差額比率	教育活動収支差額 ÷ 教育活動収入計

注：「経常収入」＝教育活動収入計＋教育活動外収入計
　　「経常支出」＝教育活動支出計＋教育活動外支出計

〈貸借対照表関係〉

番号	名称	算出方法
1	固定資産構成比率	固定資産 ÷ 総資産
2	有形固定資産構成比率	有形固定資産 ÷ 総資産
3	特定資産構成比率	特定資産 ÷ 総資産
4	流動資産構成比率	流動資産 ÷ 総資産
5	固定負債構成比率	固定負債 ÷ (総負債 + 純資産)
6	流動負債構成比率	流動負債 ÷ (総負債 + 純資産)
7	内部留保資産比率	(運用資産 － 総負債) ÷ 総資産 運用資産 ＝ 現金預金 ＋ 有価証券 ＋ 特定資産
8	運用資産余裕比率	(運用資産 － 外部負債) ÷ 経常支出
9	純資産構成比率	純資産 ÷ (総負債 + 純資産)
10	繰越収支差額構成比率	繰越収支差額 ÷ (総負債 + 純資産)
11	固定比率	固定資産 ÷ 純資産
12	固定長期適合率	固定資産 ÷ (純資産 + 固定負債)
13	流動比率	流動資産 ÷ 流動負債
14	総負債比率	総負債 ÷ 総資産
15	負債比率	総負債 ÷ 純資産
16	前受金保有率	現金預金 ÷ 前受金
17	退職給与引当特定資産保有率	退職給与引当特定資産 ÷ 退職給与引当金
18	基本金比率	基本金 ÷ 基本金要組入額
19	減価償却比率	減価償却累計額(図書を除く) ÷ 減価償却資産取得価額(図書を除く)
20	積立率	運用資産 ÷ 要積立額 ・運用資産 ＝ 現金預金 ＋ 有価証券 ＋ 特定資産 ・要積立額＝退職給与引当金 ＋ 第2号基本金 ＋ 第3号基本金 ＋ 減価償却累計額

③ 単位当たり実数比較

　財務比率を算出し、比較対象グループと比較した結果、平均との乖離が発見された場合、その要因を分析することにより、法人の特徴あるいは財務上改善すべき問題点を把握することができる。この場合、次ページに記載したような単位当たりの実数を算出し比較することにより、さらに詳細な分析が可能となる。

　例えば、人件費依存率が平均より高い場合、その理由は学生生徒等納付金が低いか人件費が高いかのいずれかである。これについては、1人当たりの実数を算出することにより原因分析及び具体的な改善案の作成が容易となる（図表2－7参照）。

④ 分析結果の検討

　財務分析は、分析それ自体が目的ではなく、改善すべき課題の把握と改善案の策定のために実施する。財務上の課題は、収入基盤が充分か、負債返済を含めた支出構造が収入に比較して適正かにほぼ要約されるため、この視点で分析結果を検討し改善案を作成する必要がある。

　なお、改善すべき課題の把握と改善策の策定を効果的に行うためには、法人全体での分析だけでは十分ではない。法人を何らかの区分を設けて当該区分単位で分析することも重要である。学校、学部等事業活動収支内訳表や資金収支内訳表の部門で分析を行うのが一般的と思われるが、分析の目的によっては、以下の切り口で事業活動収支計算書や資金収支計算書を区分して検討することも必要である。

- キャンパス等の所在地別
- 理系学部、文系学部といった学部を超えた系統別
- 学部と関連する施設を合算して検討するケース（例えば、医学部と附属病院、学部とそれに関連する研究所等）

(4) 改善案の策定

　財務分析は、財務上の課題を抽出しその問題点の解決策を議論するために

〈学生生徒数との関連数値〉
1人当たり納付金額 ＝ 学生生徒等納付金 ÷ 学生生徒数
1人当たり補助金 ＝ 補助金 ÷ 学生生徒数
1人当たり人件費 ＝ 人件費 ÷ 学生生徒数
1人当たり教育研究経費 ＝ 教育研究経費 ÷ 学生生徒数
1人当たり有形固定資産 ＝ 有形固定資産 ÷ 学生生徒数
〈教職員数との関連数値〉
専任教職員1人当たり人件費 ＝ 人件費 ÷ 専任教職員数
専任教職員1人当たり学生生徒数 ＝ 学生生徒数 ÷ 専任教職員数

図表2－7　財務比率の1人当たり情報への展開

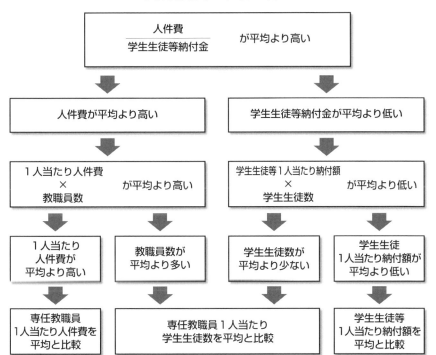

実施される。改善案策定にあたっては、以下の点に留意する必要がある。
① **長期的視点**

　学校法人の収入は学生生徒数に比例する面が強い。すなわち入学者数が決まれば今後の収入はある程度予想することが可能であり、それを大幅に上回る収入を得ることは難しい。一方、経費のかなりの部分を占める人件費を削減するためには、教職員数を減らすか、給与水準を減らすしかないため、簡単ではない。教育研究経費や管理経費も義務的な経費が多いため、同様に削減が難しい。

　収入と支出ともに硬直的なものが多い学校法人においては、一度収支が悪化すると短期間に改善することは難しい。だからこそ、短期的な収支だけでなく長期的な視点で収支の方向性を考えていくことが必要である。中期（3年から5年程度）あるいは長期（5年から10年程度）の学生生徒数を予想し、その範囲で教育研究の水準を中長期的にどのような程度にするか、そのための施設設備の水準をどのようにするか等を検討していくことが重要である。

② **単位当たり実数情報の活用**

　教育活動の水準とは、学生生徒等の数と教職員の数をどのような水準とするかという問題であるともいえる。一方、財務的には学生生徒数により学生生徒等納付金の金額が決まり、教職員の数により人件費の金額が決まってくる。このように教育水準と財政とのバランスを考えるにあたっては、学生生徒数と教職員数や収入・支出との関係を考えることが重要である。学生生徒1人当たりの数値をもって改善の目標とすることが考えられる。

③ **部門別の検討**

　財務上の課題は部門によって相違する。現実問題としてある部門は経常的に収支差額がマイナスで、ある部門は大幅にプラスということがありうる。特定の部門に対し名指しで改善を求めることには抵抗があるかもしれないが、収支の改善のためには避けられない場合がある。そのためにも財務比率等の客観的、定量的な評価結果を活用し論理的に説明することが重要と考えられる。

⑸ 分析結果及び改善案の報告

　企業価値は、将来獲得するキャッシュ・フロー（現金収支）総額の現在価値で計算されると説明されることが多い。しかしながら、学校法人の価値とは教育研究等において成果を挙げることであり、獲得されるキャッシュ・フローで評価されるものではない。とはいえ、教育研究活動を維持発展させるための財源は確保されている必要があり、収支差額のマイナスやその結果としての過大な負債があれば改善が必要である。

　教育研究等の成果を評価することは難しいが、財務については計算書類という定量的なデータに基づき実施されるため、どこに問題があるかを把握することは比較的容易である。実は問題点が分かれば改善策もほぼ自動的に立案できることも多い。

　問題は、その結果を関係者に理解してもらい同意を得て具体的な行動に繋げていくことである。通常、自分が所属する部門のパフォーマンスが低いとは考えていない方が多いので、問題点をそのまま指摘しても反発される可能性が高い。特に、学校法人においては教育研究という定量的な成果測定が難しい事業を行っているためなおさらである。したがって、報告書とプレゼンテーションが重要となってくる。この場合の留意点として以下が考えられる。

① 報告目的の明確化

　何をすべきかという結論を明確に示す必要がある。一般的・抽象的な改善案の報告では具体的な改善のための行動につながらない可能性が高い。全法人一丸となって経費削減に取り組むという改善案だけでは誰も行動に移さないことも考えられる。財務上の課題は、最終的にはこの部門の支出を削減すること、あるいはこの部門の教職員数を削減することといった話にならざるを得ない。報告を受ける側にとって気分の良い話ではないが、ポイントは明確に伝わるようにしなければならない。

② 報告すべきキーマンの明確化

　誰に理解してもらうことが改善のために重要かを明確にして報告する必要がある。その点が明確になっていないと、本来の当事者に自分は無関係と誤

解されてしまうおそれがある。また、物事を進めるにあたっては必ずキーマンが存在するはずであり、それ以外はその他大勢という可能性もある。キーマンに要点を理解してもらうための報告はどうあるべきかについても、事前に十分に検討することが重要である。

③ 簡潔な報告

現実問題として、1回のプレゼンテーションで当事者全員に報告書の内容をすべて理解してもらうことは困難である。したがって、できる限り簡潔な報告を心がけ、これだけは理解してもらいたいという点を明確にする必要がある。問題点も改善提案もあまりに数が増えると聞く側の集中力が薄れ、一番理解して欲しいところが十分理解されない可能性もある。その意味では報告項目の構成や順番等も重要である。

④ 改善の時間軸の明確化

既に述べたように、学校法人の財務上の課題はすぐに解決することが困難なものが多く3年から5年といった中期、10年といった長期的な観点で改善策を実行していかざるを得ない。しかし、明日の支払いができないといった状況に陥ったときに、中期ないし長期の議論をしても意味はない。

改善策について時間軸を定め、短期、中期、長期いずれの期限で達成していくかを明確にする必要がある。すぐには解決できないものが多いとしても、それをもって実施しないことの言い訳としてはならない。

⑤ 平易な用語の使用

報告書に記載する用語等も、できるだけ平易で一般に使用されるものを使用することが望ましい。この言葉の意味は何かといった質問への受け答えで、真に報告すべき点について議論する時間が失われる可能性がある。

⑥ データの見せ方の工夫

報告者としては算出したデータをすべて報告したくなるかもしれないが、報告を受ける立場では数字の羅列を見ることは苦痛である。財務比率等の数値データはポイントを絞って報告・説明することが重要である。また、グラフや表を利用することも望ましい。

⑦ 財務比率はあくまで道具

　財務比率は、問題点を客観的に伝達する手段として有益ではあるが、伝えるべきメッセージそのものではない。例えば、人件費比率が平均と比較してかなり高いということは、教員数か職員数かあるいはその双方が平均より多いか、給与水準が平均より高いということである。この場合は伝えるべきメッセージは、人件費比率が高いということではなく、教職員数が多すぎる、あるいは給与水準が高すぎるということになろうかと考える。財務分析の結果は、このようなメッセージを理解し納得してもらうための道具である。

　財務比率の一覧表を作成するだけでは、あまり意味がないことに留意が必要である。

❽ 自己診断チェックリストによる財務分析

　事業団は、学校法人が自らの経営状態の問題点を発見して、取組課題を早期に認識するために作成するチェックリストとして「自己診断チェックリスト」を公表している。「自己診断チェックリスト」は、財務比率等に関するチェックリストと管理運営等に関するチェックリストから構成されている。自己診断チェックリストに記載されている財務比率は、『今日の私学財政』に記載されている財務比率と比較すると、より経営破綻を予防するためという性格が強いように見受けられる。

① 財務比率等に関するチェックリスト（法人全体）

　「自己診断チェックリスト」は、主な財務比率として経常収支差額比率、人件費比率、人件費依存率、教育活動資金収支差額比率、積立率、運用資産超過額対教育活動資金収支差額比（年）、運用資産対教育活動資金収支差額比（年）、流動比率、外部負債超過額対教育活動資金収支差額比（年）を提示している。詳細は、図表2－8の通りである。

図表2－8　財務安全性の判定のための財務比率

比率名	算出方法	判定	コメント
事業活動収支状況			
経常収支差額比率(%)	（経常収支差額÷経常収入）	△	経常収支差額が経常収入全体の何%にあたるかを見る比率である。 臨時的な収支を除外した学校法人の経常的な収支状況を見る最も基本的な比率であり、プラスが大きいほど純資産が充実することになるため高い方が望ましい。 学校法人を永続的に維持するためには、校地校舎等教育研究に必要な資産相当額を維持すべきものとして、基本金を事業活動収入の中から確保しなければならない。したがって、基本金組入額相当の経常収支差額の黒字が望ましい。 この比率が10%以上を安定的に確保できれば、基本金組入後の事業活動収支均衡を達成できる可能性が高いため、10%が良好と判断する目安になると考えられる。
人件費比率(%)	人件費÷経常収入	▼	経常収入の何%を人件費として消費しているかを見る比率である。 人件費は学校法人の事業活動支出の大半を占め、また固定費としての性格が強いため、良好な収支を維持するためには、人件費を収入に対し適正な水準にすることが必要である。
人件費依存率(%)	人件費÷学生生徒等納付金	▼	通常、事業活動収入の中で最大の科目である学生生徒等納付金と事業活動支出の中で最大の科目である人件費の関係を示す比率である。 財務という観点だけで考えると、分母の学生生徒等納付金は大きいほどよく、分子の人件費は小さいほどよいため、人件費依存率も低い方が望ましいということになる。 少なくとも人件費は学生生徒等納付金の範囲内に収めるべきという考え方から、人件費依存率は100%以下であることが望ましいとされている。
活動区分資金収支状況			
教育活動資金収支差額比率(%)	教育活動資金収支差額÷教育活動資金収入計	△	１年間の教育研究活動によりどの程度の資金の余剰が生じているかを示す指標である。 この比率がプラスでないと、施設設備取得の財源や借入金の返済、利息の支払いの財源がないことになる。したがって、プラスであることが最低条件と考えられる。

			今後の施設設備投資計画や借入金返済計画等に充当できるだけの教育活動資金収支差額を獲得するよう経営していく必要がある。 大学法人では、一般的に経常収入に対する基本金組入額と減価償却額の割合が20％台であることから、事業活動収支均衡を達成するためには教育活動資金収支差額比率は20％以上が望ましい数値として考えられる。
運用資産の状況			
積立率(％)	運用資産÷要積立額(退職給与引当金、第2号基本金、第3号基本金、減価償却累計額)	△	学校法人を永続的に維持するために保有すべき要積立額に対し、実際にどの程度、運用資産として保有しているかを把握する比率である。 将来の支出額への対応という観点からは100％以上が望ましいと考えられる。
運用資産超過額対教育活動資金収支差額比(年) (教育活動資金収支差額がマイナスの場合)	(運用資産－外部負債)÷教育活動資金収支差額	△	教育活動資金収支差額がマイナスの場合とは経常的な資金不足に陥っているということであり、これを運用資産で補填していくしかない。運用資産で外部負債を全額返済した残額で、教育活動資金収支差額のマイナスを何年補填可能かについて示すのがこの比率である。 大学ならば4年、短大ならば2年が1つの目安と考えられる。
運用資産対教育活動資金収支差額比(年) (教育活動資金収支差額がマイナスの場合)	運用資産÷教育活動資金収支差額	△	外部負債の返済を一旦先延ばしにし、運用資産を教育活動資金収支差額のマイナスの補填だけに使用した場合に何年もつかを示すのがこの比率である。
外部負債状況			
流動比率	流動資産÷流動負債	△	1年以内に償還又は支払わなければならない流動負債に対して、現金預金又は1年以内に現金化可能な流動資産がどの程度あるかを示す比率である。 資金繰りの安全性を確保するためには、流動負債が全額支払可能な水準以上の流動資産を保有しておくことが必要と考えられる。

| 外部負債超過額対教育活動資金収支差額比（教育活動資金収支差額がプラスの場合） | （外部負債－運用資産）÷教育活動資金収支差額 | ▼ | 外部負債を運用資産で全額返済した残額が、教育活動資金収支差額の何年分かを示す比率である。負債を全額返すのに何年かかるかを示すため、この比率が高いほど負債が過大ということになる。一般的には10年が目安となっているように見受けられる。 |

注：▼低い方がよい、△高い方がよい
　運用資産：現金預金、有価証券、特定資産の合計額
　外部負債：借入金、学校債、未払金、手形債務の合計額

② **部門の収支を判断するポイント**

「自己診断チェックリスト」では、法人全体だけでなく各部門の収支状況と法人全体の財務安全性への影響を把握するための指標を提示している。

各部門の収入の大部分は学生生徒等納付金であり、また支出の半分以上は人件費である。学生生徒等納付金は、学生生徒数×単価（学生1人当たりの納付金）、人件費は教職員数×単価（教職員1人当たり人件費）で表現されるため、「自己診断チェックリスト」では計算書類だけでなく、学生数関係、教職員数関係に関する指標も提示している。

具体的には、以下の指標が提示されている。

事業活動収支状況		
1	経常収支差額比率	経常収支差額 ÷ 経常収入
2	人件費比率	人件費 ÷ 経常収入
学生数関係		
1	志願倍率	志願者数 ÷ 入学定員
2	合格率	合格者数 ÷ 受験者数
3	歩留率	入学者数 ÷ 合格者数
4	推薦割合	推薦者数 ÷ 入学者数
5	入学定員充足率	入学者数 ÷ 入学定員
6	収容定員充足率	在籍者数 ÷ 収容定員
7	中途退学者率	中途退学者数 ÷ 在籍者数
8	奨学費割合	奨学費支出 ÷ 学生生徒等納付金収入
教職員関係		
1	専任教員1人当たり学生数	在籍者数 ÷ 専任教員数
2	専任教員対非常勤教員割合	非常勤教員数 ÷ 専任教員数
3	専任職員1人当たり学生数	在籍者数 ÷ 専任職員数
4	専任教員対専任職員割合	専任職員数 ÷ 専任教員数
5	専任教員1人当たり人件費	人件費支出(本務教員給) ÷ 専任教員数
6	専任職員1人当たり人件費	人件費支出(本務職員給) ÷ 専任職員数
経費関係		
1	学生1人当たり教育研究経費支出	教育研究経費支出 ÷ 在籍者数
2	学生1人当たり管理経費支出	管理経費支出 ÷ 在籍者数

❾ 非財務的な指標による評価

　学校法人の目的を「学校法人の価値の最大化」と考えた場合、学校法人の価値とは、教育力、研究力等を総合化したものとなると考えられる。企業で

あれば純資産の価値の最大化となるのかもしれないが、学校法人における教育力や研究力を財務数値で測定することはできない。あくまで、学校法人における財務とは学校法人の価値向上を支える存在でしかない。

学校法人における教育、研究等の成果は評価者の価値観に左右される面があることは否めず、定量的に評価するのは困難である。とはいえ、定性的な評価だけでは客観性を欠く面があるのは否めない。教育や研究に関する定量的な評価のための指標を作成する取組みとして、文科省の「大学改革実行プラン」が参考となる。

文科省は、平成24年6月に「大学改革実行プラン～社会の変革のエンジンとなる大学づくり～」を公表した。大学及び大学を構成する関係者は、社会の変革を担う人材の育成、「知の拠点」として世界的な研究成果やイノベーションの創出など重大な責務を有しているとの認識の下に、国民や社会の期待に応える大学改革を主体的に実行することが求められているとした上で、以下の2点を大学改革の方向性として示している。

① 激しく変化する社会における大学の機能の再構築
② 大学の機能の再構築のための大学ガバナンスの充実・強化

「大学改革実行プラン」では、各大学の機能強化等での達成目標・ベンチマークとして活用されるために客観的評価指標を提示している。このような客観的な指標を開発した趣旨として以下をあげている。

・大学の教育力、研究力、地域貢献、国際性などに関する強みを客観的に明らかにする指標を開発
・大学の強みや特徴を相対的に明らかにするために、大学間や専門分野間で比較可能な分かりやすい指標の表現方法等を開発
・各大学の取組みの進展や伸び率等に着目した指標を開発

「大学改革実行プラン」における客観的評価指標は、大学の研究力や教育力を示す1つの参考となりうるものと考えられる。当該プランであげられている評価領域と指標のイメージを要約すると、図表2-9の通りである。

昨今では、財務情報に加え非財務情報をまとめた統合報告書を公表する学

校法人も出てきており、今後、ますます非財務情報の重要性が高まるものと考えられる。

図表2－9 「大学改革実行プラン」で提示された客観的評価指標（文科省「大学改革実行プラン～社会の変革のエンジンとなる大学づくり～」）

研究力	研究業績	論文数、論文被引用シェア 国際共著論文数
	研究資金・研究環境	競争的資金（科研費等）の獲得状況 大型研究の受託状況 研究支援スタッフの配置状況 研究者の流動性（他大学・研究機関への転出人数） 若手研究者の育成（若手研究員、JSPS（日本学術振興会）特別研究員の受入れ） 研究資源の共用状況
	産学連携	企業との共同研究、受託研究等の件数・金額 特許（出願数、取得件数、特許収入、ライセンス契約数）
教育力	教育環境	学生／教員比率、学生／職員比率、学生／TA比率 学生1人当たり教育経費 学生（学修）サポートシステム 図書館の開館時間、サービス
	教学システム・教育内容	ナンバリング、シラバスの標準化・活用度、GPA（Grade Point Average）の活用度等 教育活動・経験（アクティブラーニングの実施状況、学修時間等）
	教育成果	学生調査による教育実践の効果、学生による評価、学修時間等 就職状況
国際性		留学生数（割合）、外国人教員数（割合）、日本人学生の海外留学実績（全体、割合）（短期交流、大学院での留学等） 英語コースの開設数 海外大学とのダブルディグリーの実施状況（開設数、参加学生数） 教員の海外経験割合、英語で教授できる教員数（割合） 国際共著論文数（教員1人当たり数） 学生の英語力（TOEFL等のスコア）

多様性・流動性	留学生数（割合）、外国人教員数（割合） 大学院生の自校学部出身者の割合 教員の自校出身者の割合 女性教職員の数・割合（職種ごと） 障がいのある学生、教職員の数・割合 編入学生の数・割合	
地域貢献	地域人材輩出	地域の企業・施設・行政への就職状況（数・率） 地域でのインターンシップ・実習の実施状況 地元企業・自治体の満足度 地域の職業人向けのコース等の開設状況、受講者実績等
	生涯学習・地域コミュニティ支援	公開講座等の開設状況、受講者実績 地域との協働による学修機会 地域における学生ボランティアの活動実績
	地域産業活性化への貢献	地元企業との共同研究の実施状況 地域復興センター等の有無及び活動実績

Column コラム2　ガバナンス強化と「ガバナンス・コード」

　学校法人において、ガバナンス強化の制度改正への検討、取組みが進んでいる。ここでは、その取組みの1つである「ガバナンス・コード」について紹介しよう。

　ガバナンスとは、誠実・高潔で優れたリーダーを選任し、適正かつ効果的に組織目的が達成されるよう活動を監督・管理し、不適切な場合には解任することができる内部機関の役割や相互関係の総合的な枠組みを指す（2021年3月19日「学校法人のガバナンスに関する有識者会議「学校法人のガバナンスの発揮に向けた今後の取組の基本的な方向性について」」より）。

　大学の関係者も多様化し、学生、保護者、卒業生、産業界、地域社会、（公費補助を受けていることからしても）国・自治体・納税者等、多岐にわたっており、大学の重要性は格段に高まっている。これらの多様な関係者の期待に応えて、大学が社会に貢献するために教育と研究の質の向上を図り成長、発展し続けることができるよう、組織内部において適切な執行と監督の仕組みを構築するとともに、大学経営の状況や意思決定の仕組みについて透明性を確保し、関係者への説明責任を果たすことが重要となっている。

　関係者への説明責任を果たす1つのツールとして期待されているものが「ガバ

ナンス・コード」である。もともと「ガバナンス・コード」は上場企業が守るべき行動規範を示した企業統治の指針であり、金融庁と東京証券取引所が取りまとめ、2015年6月から適用されてきた。学校法人に対しても2016年文部科学省「私立大学の振興に関する検討会議」や2018年文部科学省「大学設置・学校法人審議会学校法人分科会　学校法人制度改善検討小委員会」などの会議体の中で私立大学における「ガバナンス・コード」策定について言及された。

　このような動きを背景に日本私立大学協会では2019年3月に「日本私立大学協会憲章『私立大学版 ガバナンス・コード』〈第1版〉」を、一般社団法人日本私立大学連盟では2019年6月「日本私立大学連盟　ガバナンス・コード【第1版】」を発出している。また、一般社団法人大学監査協会においても2019年7月に「大学ガバナンス・コード」を取りまとめている。これらのコードは、学校法人（私立大学）の運営上の基本を示したものであり、各大学は各々の大学の実情に応じて実行できる箇所についての条項を活用して、ガバナンス・コードを任意に制定・公表している。

　ガバナンス・コードへの取り組みの考え方は、「コンプライ・オア・エクスプレイン」というキーワードで説明されている。何らかの事由でそれを遵守（コンプライ）しない場合は、ステークホルダーにその理由を説明（エクスプレイン）することが求められる。まずは各大学における現状把握と、各項目のステータスの分類が必要になる。当コードの活用方法としては様々な領域での活用が可能と考えられ、主に次の3つがある。

① 　実施が困難である項目については、まずは実施に向けて真摯な検討や準備を行ったうえで、なお完全な実施が困難な場合、今後の取り組み予定や実施予定時期等を明確に説明（エクスプレイン）することで、ガバナンス強化の取り組みのスケジューリング化、コントロールに活用することが期待できる。
② 　当コードを使って各ステークホルダーとの対話を進め、意識共有を図ることも可能であり、対話ツールとして活用することが期待できる。
③ 　リスク・マネジメントへの取り組みと共通した点でもあるが、部署の垣根を超えた担当者により策定することが必要となる。各部署間のネットワーク構築、情報共有の仕組みの構築にも貢献が可能である。

Column コラム3　中期計画の策定とモニタリング

　令和2年4月1日に施行された改正私学法において、文部科学大臣所轄法人は、事業に関する中期的な計画の作成が義務付けられた（私学法第45条の2第2項）。また、当該計画を作成するにあたっては、学校教育法第109条第2項に規定する認証評価の結果を踏まえて作成しなければならないとされた（私学法第45条の2第3項）。

　学校法人は公教育を担う法人として安定した経営が求められ、求められる教員・施設設備も多く、専門分化が進んでいることから、中長期的視点に立った計画的な経営を行う必要がある。中長期的な視点に基づく中期計画を策定することは、計画的な経営につながるのみならず、学校法人が目指すべき姿をその学校法人の教職員に明示することとなり、教職員がより連携しながら法人業務に取り組むことを可能とする。また、学校法人の限りのある資金や人的資源をどのような方策に重点的に投入するかも明確にすることができる。中期計画の詳細な内容及び期間は各学校法人の裁量に委ねられているが、「学校法人制度の改善方策について」（平成31年1月7日　大学設置・学校法人審議会学校法人分科会　学校法人制度改善検討小委員会）においては、教学、人事、施設、財務等に関する事項について、単年度ではなく中長期（原則として5年以上）な視点で明確にすることが必要であるとされている。

　加えて、中期計画を実効性のあるものとするためには、PDCAサイクルを機能させることが重要になる。具体的には、中期計画を策定・実行した後にモニタリングを行うこと及びモニタリング結果を次の中期計画に反映させるという一連のプロセスが重要となる。これまでは、中期計画を策定していても抽象的な目標設定となっており、目標の達成状況を事後的にモニタリングすることが難しいケースも見受けられたが、今後は事後的に計画を達成したかの確認が可能となるように、可能な限り測定可能な目標指標を設け、データやエビデンスに基づく計画を作成することが望まれる。また中期計画期間中の単年度の進捗に遅れがあれば翌年の計画を見直すなどといった対応も必要となるため、中期計画の目標を各年度の事業計画等に落とし込み、年度毎など中期計画の期間よりも短いスパンで、中期計画の進捗状況をモニタリングすることが望まれる。なお、PDCAサイクルを機能させるためには、中期計画を実行する教職員及びモニタリングする教職員それぞれに中期計画における法人の目標を浸透させ、なぜそれが必要であるかを十分に理解してもらうことが不可欠である。

第 3 章

資金収支による財務分析

1 資金収支計算書の概要

(1) 意義及び目的
第1章で記載した通り、資金収支計算書は以下の目的で作成される。
① 当該会計年度の諸活動に対応する全ての収入及び支出の内容を明らかにする。
② 当該会計年度における支払資金の収入及び支出のてん末を明らかにする。

ここでいう支払資金とは、現金及びいつでも引き出すことができる預貯金をいう。したがって端的にいうと、資金収支計算書とは1事業年度における現金預金の収入及び支出の一覧であり、期首と比較した期末の現金預金の増減の明細ということもできる。

(2) 計算の方法
資金収支計算書における諸活動に対応する収入とは、企業会計における実現主義に基づく収益とほぼ同様の概念である。また、諸活動に対応する支出もすでに物品や役務の受入が完了し債務が確定しているものをいう。減価償却額や引当金繰入額は資金収支計算書には計上されないが、それ以外については企業会計でいう費用とはほぼ同様の概念である。

したがって、資金収支計算書の各項目の金額は、支払資金の収入又は支出の金額そのものを表示しているわけではない。まず諸活動に対応する資金収支の金額が計上されるが、その場合は諸活動に対応する収支と支払資金の増

減は一致しないので、最終的に資金収入調整勘定や資金支出調整勘定によって調整するというのが資金収支計算書の構造となる。

そのため、事業活動収支計算書の大部分の科目は、資金収支計算書と同じ金額が計上される（例えば、資金収支計算書の授業料収入と事業活動収支計算書の授業料、同じく教員人件費支出と教員人件費）。

諸活動に対応する資金収支と支払資金の収支の関係を図で示すと、図表3－1の通りである。

図表3－1　諸活動に対応する資金収支と支払資金の収支

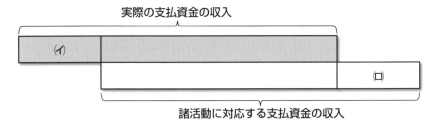

(イ)　当年度において支払資金の収入があるが、当年度の諸活動に対応する収入とはならないもの
　　　前受金収入、前期末未収入金収入
(ロ)　当年度の諸活動に対応する収入だが、当年度において支払資金の収入とはならないもの
　　　前期末前受金、期末未収入金

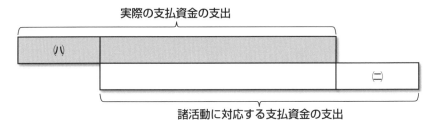

(ハ)　当年度において支払資金の支出があるが、当年度の諸活動に対応する支出とはならないもの
　　　前払金支出、前期末未払金支払支出
(ニ)　当年度の諸活動に対応する支出だが、当年度において支払資金の支出とはならないもの
　　　期末未払金、前期末前払金

(3) 資金収支計算書に計上される科目：収入の部

資金収支計算書に計上される科目とその内容を解説すると、以下の通りである。なお、資金収支計算書に計上される科目とその内容は、基準別表第一 資金収支計算書記載科目（第10条関係）を参照して記載している。

① 学生生徒等納付金収入

在籍を条件として又は入学を条件として所定の均等額を納入する旨が学則、募集要項等に記載されているものをいい、授業料収入、入学金収入、実験実習料収入、施設設備資金収入等が該当する。

授業料収入には聴講料、補講料等を含み、実験実習料収入には教員資格その他の資格を取得するための実習料を含む。また、施設設備資金収入とは、施設拡充費その他施設・設備の拡充等のための資金として徴収する収入をいう。

なお、授業料等の減免を行った場合は、減免額控除前の金額を学生生徒等納付金収入に計上し、減免額は、減免の理由に応じ教育研究経費支出（例えば、奨学費支出）ないし人件費支出として計上する。

② 手数料収入

手数料収入とは、学校法人が特定の用益を提供した場合の受益者から徴収する手数料であり、一般的なものとしては、以下がある。

科　目	解　説
入学検定料収入	その会計年度に実施する入学試験のために徴収する収入をいう。
試験料収入	編入学、追試験等のために徴収する収入をいう。
証明手数料収入	在学証明、成績証明等の証明のために徴収する収入をいう。

③ 寄付金収入

寄付金収入とは、金銭その他の資産を寄贈者から贈与されたもので、補助金収入とはならないものをいう。

寄付金収入は、寄付者からの用途指定の有無により、以下の小科目で区分される。

科　目	解　説
特別寄付金収入	用途指定のある寄付金をいう。
一般寄付金収入	用途指定のない寄付金をいう。

　また、土地、建物等金銭以外の資産を贈与された場合は、現物寄付として事業活動収支計算書に計上されるが、資金収支計算書に計上されることはない。

④ **補助金収入**

　国または地方公共団体からの助成金をいい、日本私立学校振興・共済事業団及びこれに準ずる団体からの助成金を含む。日本私立学校振興・共済事業団及びこれに準ずる団体からの助成金とは、国または地方公共団体からの資金を原資とする間接的助成金をいう。補助金収入は、国庫補助金収入と地方公共団体補助金収入に区分して表示される。

⑤ **資産売却収入**

　施設、設備、有価証券等の資産の売却によって得られた収入をいう。ただし、固定資産に含まれない物品の売却収入はこれには含まれない。

⑥ **付随事業・収益事業収入**

　付随事業収入とは、教育活動に付随する事業の収入をいい、収益事業収入とは収益事業からの繰入収入をいう。

　付随事業・収益事業収入には、以下のものが該当する。

科　目	解　説
補助活動収入	食堂、売店、寄宿舎等教育活動に付随する活動に係る事業から得られた収入をいう。なお、補助活動事業の収入及び支出は総額で表示するのが原則であるが、基準第5条では収支を相殺して純額で表示することを認めている。
附属事業収入	附属機関（病院、農場、研究所等）の事業から得られた収入をいう。
受託事業収入	外部から委託を受けた試験、研究等の事業から得られた収入をいう。
収益事業収入	収益事業会計から学校法人会計に対し繰り入れた収入をいう。

⑦ 受取利息・配当金収入

　第3号基本金引当特定資産、預金、貸付金等の利息、株式の配当金等をいう。受取利息・配当金収入は、第3号基本金引当特定資産運用収入とその他の受取利息・配当金収入に区分して表示される。

⑧ 雑収入

　施設設備利用料収入、廃品売却収入その他学校法人の負債とならない上記①から⑦以外の収入をいう。また、過年度修正額のうち資金収入を伴うものについては、資金収入があった年度において、雑収入の中に、「過年度修正収入」を設けて処理する。

⑨ 借入金等収入

　日本私立学校振興・共済事業団や金融機関等からの借入れによる収入、学校債の発行により得られた収入をいう。

　借入金収入は、返済期限が貸借対照表日後1年を超えて到来するものを長期借入金収入とし、1年以内のものを短期借入金収入として区分して表示しなければならない。

⑩ 前受金収入

　翌年度入学の学生、生徒等に係る学生生徒等納付金収入、その他翌年度以後の諸活動に対応する収入は前受金として処理する。

　これらの収入は次年度以降の諸活動に対応する収入となるため、学生生徒等納付金収入等には含めず、前受金収入として計上するものである。翌年度入学する学生生徒等に係る入学金も同様の考え方で前受金収入として計上する。

⑪ その他の収入

　上記①から⑩の各科目に含まれない収入をいう。特定資産から支払預金に振り替えるための特定資産取崩収入、貸付金や未収入金の回収による収入、預りや仮受けとして受け入れた収入が該当する。

科　目	解　説
第2号基本金引当特定資産取崩収入	特定資産の取崩しによる支払資金の増加を収入として計上したものをいう。
第3号基本金引当特定資産取崩収入	
減価償却引当特定資産、退職給与引当特定資産等の特定資産の取崩収入	
前期末未収入金収入	前期末の未収入金の回収による収入をいう。
貸付金回収収入	貸付金の返済を受けたことによる収入をいう。
預り金受入収入	預り金を受け入れた収入をいう。

⑫ **資金収入調整勘定**

　期末における未収入金や前年度に受け入れた前受金のように、当年度の諸活動に対応する収入として計上されていても、当年度の支払資金として受け入れていないものがある。支払資金の期末残高に一致させるために、資金収入からこれらを控除するのが資金収入調整勘定である。

(4) **資金収支計算書に計上される科目：支出の部**

　資金収支計算書に計上される資金支出項目とその内容を解説すると、以下の通りである。なお、資金収支計算書に計上される資金支出科目とその内容は、基準別表第一　資金収支計算書記載科目（第10条関係）を参照して記載している。

① **人件費支出**

　学校法人の経常的な支出のうち大きな割合を占めるのが人件費支出であり、資金収支計算書では教員人件費支出、職員人件費支出、役員報酬支出、退職金支出に区分して表示される。

　また、その重要性に鑑み、部門別かつ詳細な項目別に人件費支出の内訳を記載した人件費支出内訳表の作成が求められている。

科　目	解　説
教員人件費支出	教員として所定の要件を備えた者について、学校が教育職員（学長、副学長、教授、准教授、講師、助手、校長、副校長、園長、教頭、教諭、助教諭、養護教諭、養護助教諭等）として任用している者に係る本俸、期末手当及びその他の手当並びに所定福利費をいう。
職員人件費支出	教員以外の職員に支給する本俸、期末手当及びその他の手当並びに所定福利費をいう。
役員報酬支出	理事及び監事に支払う報酬をいう。
退職金支出	教員、職員、役員に支払う退職金をいう。

　なお、人件費支出内訳表において、本務教員、本務職員の人件費支出については、さらに本俸、期末手当、その他の手当、所定福利費等に区分する必要がある。

科　目	解　説
本俸	法人の給与規定等に基づく基本給部分が該当する。
期末手当	夏季、年末、年度末の賞与等が該当する。
その他の手当	期末手当以外の手当であり、勤務手当、扶養手当、住宅手当、通勤手当、超過勤務手当等が該当する。
所定福利費	私学共済掛金、雇用保険、労災保険、各都道府県の私学退職金団体の負担金等が該当する。

② **経費支出（教育研究経費支出、管理経費支出）**
（i）経費支出の内容

　経費支出は、教育研究のために支出する経費（学生、生徒等を募集するために支出する経費を除く）である教育研究経費支出と、それ以外の経費である管理経費支出に区分される。

　教育研究経費支出及び管理経費支出で計上される一般的な科目を示すと、図表3−2の通りである。

図表3－2　教育研究経費支出及び管理経費支出の主な科目

教育研究経費支出	管理経費支出
消耗品費支出	消耗品費支出
図書資料費支出	図書資料費支出
光熱水費支出	光熱水費支出
通信・運搬費支出	通信・運搬費支出
印刷製本費支出	印刷製本費支出
旅費交通費支出	旅費交通費支出
修繕費支出	修繕費支出
委託費支出	委託費支出
損害保険料支出	損害保険料支出
賃借料支出	賃借料支出
広告費支出	公租公課支出
奨学費支出 [注1]	広告費支出
福利費支出	福利費支出
手数料・報酬支出	手数料・報酬支出
会合費支出	会合費支出
補助費支出	補助費支出
諸会費支出	諸会費支出
雑費支出	経常費補助金返還金支出 [注2]
	雑費支出
	過年度修正支出 [注3]
	デリバティブ解約損支出又はデリバティブ運用損支出 [注4]

注：経費支出の科目は形態別によることが原則であり、一見して内容が分かりにくいものは少ないと思われるが、学校法人特有の経費支出としては以下がある。

注1	奨学費支出	授業料等の減免を行った場合、減免額控除前の金額を学生生徒等納付金収入に計上するとともに、減免額を資金支出として計上する。成績優秀者、技術優秀なスポーツ部員、経済的な要因により就学が困難な学生生徒等に対して減免を行う場合は、減免額を教育研究経費支出の奨学費支出として計上する。 また、教職員の子弟に対して減免が行われた場合は、給与への追加としての性格があるものと考えられ、人件費支出とすることが妥当とされている（委員会報告第30号「授業料の減免に関する会計処理及び監査上の取扱いについて」）。 なお、貸与の奨学金はこれに該当しない。
注2	経常費補助金返還金支出	補助金計算に誤りがあった等の理由により補助金を返還した場合は、当該返還額を管理経費支出において経常費補助金返還金支出等の科目を使用して計上する。 過年度に収受した補助金は一旦確定したものであり、その一部に返還があったとしても、返還命令決定通知に従ったものであるため、過年度の修正には該当しないことに留意が必要である。
注3	過年度修正支出	過年度修正額のうち資金支出を伴うものについては、管理経費支出に小科目「過年度修正支出」を設けて処理するものとする。
注4	デリバティブ解約損支出又はデリバティブ運用損支出	デリバティブ取引に係る損失は、管理経費支出の区分にデリバティブ解約損支出又はデリバティブ運用損支出等の小科目を設け、デリバティブ取引による損失であることが明瞭になるよう処理する。

(ⅱ) 教育研究経費支出と管理経費支出との区分

教育研究経費支出と管理経費支出との区分は「『教育研究経費と管理経費の区分について（報告）』について（通知）」（昭和46年11月27日雑管第118号）（以下本書では、「雑管第118号」という）に従って行うこととなる。

雑管第118号では、次の各項に該当することが明らかな経費は管理経費、それ以外は、主たる使途に従って判断することとされている。

管理経費に該当する項目	備　考
役員の行う業務執行のために要する経費及び評議員会のために要する経費	
総務・人事・財務・経理その他これに準ずる法人業務に要する経費	法人本部だけではなく、学校その他の各部門におけるこれらの業務に要する経費も管理経費に含める。
教職員の福利厚生のための経費	
教育研究活動以外に使用する施設・設備の修繕・維持・保全に要する経費（減価償却を含む）	
学生生徒等の募集のために要する経費	入学選抜試験に要する経費は含まない。
補助活動事業のうち、食堂・売店のために要する経費	寄宿舎は性格と実態に即して各学校法人において判断する。
附属病院業務のうち教育研究業務以外の業務に要する経費	

③ 借入金等利息支出

　借入金、学校債の利息の支払いであり、借入金利息支出、学校債利息支出に区分して表示する。

④ 借入金等返済支出

　借入金、学校債の返済のための支出であり、借入金返済支出、学校債返済支出に区分して表示する。

⑤ 施設関係支出

　土地支出、建物支出、構築物支出、建設仮勘定支出等が該当し、整地費、周旋料等の施設の取得に伴う支出を含む。

科　目	解　説
土地支出	土地の取得のための支出であり、整地費や周旋料等の取得のための支出を含む。
建物支出	建物に附属する電気、給排水、暖房等の設備のための支出（建物附属設備）が含まれる。
構築物支出	プール、競技場、庭園等の土木設備又は工作物のための支出をいう。
建設仮勘定支出	建物、構築物等が完成するまでの支出をいう。

⑥ 設備関係支出

　教育研究用機器備品支出、管理用機器備品支出、図書支出、車両支出、ソフトウェア支出等が該当する。

科　目	解　説
教育研究用機器備品支出	機器備品（機械設備、工具器具備品等）のうち、教育研究活動に使用するものをいう。
管理用機器備品支出	機器備品のうち教育研究活動には使用しないものをいう。
図書支出	図書の取得のための支出をいう。
車両支出	自動車等の車両を取得するための支出をいう。
ソフトウェア支出	将来の収入獲得・支出削減が確実であると認められるソフトウェアの取得に要した支出額をいう。

⑦ 資産運用支出

　学校法人が資金運用を行うための支出をいい、有価証券購入支出、第2号基本金引当特定資産繰入支出、第3号基本金引当特定資産繰入支出、減価償却引当特定資産への繰入支出、施設設備拡充引当特定資産への繰入支出、収益事業元入金支出等が該当する。

科　目	解　説
有価証券購入支出	金融商品取引法第2条に規定する有価証券の購入に係る支出をいう。
引当特定資産繰入支出	預貯金を特定資産あるいは特定預金に振り替えた場合も、支払資金が減少するため○○引当特定資産繰入支出等として計上することが必要である。
収益事業元入金支出	学校法人会計とは別に損益計算書、貸借対照表を作成する収益事業会計に対する元入金支出をいう。

⑧ その他の支出

上記①から⑦の各科目に含まれない支出をいう。その他の支出には貸付金支払支出のほか、債権債務の増減に係る支出が含まれる。

科　目	解　説
貸付金支払支出	貸付けによる支出であり、収益事業に対する貸付金の支出を含む。
手形債務支払支出	手形債務の決済による支出をいう。
前期末未払金支払支出	前期末において計上されていた未払金の支払いをいう。
預り金支払支出	預り金として受け入れた支払資金の支払いをいう。
前払金支払支出	当年度において、次年度以降の諸活動に対応する支出を行った場合、前払金支払支出として処理する。

⑨ **資金支出調整勘定**

期末における未払金や前年度に支出した前払金は、当年度の諸活動に対応する支出であるが、当年度における支払資金の支払いとはならない。支払資金の期末残高に一致させるために資金支出から控除する項目が、資金支出調整勘定である。

❷ 活動区分資金収支計算書

(1) 活動区分資金収支計算書の必要性

　当該年度の活動との関連において資金の流れを整理する資金収支計算書は、補助金の配分の基礎資料として、また学校法人の予算管理のための手法として利用されてきた。特に学校法人の予算管理という観点からは、各年度における収入及び支出の総額及び内訳を一覧で見ることができる資金収支計算書の様式は、予算編成上も予算執行の状況を把握するという点からも有用である。

　一方、資金収支計算書は、諸活動に対応する資金収支を一本で記載しているが、以下の理由から活動区分別に資金の流れを把握することが重要となってきている。

① 施設設備の高度化や資金調達の高度化及び多様化により、本業の教育研究活動以外の活動が増加していること
② 学校法人の財政及び経営の状況への社会的な関心が高まってきていること
③ 建学の精神に基づく教育が提供され続けていくためにどのような取組みがなされているかについて、財務的な観点から分かりやすく把握できるようにすることが求められていること

　そのため、学校法人の活動を教育活動、施設整備等活動、その他の活動に区分し、各活動ごとに資金の獲得と使用の状況を示す活動区分資金収支計算書の作成が求められることとなった。

　活動区分資金収支計算書の構造を示すと、図表3－3の通りである。

図表3－3　活動区分資金収支計算書の計算構造

教育活動による資金収支	
教育活動資金収入計	A
教育活動資金支出計	B
差引	C ＝ A － B
調整勘定等	D
教育活動資金収支差額	E ＝ C ＋ D
施設整備等活動による資金収支	
施設整備等活動資金収入計	F
施設整備等活動資金支出計	G
差引	H ＝ F － G
調整勘定等	I
施設整備等活動資金収支差額	J ＝ H ＋ I
小計	K ＝ E ＋ J
その他の活動による資金収支	
その他の活動資金収入計	L
その他の活動資金支出計	M
差引	N ＝ L － M
調整勘定等	O
その他の活動資金収支差額	P ＝ N ＋ O
支払資金の増減額	Q ＝ K ＋ P 又は E ＋ J ＋ P
前年度繰越支払資金	R
翌年度繰越支払資金	S ＝ R ＋ Q

(2) 各活動の内容

　活動区分資金収支計算書は、資金収支計算書の科目（主に大科目）を教育活動、施設整備等活動、その他の活動の各活動に振り分けることにより作成される。

　ここで各活動の内容を説明すると、以下の通りである。なお、各活動の内容は、基準第四号様式（第14条の2関係）を参照して記載している。

① 教育活動による資金収支

　学校法人本来の活動である教育研究活動によりどれだけ資金を獲得し、また教育研究活動によりどれだけ資金を使用したかを示すのが教育活動による資金収支である。具体的には、資金収支計算書の収入の部における学生生徒等納付金収入から雑収入まで、支出の部における人件費支出、教育研究経費支出、管理経費支出までが教育活動による資金収支に計上される。

　なお、第8号通知では、教育活動による資金収支とは、資金収支計算書の資金収入及び支出から施設設備等活動による資金収支及びその他の活動による資金収支を除いたものと定義されている。学校法人における教育研究活動は多岐にわたるため、それを定義するのは容易ではない。そのため、まず施設整備等活動とその他の活動を定義した上で、それ以外の活動をすべて教育活動として定義しているものと考えられる。

② 施設整備等活動による資金収支

　学校法人の施設設備の取得、売却等に関する資金収支の状況を示すのが、施設整備等活動による資金収支である。

　具体的には、図表3－4に記載した科目が該当する。

図表3－4　施設整備等活動による資金収支の科目

区　分	科　目
施設設備の取得に係る支出 (注)	・施設関係支出 ・設備関係支出
施設設備の売却による収入	・施設設備売却収入
施設設備の取得のための財源の受入	・施設設備寄付金収入 ・施設設備補助金収入
施設設備取得のための特定資産の繰入支出、取崩収入	・第2号基本金引当特定資産繰入支出 ・第2号基本金引当特定資産取崩収入 ・施設設備の取得に用途指定されている特定資産の繰入支出 ・施設設備の取得に用途指定されている特定資産の取崩収入

注：資産の額の増加を伴う施設若しくは設備の改修等を含むが、施設設備の修繕費や除却に伴う経費は含まない。したがって、施設整備等に関係する支出であっても、経費支出となるものは教育活動による資金収支に計上される。

③ その他の活動による資金収支

　資金調達及び教育活動・施設整備等活動以外の活動に係る資金収入及び資金支出がその他の活動による資金収支に計上される。具体的には、財務活動、収益事業に係る活動、預り金の受払い等の経過的な活動にかかる資金収入及び資金支出、並びに過年度修正額をいうとされている（第8号通知）。

　したがって、ここで列挙されている項目以外に係る資金収支が、その他の活動に計上されることはない。

　具体的には、図表3－5の通りである。

図表3－5　その他の活動による資金収支の科目

区　分	科　目
財務活動（資金調達及び資金運用に係る活動）	・借入金等収入 ・借入金等返済支出 ・有価証券売却収入 ・有価証券購入支出 ・貸付金回収収入 ・貸付金支払支出 ・受取利息・配当金収入 ・借入金等利息支出
収益事業に係る活動	・収益事業収入 ・収益事業元入金支出
預り金の受払等の経過的な活動	・預り金、仮受金等の受入収入 ・預り金、仮受金等の支払支出 ・仮払金、立替金等の支払支出 ・仮払金、立替金等の回収収入
過年度修正額	・過年度修正収入 ・過年度修正支出

(3) **活動区分資金収支計算書の作成方法**

　活動区分資金収支計算書は、主に資金収支計算書の大科目を教育活動、施設整備等活動及びその他の活動に振り分けることにより作成される。

　資金収支計算書と活動区分資金収支計算書との間の対応関係を要約すると、図表3－6の通りである。

図表3－6　資金収支計算書と活動区分資金収支計算書との対応関係
（収入の部）

資金収支計算書	活動区分資金収支計算書	
科　目	活動区分	科　目
学生生徒等納付金収入	教育活動	学生生徒等納付金収入
手数料収入	教育活動	手数料収入
寄付金収入	教育活動	特別寄付金収入、一般寄付金収入
	施設整備等活動	施設設備寄付金収入
補助金収入	教育活動	経常費等補助金収入
	施設整備等活動	施設設備補助金収入
資産売却収入	施設整備等活動	施設設備売却収入
	その他の活動	有価証券売却収入
付随事業・収益事業収入(注1)	教育活動	付随事業収入
	その他の活動	収益事業収入
受取利息・配当金収入	その他の活動	受取利息・配当金収入
雑収入(注2)	教育活動	雑収入
	その他の活動	過年度修正収入
借入金等収入	その他の活動	借入金等収入
前受金収入(注4)	教育活動、施設整備等活動、その他の活動	調整勘定等
その他の収入(注3)(注4)	施設整備等活動	第2号基本金引当特定資産取崩収入 (何) 引当特定資産取崩収入

第3章 資金収支による財務分析

	その他の活動	第3号基本金引当特定資産取崩収入 （何）引当特定資産取崩収入 貸付金回収収入 預り金受入収入
	教育活動、施設整備等活動、その他の活動	調整勘定等
資金収入調整勘定(注4)	教育活動、施設整備等活動、その他の活動	調整勘定等

注1：収益事業収入は、その他の活動に区分される。
注2：雑収入に計上された資金収入を伴う過年度修正額は、その他の活動に区分される。
注3：その他の収入は以下のように区分される。
　　・施設設備に用途指定のある特定資産の取崩収入は、施設整備等活動に区分される。
　　・施設設備以外に用途指定のある特定資産の取崩収入は、その他の活動に区分される。
　　・貸付金の回収は財務活動、預り金の受入収入は経過的な活動に係る資金収入であるため、その他の活動に区分される。
注4：前受金収入、前期末未収入金収入、前期末前受金、期末未収入金は、計上時の相手勘定によりどの活動に区分されるかが決定される。

（支出の部）

資金収支計算書	活動区分資金収支計算書	
科　目	活動区分	科　目
人件費支出	教育活動	人件費支出
教育研究経費支出	教育活動	教育研究経費支出
管理経費支出(注1)	教育活動	管理経費支出
	その他の活動	デリバティブ解約損支出 過年度修正支出
借入金等利息支出	その他の活動	借入金等利息支出
借入金等返済支出	その他の活動	借入金等返済支出
施設関係支出	施設整備等活動	施設関係支出
設備関係支出	施設整備等活動	設備関係支出

資産運用支出(注2)	施設整備等活動	第2号基本金引当特定資産繰入支出 (何)引当特定資産繰入支出
	その他の活動	有価証券購入支出 第3号基本金引当特定資産繰入支出 (何)引当特定資産繰入支出 収益事業元入金支出
その他の支出(注3)(注4)	その他の活動	貸付金支払支出 預り金支払支出
	教育活動、施設整備等活動、その他の活動	調整勘定等
資金支出調整勘定(注4)	教育活動、施設整備等活動、その他の活動	調整勘定等

注1:デリバティブ解約損支出は財務活動であり、過年度修正額とともにその他の活動に区分される。
注2:施設設備に用途指定のある特定資産の繰入支出は施設整備等活動に区分され、それ以外はその他の活動に区分される。
注3:貸付金の支払いは財務活動、預り金の支払支出は経過的な活動に係る資金支出であるため、その他の活動に区分される。
注4:前払金支出、前期末未払金支出、前期末前払金、期末未払金は、計上時の相手勘定によりどの活動に区分されるかが決定する。

　資金収支計算書の大部分の科目は活動区分資金収支計算書に一対一で対応するが、以下の項目は複数の活動に対応する。
① **寄付金収入**
　施設設備拡充等のためという寄付者の意思が明確な寄付金収入は、施設整備等活動の施設設備寄付金収入に計上する。それ以外の寄付金収入は、教育活動の特別寄付金収入又は一般寄付金収入に計上する。
② **補助金収入**
　補助金交付の根拠法令、交付要綱等の趣旨から判断し、施設設備のためという目的が明確な補助金収入は、施設整備等活動の施設設備補助金収入に計上し、それ以外のものは、教育活動の経常費等補助金収入に計上する。
③ **特定資産に係る取崩収入及び繰入支出の区分**
　施設設備に用途指定のある特定資産に係る取崩収入又は繰入支出は、施設

設備等活動に計上し、施設設備以外に用途指定のある特定資産に係る取崩収入又は繰入支出はその他の活動に計上する。

④ 調整勘定等

　資金収支計算書は、まず諸活動に対応する収支が計上され、これを資金収入調整勘定等を計上することにより実際の支払資金の増減に一致させるという計算構造になっている。

　資金収支計算書においては、資金収支全体で調整すればよいが、活動区分資金収支計算書では、各活動ごとに支払資金の獲得と使用の状況を示すことが求められている。したがって、調整勘定等についても対応する活動区分に振り分ける必要がある。なお、ここでいう調整勘定等とは、未収入金、前受金、未払金、前払金及び手形債務の期首及び期末の残高に相当する金額と考えればよい。

　活動区分ごとの調整勘定等の加減の計算過程を、活動区分資金収支計算書の末尾に注記として記載することが求められている（基準第四号様式注３）。第８号通知　Ⅲ注記事項の追加等１．における当該注記の記載例は、図表３－７の通りである。

図表３－７　活動区分ごとの調整勘定等の加減の計算過程の注記の記載例

(単位：円)

項　目	資金収支計算書計上額	教育活動による資金収支	施設整備等活動による資金収支	その他の活動による資金収支
前受金収入	×××	×××	×××	×××
前期末未収入金収入	×××	×××	×××	×××
期末未収入金	△×××	△×××	△×××	△×××
前期末前受金	△×××	△×××	△×××	△×××

（何）	(△)×× ×	(△)×× ×	(△)×× ×	(△)×× ×
収入計	(△)×× ×	(△)×× ×	(△)×× ×	(△)×× ×
前期末未払金 支払支出	×× ×	×× ×	×× ×	×× ×
前払金支払支出	×× ×	×× ×	×× ×	×× ×
期末未払金	△×× ×	△×× ×	△×× ×	△×× ×
前期末前払金	△×× ×	△×× ×	△×× ×	△×× ×
（何）	(△)×× ×	(△)×× ×	(△)×× ×	(△)×× ×
支出計	(△)×× ×	(△)×× ×	(△)×× ×	(△)×× ×
収入計－支出計	(△)×× ×	(△)×× ×	(△)×× ×	(△)×× ×

③ 活動区分資金収支計算書の分析

(1) 活動区分資金収支計算書を分析する意義

　営利を目的としない学校法人において、財務分析の主たる目的は財務安全性すなわち、将来にわたり負債の返済も含めた支出を収入で賄っていけるかの判断である。

　貸借対照表における資産と負債の状況から財務安全性を判断することも可能であるが、貸借対照表はある一時点における静態的な状況を示すのみであるため限界がある。むしろ、資金収入と資金支出を直接比較して、現状において資金の不足が生じていないか、不足が生じている場合はどの活動からかといった点を把握することが重要である。

　特に、教育活動における資金収支の状況はどうか、どのような活動から資

金を受け入れ、どのような活動のために資金支出を行ったか、結果として資金の余剰ないし不足はどこで生じているかを分析することが財務安全性の判断にとって有益である。

(2) 活動区分資金収支計算書の分析にあたっての留意点

活動区分資金収支計算書について、以下のような観点から分析することが必要である。

① 教育活動資金収支差額がプラスとなっているか

学校法人の経常的な資金収入とは、学生生徒等納付金収入等の学校法人本来の活動によって獲得した教育活動資金収入が該当する。したがって、教育研究活動を行うために経常的に支出される人件費支出や教育研究経費支出等の財源は、教育活動による資金収入でなければならない。

教育活動資金収支差額がマイナスということは、家計に例えれば、給料から生活費を控除した差額がマイナスということである。もちろん受取利息・配当金収入や収益事業収入によって支出に対応している法人もあるため一概には言えないが、一般的には教育活動資金収支差額がプラスとなっているかどうかに留意が必要である。

② 施設設備関係の支出の水準は教育活動資金収支差額と比較して、過大となっていないか

①で記載したように教育活動資金収支差額は経常的な活動で得られた資金の余剰ないし資金の不足であり、この水準と比較して著しく過大な施設設備の取得を行っている場合には財務安全性について懸念が生じる。

すべて自己資金で取得のための財源を賄っていればよいが、借入れによって調達している場合は、教育研究活動に支障を来たすことなく今後の返済が可能かどうか検討が必要である。

したがって、施設整備等活動の施設関係支出及び設備関係支出と教育活動資金収支差額との関係には留意しなければならない。

③ 施設設備の取得財源として補助金、寄付金をどの程度確保しているか

　施設設備の取得のための主な財源は、教育活動資金収支差額、施設設備取得目的で受領した寄付金、補助金及び借入れである。経営努力として施設設備取得財源としての寄付金、補助金を増加させることは重要であり、活動区分資金収支計算書の施設整備等活動における資金収入と資金支出を比較することにより、これを把握することができる。

④ 借入金残高及び借入金等返済支出の水準は教育活動収支差額と比較して過大となっていないか

　借入金の返済原資も主には教育活動資金収支差額であり、これと比較して過大な借入金残高となっていれば将来の返済能力に懸念が生じる。また、借入金残高が過大になると、借入金等返済支出及び借入金等利息支出が多額になり、教育研究活動に十分な資金がまわらない可能性がある。活動区分資金収支計算書のその他の活動における借入金等収入、借入金等返済支出、借入金等利息支出及び借入金残高と教育活動資金収支差額とのバランスが取れているかの検討が重要である。

(3) **活動区分資金収支計算書を使用した財務比率**

　第2章でも記載したように、事業団は、財務比率等により学校法人が経営上の問題を早期に発見し、自主的な改善努力を行う目安とすることを目的として「自己診断チェックリスト」を公表している。

　当該チェックリストは、学校法人が経営困難状態（イエローゾーン）に陥る前に、自主的な改善の努力を行うための自己診断を目的としており、キャッシュ・フロー（資金収支）を重視していることが特徴である。

　「自己診断チェックリスト」を参考とした活動区分資金収支計算書の分析指標として以下が考えられる。

① **教育活動資金収支差額比率**

〈算出方法〉

教育活動資金収支差額÷教育活動による資金収入

学校法人の破綻は資金不足により起こるため、1年間の経常的な教育活動の結果としてどのくらい資金収支がプラスであったかを示す指標である。

教育活動資金収支差額がマイナスの場合、不足する資金は借入れ、施設設備の売却、金融資産の処分等で対応するしかない。財務的に健全な経営という観点からはこの指標はプラスであることが最低条件ということができる。

なお、直近5年間における全国の大学法人の決算では、事業活動収入合計に対する基本金組入額と減価償却額の合計が20％程度であるとされている。したがって、事業活動収支の均衡を財務上の目標として考えると、教育活動資金収支差額比率について20％以上が1つの水準と考えることができる。

② 運用資産超過額対教育活動資金収支差額比（年）

（教育活動資金収支差額がマイナスの場合に算出）

〈算出方法〉

$$\{(運用資産^{注1} － 外部負債^{注2}) ÷ 教育活動資金収支差額\} × －1$$

注1：運用資産：流動資産の現金預金・有価証券＋特定資産合計＋その他の固定資産の有価証券
注2：外部負債：借入金＋学校債＋未払金＋手形債務

教育活動資金収支差額がマイナスとなった場合は、過去の蓄積である運用資産を取り崩すことで対応することになる。教育活動資金収支差額のマイナスが運用資産の何年分か、すなわち今の運用資産の残高で何年維持できるかを示す指標である。

返済が必要な外部負債を除いた残りの運用資産で何年教育活動が継続できるかを示す比率ということができる。

③ 運用資産対教育活動資金収支差額比（年）

（教育活動資金収支差額がマイナスの場合に算出）

〈算出方法〉

$$(運用資産 ÷ 教育活動資金収支差額) × －1$$

②の運用資産超過額対教育活動資金収支差額比は、運用資産から外部負債を控除することにより算出したが、この比率の算出にあたっては外部負債は控除せず、運用資産のみを分子とする。

　教育活動資金収支差額がマイナスで、かつ既存の外部負債は返済が全て先延ばしできると仮定して、既存の運用資産の総額で何年教育活動が継続できるかを示す比率である。

　教育活動資金収支差額がマイナスになった状態を是正するということは、資金収入に見合った水準まで資金支出を削減するか、資金支出の水準に見合う資金収入を確保できるようにするかである。そのために学部・学科の改組や定員数の見直し、カリキュラムの見直し等を行ったとしてもその効果がでるのは、その学校の修学年数はかかると考えられる。したがって、②、③の比率は、大学ならば4年、短大ならば2年は、最低限必要と思われる。

④ **外部負債超過額対教育活動資金収支差額比（年）**
（教育活動資金収支差額がプラスの場合に算出）
〈算出方法〉

（外部負債　－　運用資産）　÷　教育活動資金収支差額

　運用資産をすべて外部負債の返済に充てた上で、さらに残った債務が教育活動資金収支差額の何年分かを示す比率である。すなわち外部負債を何年で返済できるかを示す比率であり、10年を超える場合には負債が過大といわれることが多い。

第4章

事業活動収支計算書の分析

1 事業活動収支計算書の意義

(1) 事業活動収支計算書の意義

　第1章で記載した通り、事業活動収支計算書を作成する目的は、以下の通りである（基準第15条）。
・当該会計年度の事業活動収入及び事業活動支出の内容を明らかにすること
・事業活動収支の均衡の状態を明らかにすること

　事業活動収支の均衡とは、当該会計年度における事業活動収入合計から基本金組入額を控除した金額が事業活動支出とイコールとなる状況であり、事業活動収支計算書における当年度収支差額が0となることである。あるいは、当年度の事業活動支出と基本金組入額を、当年度の事業活動収入によって確実に賄っているという状況ともいえる。

　このような状態を継続的に維持できているのであれば、将来にわたっても財務安全性に懸念が生じない状況と評価することが可能である。

　しかしながら、基本金組入額は毎年度の施設設備の取得額により変動するため、毎年度必ず事業活動収支の均衡を達成するというのは通常困難である。そのため事業活動収支の均衡は、5年ないし10年といった長期的な期間を通して達成する長期的な目標ということができる。

　ただし、事業活動収支の均衡を長期的に達成するためには、将来の施設設備の計画的な取得等に備えて必要な基本金組入れの財源を確保することが必

要であり、基本金組入前当年度収支差額は、毎年安定的に確保されなければならない。

また、近年臨時的あるいは教育研究事業以外の収支も増加しており、収支の内容が複雑化している。そのため、事業活動収支の状況をより的確に把握することが重要となっているため、事業活動収支計算書では、収支差額を経常的な収支と特別収支に区分した上で、さらに経常的な収支を教育活動収支と教育活動外収支に区分している。

⑵ **事業活動収支計算書の収支区分**

事業活動収支計算書は、教育活動、教育活動以外の経常的な活動、それ以外の活動に区分して事業活動収入及び事業活動支出の内容を明らかにするとともに、各活動の収支差額を表示する。

各段階の収支差額の算出方法は、図表4－1の通りである（基準第19条）。

図表4－1　各区分の収支差額の算出方法

教育活動収支：教育活動収入	A
教育活動収支：教育活動支出	B
教育活動収支差額	C ＝ A － B
教育活動外収支：教育活動外収入	D
教育活動外収支：教育活動外支出	E
教育活動外収支差額	F ＝ D － E
経常収支差額	G ＝ C ＋ F
特別収支：特別収入	H
特別収支：特別支出	I

特別収支差額	J ＝ H － I
基本金組入前当年度収支差額	K ＝ G ＋ J
基本金組入額合計	L
当年度収支差額	M ＝ K － L
前年度繰越収支差額	N
基本金取崩額	O
翌年度繰越収支差額	P ＝ M ＋ N ＋ O

(3) 各収支差額の意義

　事業活動収支計算書は段階別に収支差額が表示されるが、それぞれの意義は以下の通りである。

① 教育活動収支差額

　学校法人本来の活動である教育研究活動における収支差額を示すのが、教育活動収支差額である。資金運用による収入、臨時的な収入を除けば、事業活動収入の大部分は教育活動収支で計上されるため、経常的に発生する人件費や経費は、教育活動収支の収入で賄われるべきというのが一般的な考え方である。したがって、基本的には教育活動収支差額はプラスであることが求められる。

　また、教育活動収支差額が経常的にプラスでないと、基本金組入後の事業活動収支の均衡は長期的にも達成できないため、その点からも教育活動収支差額はプラスであることが求められる。

　したがって、教育活動収支差額がプラスかマイナスかにまずは着目する必要があり、その金額の水準も重要である。

　ただし、受取利息・配当金が多額に計上される法人であれば、教育活動収支差額がマイナスであっても、経常収支差額ではプラスに転じている可能性

もある。法人全体の収支構造の中で教育活動収支差額について評価することも必要である。

② **教育活動外収支差額**

　経常的な財務活動及び収益事業に係る収支の差額が教育活動外収支差額である。現時点では、学校法人は一般的に借入金及び借入金等利息の水準は高くないため、教育活動外収支差額がプラスの法人が多い。一方、教育活動外収支差額が大幅なマイナスとなっている場合には、多額の借入金により金利負担が大きくなっている可能性があるため留意が必要である。

③ **経常収支差額**

　①の教育活動収支差額に教育活動外収支差額を加えたものが経常収支差額であり、固定資産の売却や処分等の臨時的な収支を計上する前の経常的な収支状況を示すものである。多額の固定資産の売却や処分等の臨時的な収支により基本金組入前当年度収支差額が大きく変動する場合があるため、臨時的な要素を排除した正常な状態における収支の状況を示す経常収支差額に留意する必要がある。

　また、教育活動収支差額と比較して経常収支差額が減少している場合は、借入金等利息が多額となっている可能性があるため留意が必要である。

④ **基本金組入前当年度収支差額**

　一事業年度における事業活動収入合計と事業活動支出合計とを比較して算出した収支の差額であり、基本金組入前の当年度における収支の状況を示すものである。この収支差額がマイナスであるということは、当年度の事業活動収入で当年度事業活動支出を賄っておらず、純資産が減少していることを意味している。

⑤ **当年度収支差額**

　基本金組入前当年度収支差額から基本金組入額を控除して算出される収支差額である。事業活動収支の均衡が達成されるということは、当年度収支差額が0となることをいう。

　なお、基本金組入額は、原則として学校法人が諸活動の計画にしたがい必

要な資産を取得した価額に基づき決定されるため（ただし負債によって取得したものは除く）、基本金組入前当年度収支差額の水準とは無関係である。たとえ、基本金組入前当年度収支差額がマイナスであっても、基本金の組入れを行う必要があることに留意が必要である。

(4) **教育活動収支の内容**

教育活動収支の区分に計上される事業活動収入及び事業活動支出の内容は、以下の通りである。なお、教育活動収入及び教育活動支出の内容は、基準別表第二 事業活動収支計算書記載科目（第19条関係）を参照して記載している。

① **教育活動収入**

経常的な収支のうち、学校法人本来の活動である教育研究活動から得られた事業活動収入である。計上される科目を示すと、図表4－2の通りである。

なお、教育活動収支における事業活動収入、事業活動支出の大部分は資金収支計算書と同じ小科目が同じ金額で計上される（ただし、資金収支計算書では末尾に収入、支出がつくが（学生生徒等納付金収入、人件費支出等）、事業活動収支計算書の大部分の科目には収入、支出は表示されない（学生生徒等納付金、人件費等）。

したがって、減価償却額や退職給与引当金繰入額等の事業活動収支計算書特有の科目を除き、大部分の科目の内容は第3章に記載したものと同じである。

図表4－2 教育活動収入の内容

大科目	小科目	備　考
学生生徒等納付金	授業料 入学金 実験実習料 施設設備資金　等	

手数料	入学検定料 試験料 証明手数料　等	
寄付金	特別寄付金 一般寄付金 現物寄付(注1)	・活動区分資金収支計算書における区分と同様に施設設備の取得に充てるという寄付者の意思が明確な寄付金は、特別収支に計上される。 ・したがって、用途指定のない寄付金である一般寄付金、施設設備取得以外の用途を指定されている特別寄付金が教育活動収支に計上される。
経常費等補助金	国庫補助金 地方公共団体補助金 等	・活動区分資金収支計算書における区分と同様に、補助金交付の根拠法令、交付要綱等の趣旨から判断して、施設設備のためという目的が明確なもののみが特別収支に計上され、それ以外は教育活動収支に計上される。
付随事業収入	補助活動収入 附属事業収入 受託事業収入　等	・資金収支計算書の付随事業・収益事業収入のうち収益事業収入以外の科目が計上される。
雑収入	施設設備利用料 廃品売却収入(注2)等	

注：事業活動収支計算書特有の科目

注1	現物寄付	施設設備以外の現物資産の受贈額がある場合は、教育活動収支の現物寄付として計上される。具体的には、貯蔵品、固定資産に計上しない機器備品、雑誌等の受入れが考えられる。
注2	廃品売却収入	売却収入が売却する物品の帳簿残高を超える額を計上する。

② 教育活動支出

　経常的な収支のうち、学校法人本来の活動である教育研究活動のための事業活動支出である。教育活動収支の事業活動支出に計上される項目は、図表4－3の通りである。

第4章 事業活動収支計算書の分析

図表4－3　教育活動支出の内容

大科目	小科目	備　考
人件費	教員人件費 職員人件費 役員報酬 退職給与引当金繰入額 退職金	・退職給与引当金を計上している場合は、資金収支計算書における退職金と金額が相違する。 ・事業活動収支計算書のみで計上される項目として退職給与引当金繰入額がある。
教育研究経費	消耗品費 光熱水費 旅費交通費 奨学費 …… 減価償却額	・期末に消耗品等を貸借対照表に計上した場合は、資金収支計算書の消耗品費支出と事業活動収支計算書の消耗品費では金額が相違する。 ・事業活動収支計算書のみで計上される項目として減価償却額がある。
管理経費	消耗品費 光熱水費 旅費交通費 …… 減価償却額	
徴収不能額等	徴収不能引当金繰入額 徴収不能額	・金銭債権について徴収不能のおそれがある場合に、その見込額を徴収不能引当金として計上する。当年度における徴収不能引当金の発生額を徴収不能引当金繰入額として計上する。 ・金銭債権を回収できない場合には、当該債権を徴収不能額として減少させる必要がある。また、徴収不能引当金への繰入れが不足していた場合は、当該会計年度で徴収不能となった金額と徴収不能引当金計上額との差額を徴収不能額として記載する。 ・学生生徒等納付金に係る未収入金だけでなく、学生生徒・教職員への貸付金、大学の附属病院における医療収入未収入金等に対する徴収不能額や徴収不能引当金繰入額についてもすべて教育活動支出に計上する。

(5) 教育活動外収支の内容

　教育活動外収支には、経常的な財務活動及び収益事業に係る事業活動収入、事業活動支出が計上される。

　教育活動外収支に計上される項目は、図表4－4の通りである。

図表4－4　教育活動外収支の内容

大科目	小科目
教育活動外収入	
受取利息・配当金	第3号基本金引当特定資産運用収入 その他の受取利息・配当金
その他の教育活動外収入	収益事業収入 為替換算差益(注)
教育活動外支出	
借入金等利息	借入金利息 学校債利息
その他の教育活動外支出	為替換算差損(注)

注：外国通貨及び外貨預金の本邦通貨への交換や外貨建債権債務の決済の際に生ずる為替換算差額、外貨建債権債務等につき期末日の為替相場に換算する場合に生ずる為替換算差額等であり、経常的な財務活動に係る収支として、教育活動外収支に計上する。
出典：基準別表第二 事業活動収支計算書記載科目（第19条関係）より筆者作成。

(6) 特別収支の内容

① 特別収入

　特別収支の事業活動収入の部には、資産売却差額とその他の特別収入が計上される。資産売却差額は資産売却収入が売却した資産の帳簿残高を超える場合のその超過額をいう。

　その他の特別収入には、施設設備寄付金、現物寄付、施設設備補助金、過年度修正額、デリバティブ取引の解約に伴う利益が該当する。なお、これらの科目については、金額の多寡を問わず特別収支に計上しなければならない

(実務指針第45号「「学校法人会計基準の一部改正に伴う計算書類の作成について（通知）」に関する実務指針」平成26年1月14日（以下本書では、「実務指針第45号」という）2-4）。

特別収支の事業活動収入に主に該当する項目は、図表4-5の通りである。なお、特別収入及び特別支出の内容は、基準別表第二 事業活動収支計算書記載科目（第19条関係）を参照して記載している。

図表4-5 特別収入の内容

大科目	小科目	備考
資産売却差額	土地売却差額 建物売却差額 有価証券売却差額 ……	資産売却収入が当該資産の帳簿残高を超える場合のその超過額をいう。
その他の特別収入	施設設備寄付金	施設設備等の拡充等のための寄付金をいう。施設設備拡充等のためという寄付者の意思が明確なもののみが該当する。
	現物寄付	施設設備の受贈額をいう。
	施設設備補助金	施設設備の拡充等のための補助金をいう。補助金交付の根拠法令、交付要綱等の趣旨から判断して施設設備のためという目的が明確なもののみが該当する。
	過年度修正額	前年度以前に計上した収入又は支出の修正額で当年度の収入となるものをいう。

② **特別支出**

特別収支の事業活動支出の部には資産処分差額とその他の特別支出が計上される。資産処分差額は資産の帳簿残高が資産売却収入を超える場合のその超過額をいい、除却損または廃棄損を含む。

その他の特別支出には、災害損失、過年度修正額、デリバティブ取引の解約に伴う損失が該当する。これらの科目については、特別収支の事業活動収入と同様に、金額の多寡を問わず特別収支に計上しなければならない（実務

指針第45号2-4）。

特別収支の事業活動支出に該当する項目は、図表4-6の通りである。

図表4-6　特別支出の内容

大科目	小科目	備　考
資産処分差額	土地処分差額 建物処分差額 有価証券処分差額 ……	資産の帳簿残高が、当該資産の売却収入を超える場合のその超過額をいう。
	有姿除却等損失	
	有価証券評価差額	基準第27条に基づき有価証券の評価換えを行った場合の損失額をいう。
	○○引当特定資産評価差額	引当特定資産に含まれる有価証券について評価換えによる損失が生じた場合は、一般の有価証券とは区分して表示する必要がある。
その他の特別支出	災害損失	・資産処分差額のうち、災害によるものをいう。 ・ここでいう災害とは、一般的な暴風、洪水、高潮、地震、大火その他の異常な原因により生ずる災害をいう。したがって、ここでは、盗難、事故、通常の火災などは含まれない（実務指針第45号2-6）。
	過年度修正額	前年度以前に計上した収入又は支出の修正額で当年度の支出となるものをいう。
	デリバティブ解約損失	

(7)　**事業活動収支固有の取引**

資金収支計算書においては、支払資金を増減させる取引が計上されるのに対し、事業活動収支計算書では、資産、負債、純資産を増減させる取引が計上される。事業活動収支計算書における大部分の取引は、支払資金の増減を伴うため資金収支計算書と同じ内容、同じ金額が計上されるが、一部支払資

金の増減を伴わない取引あるいは資金収支の金額に対し、修正が必要な取引も存在する。本書では、これを事業活動収支固有の取引という。

事業活動収支固有の取引としては、以下がある。

〈資金収支の修正〉

資金収支計算書で計上されていた科目を、事業活動収支計算書作成のために修正するものとして以下がある。

① **資産の売却**

資金収支計算書においては売却により受け入れた支払資金の金額が計上されるが、事業活動収支計算書においては売却収入と売却により減少した資産の簿価との差額を特別収支の資産売却差額（売却益を計上した場合）、または資産処分差額（売却損を計上した場合）として計上する。

なお、特別収支に計上されるのは、施設設備、有価証券等固定資産に属する資産の売却であり、廃品等の固定資産に該当しない物品の売却は雑収入あるいは付随事業収入として教育活動収支に計上される。

② **退職金の整理**

退職金を支払った際には相当する退職給与引当金を減少させる必要がある。事業活動収支計算書では、退職金支出額と退職給与引当金取崩額との差額が退職金として計上されるため、資金収支計算書の退職金支出とは通常は一致しない。

③ **貯蔵品等の計上**

消耗品費等として購入した物品が、年度末に未使用あるいは未売却の在庫として残っている場合がある。このような資産に重要性がある場合は、当該金額を貯蔵品等の科目で流動資産に計上するとともに、消耗品費から控除する必要がある。

〈支払資金の増減を伴わない取引〉

支払資金の増減を伴わない事業活動収支計算書だけで計上される項目としては、以下がある。

① 退職給与引当金繰入額の計上
　教職員の退職給与の支給に備えるため計上される退職給与引当金の当年度負担分を人件費に計上する。

② 退職給与引当金特別繰入額の計上
　平成23年2月に文科省より発出された「退職給与引当金の計上等に係る会計方針の統一について（通知）」（22高私参第11号）により、要支給額の100％を基に退職給与引当金を計上することに統一された。その際に生じた変更時差異（変更年度の期首における引当金の不足額）は平成23年度に一括計上することが原則とされたが、一括計上することが困難な場合は10年以内の期間で毎年度均等額を退職給与引当金特別繰入額として特別収支に計上する経過措置が設けられた。なお、当該経過措置は、令和3年度以降は認められていないため注意が必要である。

③ 減価償却額の計上
　固定資産のうち時の経過によりその価値を減少させるものについては、定額法による減価償却を行う必要がある（基準第26条）。教育研究用の減価償却資産に係る減価償却額は教育研究経費、管理用の減価償却資産に係る減価償却額は管理経費に計上される。

④ 現物寄付の受入れ
　資産等の現物による受贈は、支払資金の増減は伴わないが、資産は増加するため事業活動収支計算書において現物寄付として計上する。贈与された資産の評価は、取得又は贈与のときにおける当該資産の取得のために通常要する価額をもって行う（基準第25条）。施設設備の受贈は特別収支に、それ以外の現物資産等の受贈は教育活動収支において計上される。

⑤ 有価証券等の評価減
　有価証券についてその時価が著しく低くなった場合は、その回復が可能と認められるときを除き時価まで評価減を行う（基準第27条）。評価減は特別収支の資産処分差額として計上される。

⑥ 資産の除却や廃棄等による損失の計上
　廃棄、無償での譲渡、紛失等による資産の減少は支払資金の増減には影響しないため、事業活動収支固有の取引として計上する。

⑦ 固定資産の評価
　使用が困難で、かつ処分もできないような状況が生じている固定資産について、理事会・評議員会の承認を得た上で帳簿価額を残して貸借対照表の資産価額から除くことが可能である。これについては特別収支の資産処分差額において「有姿除却等損失」等の科目で表示する。

⑧ 徴収不能引当金繰入額の計上
　金銭債権について徴収不能のおそれがある場合は、徴収不能の見込み額を徴収不能引当金として計上する（基準第28条）。

⑨ 基本金の組入れ、取崩し
　基準第30条、第31条に基づき基本金の組入れ、取崩しを行う。

(8) 資金収支計算書と事業活動収支計算書との対応関係

　資金収支計算書と事業活動収支計算書との対応関係を示すと、図表4－7の通りである。また、資金収支を伴わない事業活動収支固有の仕訳の事業活動収支計算書における計上区分は、図表4－8の通りである。

figure 4－7　資金収支計算書と事業活動収支計算書の対応
(1) 資金収入⇒事業活動収入

資金収支計算書	資金収支の修正	事業活動収支計算書		
大科目		収支区分	大科目	小科目
学生生徒等納付金収入		教育活動収支	学生生徒等納付金	
手数料収入		教育活動収支	手数料	
寄付金収入		教育活動収支	寄付金	
		特別収支	その他の特別収入	施設設備寄付金(注1)
補助金収入		教育活動収支	経常費等補助金	
		特別収支	その他の特別収入	施設設備補助金(注1)
資産売却収入	売却資産の帳簿価額の振替	特別収支	資産売却差額（売却益が生じた場合）	
付随事業・収益事業収入		教育活動収支	付随事業収入	
		教育活動外収支	その他の教育活動外収入	収益事業収入(注2)
受取利息・配当金収入		教育活動外収支	受取利息・配当金	
雑収入		教育活動収支	雑収入	
		特別収支	その他の特別収入	過年度修正額(注3)

第4章 事業活動収支計算書の分析

(2) 資金支出⇒事業活動支出

資金収支計算書	資金収支の修正	事業活動収支計算書		
大科目		収支区分	大科目	小科目
人件費支出		教育活動収支	人件費	
	退職給与引当金と退職金の相殺	教育活動収支	人件費	退職金
教育研究経費支出		教育活動収支	教育研究経費	
	貯蔵品等の計上	教育活動収支	教育研究経費	消耗品費等
管理経費支出		教育活動収支	管理経費	
		特別収支	その他の特別支出	過年度修正額[注4]
		特別収支	その他の特別支出	デリバティブ取引解約に伴う損失[注4]
借入金等利息支出		教育活動外収支	借入金等利息	

注1：資金収支計算書における寄付金収入、補助金収入のうち、施設設備の拡充等のためのものは特別収支に計上され、それ以外が教育活動収支に計上される。
注2：資金収支計算書における付随事業収入・収益事業収入のうち、収益事業収入は教育活動外収支に計上される。
注3：過年度修正額のうち、資金収入を伴うものについては資金収支計算書では雑収入の過年度修正収入で計上されるが、事業活動収支計算書では特別収支に計上される。
注4：資金収支計算書の管理経費支出に計上された過年度修正支出やデリバティブ取引の解約に伴い生じた支出は、特別収支に計上される。

図表 4 − 8　資金収支を伴わない事業活動収支固有の仕訳の計上区分

摘　要	事業活動収支計算書		
	収支区分	大科目	小科目
退職給与引当金の計上	教育活動収支	人件費	退職給与引当金繰入額
減価償却額の計上	教育活動収支	教育研究経費 管理経費	減価償却額
資産除却損又は廃棄損失の計上	特別収支	資産処分差額	
	特別収支	その他の特別支出	災害損失
有価証券評価換え	特別収支	資産処分差額	有価証券評価差額
過年度における減価償却額や退職給与引当金等の修正	特別収支	その他の特別収入	過年度修正額
	特別収支	その他の特別支出	過年度修正額
固定資産の評価	特別収支	資産処分差額	有姿除却等損失
徴収不能引当金の計上	教育活動収支	徴収不能額等	徴収不能引当金繰入額
徴収不能額の計上	教育活動収支	徴収不能額等	徴収不能額
決済時ないし期末日の換算替え等により生じた為替換算差額の計上	教育活動外収支	その他の教育活動外収入またはその他の教育活動外支出	為替換算差額
基本金組入れ	基本金組入前当年度収支差額の次（当年度収支差額の前）		
基本金取崩し	前年度繰越収支差額の次（翌年度繰越収支差額の前）		

第4章　事業活動収支計算書の分析

❷ 大学法人、短期大学法人、高等学校法人合計の事業活動収支計算書

　事業活動収支計算書を分析するにあたっては、平均的な学校法人の情報があった方がより適切な判断に繋がるものと考えられる。そのため、本書では学校経理研究会の令和3年度版『今日の私学財政』(2022年、編集：日本私立学校振興・共済事業団、発行:学校経理研究会) に掲載されている大学法人、短期大学法人、高等学校法人の平成28年度から令和2年度の5ヵ年を分析する。

(1) 大学法人（医歯系を除く）の最近5年間の事業活動収支計算書

　令和3年度版『今日の私学財政』大学・短期大学編168～170ページ　Ⅳ集計結果1．大学法人　5ヵ年連続事業活動収支計算書（医歯系法人除く）は、以下の通りである。

（単位：百万円）

科　目	H28年度	H29年度	H30年度	R1年度	R2年度
法人数	507	509	507	513	518
教育活動収支					
教育活動収入	3,533,914	3,510,763	3,576,463	3,604,049	3,699,648
教育活動支出	3,439,556	3,428,014	3,469,778	3,511,462	3,587,732
教育活動収支差額	94,358	82,749	106,685	92,587	111,916
教育活動外収支					
教育活動外収入	60,945	64,528	63,238	68,556	69,950
教育活動外支出	8,609	8,550	7,587	8,405	7,768
経常収支差額	146,693	138,727	162,336	152,738	174,098
特別収入	97,643	103,268	73,490	85,919	80,660

特別支出	64,566	60,529	66,000	62,533	53,443
基本金組入前当年度収支差額	179,770	181,466	169,826	176,124	201,315
基本金組入額	△435,118	△395,717	△400,387	△409,138	△400,758
当年度収支差額	△255,348	△214,251	△230,560	△233,014	△199,443

事業活動収入合計	3,692,501	3,678,560	3,713,191	3,758,524	3,850,258
事業活動支出合計	3,512,731	3,497,093	3,543,364	3,582,399	3,648,943

① 教育活動収支の内訳
〈教育活動収入〉

(単位:百万円)

科　目	H28年度	H29年度	H30年度	R1年度	R2年度
学生生徒等納付金	2,648,953	2,672,268	2,721,826	2,756,304	2,804,731
手数料	92,917	96,626	99,452	98,170	87,092
寄付金	68,547	51,195	51,019	51,855	59,458
経常費等補助金	431,237	434,408	442,795	439,241	523,999
付随事業収入	177,068	139,660	143,812	144,164	121,212
雑収入	115,193	116,606	117,558	114,316	103,156
合計	3,533,914	3,510,763	3,576,463	3,604,049	3,699,648

〈教育活動支出〉

(単位:百万円)

科　目	H28年度	H29年度	H30年度	R1年度	R2年度
人件費	1,927,394	1,921,967	1,929,718	1,952,127	1,951,810

第4章 事業活動収支計算書の分析

科　目	H28年度	H29年度	H30年度	R1年度	R2年度
教育研究経費	1,187,636	1,189,780	1,217,093	1,230,752	1,325,812
管理経費	322,364	314,093	320,639	326,457	307,926
徴収不能額等	2,162	2,175	2,328	2,125	2,184
合計	3,439,556	3,428,014	3,469,778	3,511,462	3,587,732

② 教育活動外収支
〈教育活動外収入〉

(単位：百万円)

科　目	H28年度	H29年度	H30年度	R1年度	R2年度
受取利息・配当金	55,684	58,254	56,824	62,289	61,622
その他の教育活動外収入	5,260	6,274	6,414	6,267	8,329
合計	60,945	64,528	63,238	68,556	69,950

〈教育活動外支出〉

(単位：百万円)

科　目	H28年度	H29年度	H30年度	R1年度	R2年度
借入金等利息	7,278	6,382	6,170	5,955	5,586
その他の教育活動外支出	1,331	2,168	1,416	2,450	2,182
合計	8,609	8,550	7,587	8,405	7,768

③ 特別収支
〈特別収入〉

(単位：百万円)

科　目	H28年度	H29年度	H30年度	R1年度	R2年度
資産売却差額	25,988	41,998	20,847	27,328	31,343
その他の特別収入	71,655	61,270	52,643	58,591	49,317
合計	97,643	103,268	73,490	85,919	80,660

〈特別支出〉

(単位:百万円)

科　目	H28年度	H29年度	H30年度	R1年度	R2年度
資産処分差額	54,323	52,368	57,204	55,233	42,949
その他の特別支出	10,243	8,161	8,795	7,300	10,494
合計	64,566	60,529	66,000	62,533	53,443

(2) 短期大学法人

　令和3年度版『今日の私学財政』大学・短期大学編278〜280ページⅣ集計結果2．短期大学法人　5ヵ年連続事業活動収支計算書は、以下の通りである。

(単位:百万円)

科　目	H28年度	H29年度	H30年度	R1年度	R2年度
法人数	109	105	104	100	97
教育活動					
教育活動収入	160,357	152,919	147,852	138,442	137,822
教育活動支出	158,619	157,229	152,749	147,110	142,673
教育活動収支差額	1,738	△4,310	△4,897	△8,669	△4,851
教育活動外					
教育活動外収入	2,658	2,765	2,477	2,679	2,714
教育活動外支出	496	409	398	366	315
経常収支差額	3,900	△1,954	△2,818	△6,356	△2,451
特別収入	15,379	5,089	4,111	3,865	3,094
特別支出	6,847	1,863	3,254	2,078	1,414

第4章 事業活動収支計算書の分析

基本金組入前当年度収支差額	12,433	1,237	△1,961	△4,570	△771
基本金組入額	△27,850	△16,468	△19,861	△10,715	△15,664
当年度収支差額	△15,417	△15,195	△21,822	△15,284	△16,435

事業活動収入合計	178,394	160,773	154,440	144,985	143,630
事業活動支出合計	165,962	159,501	156,401	149,555	144,401

① **教育活動収入の内訳**

〈教育活動収入〉

(単位:百万円)

科　目	H28年度	H29年度	H30年度	R1年度	R2年度
学生生徒等納付金	99,963	94,542	90,971	83,673	81,360
手数料	2,254	2,160	2,091	1,945	1,770
寄付金	4,056	2,254	2,558	1,702	1,559
経常費等補助金	43,302	42,907	41,850	40,900	43,504
付随事業収入	5,053	4,966	4,937	4,910	4,263
雑収入	5,728	6,090	5,445	5,311	5,367
合計	160,357	152,919	147,852	138,442	137,822

〈教育活動支出〉

(単位:百万円)

科　目	H28年度	H29年度	H30年度	R1年度	R2年度
人件費	97,828	96,193	93,025	89,346	87,011
教育研究経費	43,948	44,455	43,023	41,497	41,081
管理経費	16,692	16,426	16,564	16,131	14,479

徴収不能額等	151	155	137	135	103
合計	158,619	157,229	152,749	147,110	142,673

② 教育活動外収支の内訳

〈教育活動外収入〉

(単位:百万円)

科　目	H28年度	H29年度	H30年度	R1年度	R2年度
受取利息・配当金	2,179	2,442	2,184	2,354	2,211
その他の教育活動外収入	478	322	293	324	504
合計	2,658	2,765	2,477	2,679	2,714

〈教育活動外支出〉

(単位:百万円)

科　目	H28年度	H29年度	H30年度	R1年度	R2年度
借入金等利息	422	392	388	328	314
その他の教育活動外支出	74	17	10	38	1
合計	496	409	398	366	315

③ 特別収支の内訳

〈特別収入〉

(単位:百万円)

科　目	H28年度	H29年度	H30年度	R1年度	R2年度
資産売却差額	753	776	1,168	875	258
その他の特別収入	14,627	4,313	2,943	2,990	2,836
合計	15,379	5,089	4,111	3,865	3,094

〈特別支出〉

(単位:百万円)

科　目	H28年度	H29年度	H30年度	R1年度	R2年度
資産処分差額	6,653	1,714	3,117	1,746	1,193
その他の特別支出	193	148	137	332	221
合計	6,847	1,863	3,254	2,078	1,414

(3) 高等学校法人

　令和3年度版『今日の私学財政』高等学校・中学校・小学校編142～144ページⅣ集計結果1．高等学校法人　5ヵ年連続事業活動収支計算書は、以下の通りである。

(単位:千円)

科　目	H28年度	H29年度	H30年度	R1年度	R2年度
法人数	695	686	684	665	667
教育活動					
教育活動収入	795,208,616	787,968,852	808,684,823	784,474,846	797,204,422
教育活動支出	783,662,409	784,549,493	803,408,538	790,535,316	787,521,210
教育活動収支差額	11,546,207	3,419,360	5,276,286	△6,060,470	9,683,212
教育活動外					
教育活動外収入	8,487,571	8,732,939	8,633,125	7,971,474	7,695,860
教育活動外支出	3,995,074	3,851,616	3,831,409	3,475,337	3,264,957
経常収支差額	16,038,705	8,300,683	10,078,001	△1,564,333	14,114,115
特別収入	28,957,425	29,675,052	26,272,086	15,713,556	25,136,399
特別支出	12,071,821	11,023,119	7,001,112	8,050,673	10,380,498

基本金組入前 当年度収支差額	32,924,308	26,952,616	29,348,975	6,098,550	28,870,017
基本金組入額	△83,761,922	△87,739,672	△84,757,330	△74,074,669	△74,611,133
当年度収支差額	△50,837,614	△60,787,057	△55,408,355	△67,976,119	△45,741,116
事業活動収入	832,653,612	826,376,844	843,590,034	808,159,876	830,036,681
事業活動支出	799,729,304	799,424,228	814,241,059	802,061,326	801,166,664

① 教育活動収入の内訳

〈教育活動収入〉

(単位:千円)

科 目	H28年度	H29年度	H30年度	R1年度	R2年度
学生生徒等納付金	436,626,305	428,224,158	437,186,304	417,086,867	430,166,283
手数料	13,834,696	13,409,674	13,503,158	13,459,721	13,264,862
寄付金	17,859,978	15,925,236	21,125,743	16,963,075	16,027,449
経常費等補助金	274,846,630	276,856,124	281,969,270	286,206,200	288,890,698
付随事業収入	25,575,791	26,185,624	27,240,160	23,541,766	22,196,826
雑収入	26,465,215	27,368,035	27,660,189	27,217,216	26,658,304
合計	795,208,616	787,968,852	808,684,823	784,474,846	797,204,422

〈教育活動支出〉

(単位:千円)

科 目	H28年度	H29年度	H30年度	R1年度	R2年度
人件費	514,495,889	510,922,586	521,834,287	514,882,006	517,484,041
教育研究経費	215,523,623	218,536,098	223,855,102	223,076,492	216,449,971
管理経費	53,399,241	54,834,141	57,480,771	52,388,879	53,440,081

徴収不能額等	243,656	256,668	238,378	187,938	147,117
合計	783,662,409	784,549,493	803,408,538	790,535,316	787,521,210

② 教育活動外収支の内訳
〈教育活動外収入〉

(単位：百万円)

科　目	H28年度	H29年度	H30年度	R1年度	R2年度
受取利息・配当金	7,451,690	7,539,043	7,241,946	7,080,361	6,470,554
その他の教育活動外収入	1,035,881	1,193,896	1,391,178	891,113	1,225,305
合計	8,487,571	8,732,939	8,633,125	7,971,474	7,695,860

〈教育活動外支出〉

(単位：百万円)

科　目	H28年度	H29年度	H30年度	R1年度	R2年度
借入金等利息	3,909,597	3,705,933	3,646,255	3,412,144	3,136,535
その他の教育活動外支出	85,477	145,683	185,154	63,193	128,422
合計	3,995,074	3,851,616	3,831,409	3,475,337	3,264,957

③ 特別収支の内訳
〈特別収入〉

(単位：千円)

科　目	H28年度	H29年度	H30年度	R1年度	R2年度
資産売却差額	3,770,227	5,735,285	9,249,682	1,161,903	7,920,459
その他の特別収入	25,187,198	23,939,767	17,022,404	14,551,653	17,215,940
合計	28,957,425	29,675,052	26,272,086	15,713,556	25,136,399

〈特別支出〉

(単位：千円)

科　目	H28年度	H29年度	H30年度	R1年度	R2年度
資産処分差額	11,036,974	8,801,494	5,934,996	6,992,298	8,854,244
その他の特別支出	1,034,848	2,221,626	1,066,115	1,058,375	1,526,253
合計	12,071,821	11,023,119	7,001,112	8,050,673	10,380,498

❸ 事業活動収支計算書の分析

(1) 事業活動収支計算書を分析する意義

　事業活動収支計算書においては、資産・負債の増減以外の資金収支及び減価償却額や退職給与引当金繰入額のように、資金の増減は伴わないが貸借対照表の残高に影響する項目が計上される。

　資産・負債の増減以外の資金収支とは、教育研究等の学校法人の諸活動に対応した収支をいい、学校法人の活動により獲得した経済的な価値で資金の増減を伴うものを示すものということができる。

　一方、減価償却額は、貸借対照表に計上された固定資産の価値の減少を計上したものであり、退職給与引当金繰入額は貸借対照表に計上される将来の退職金の支払義務額の増加を計上したものである。これらは将来の財務的な負担を先行して計上したものと考えることができる。

　財務安全性の判断にあたっては、資金の増減という事実を示す資金収支計算書や活動区分資金収支計算書だけでは十分ではなく、資産価値の減少や将来の支払義務の発生といった要因も織り込んだ学校法人の経済的な価値の増減を示す事業活動収支計算書の分析が必要である。

　基準により事業活動収支計算の目標として考えられているのが事業活動収支の均衡であり、この状態を図で示すと、図表4－9の通りである。

図表 4 － 9　事業活動収支均衡の状態

事業活動収入(注1)		
諸活動に対応する資金支出 （人件費、教育研究経費、管理経費、借入金等利息等）	減価償却額 その他資金支出を伴わない 事業活動支出(注2)	基本金組入額

事業活動支出（諸活動に対応する資金支出＋減価償却額等）

注１：現物寄付のように資金収入を伴わないものを含む。
注２：退職給与引当金繰入額や資産処分差額等を含む。

　減価償却額は、資金収入を伴わない事業活動支出であるため、減価償却額を計上すればその分だけ学校法人内に資金が留保されることになる。したがって、減価償却額の計上は、減価償却対象資産の将来における取替更新のための資金の積立てと考えることもできる。

　単純化した説明をすると、当年度の収入で当年度の経費等の支出、将来の資産取得のための資金の積立てである減価償却額、そして教育研究活動に必要な施設設備等の取得額である基本金組入額のすべて賄っている状態を事業活動収支の均衡ということができる。
　当年度収支差額によって示される事業活動収支の均衡の状況は、基本金組入額の多寡によって大きな影響を受ける。そのため、単年度で見ると当年度収支差額がマイナスの年度の方がむしろ多いとも考えられる。しかしながら、長期的な目標としての事業活動収支の均衡を達成するためには、減価償却額等を含む当年度事業活動支出が当年度の事業活動収入で賄えているか、その結果として当年度の基本金組入額は当年度の事業活動収入によってどの程度賄えているかといった観点が重要である。したがって、教育活動収支差額、経常収支差額、基本金組入前当年度収支差額等について事業活動収入、事業活動支出の両面から検討することが必要である。

(2) 『今日の私学財政』において使用されている財務比率

　事業団は、学校法人の財務データを『今日の私学財政』として取りまとめているが、その中で事業団が考案した財務比率の計算結果を公表している。

　事業活動収支計算書については、人件費比率、人件費依存率、教育研究経費比率、管理経費比率、借入金等利息比率、事業活動収支差額比率、基本金組入後収支比率、学生生徒等納付金比率、寄付金比率、経常寄付金比率、補助金比率、経常補助金比率、基本金組入率、減価償却額比率、経常収支差額比率、教育活動収支差額比率の16の財務比率が公表されている。

　本書ではこれを参考に事業活動収支計算書の財務分析において有用と考えられる財務比率について、以下で解説する。比率の解釈等は筆者の私見である。

　また、本書では事業活動収支に関する財務比率を、学校法人の総合的な経営状況を示す比率、収入構成の特徴を把握するための比率、支出構成の適切性を把握するための比率、収支バランスの適切性をみるための比率に分類して解説する。

(3) 学校法人の総合的な経営状況を示す財務比率
① 事業活動収支差額比率
　（算出方法）基本金組入前当年度収支差額÷事業活動収入

　事業活動収入合計から事業活動支出合計を差し引いた基本金組入前当年度収支差額の事業活動収入合計に対する割合を示す比率である。

　基本金組入前当年度収支差額がプラスということは、前年度末と比較して純資産が増加していることを意味する。したがって、この比率が高い法人ほど、事業活動収入に対して高い割合で基本金組入前当年度収支差額が計上されているため採算性が良いと評価される。

　令和3年度版『今日の私学財政』に基づき、大学法人（医歯系法人除く）、短期大学法人、高等学校法人の最近5年間の事業活動収支差額比率は、以下の通りである。

区　分	H28年度	H29年度	H30年度	R1年度	R2年度
大学法人（医歯系法人除く）	4.9%	4.9%	4.6%	4.7%	5.2%
短期大学法人	7.0%	0.8%	△1.3%	△3.2%	△0.5%
高等学校法人	4.0%	3.3%	3.5%	0.8%	3.5%

　大学法人（医歯系法人除く）、短期大学法人、高等学校法人における基本金組入率の平均は概ね10％前後である。したがって、事業活動収支の均衡を目標とするのならば、事業活動収支差額比率も10％程度が１つの目安となるが、大学法人（医歯系法人除く）における事業活動収支差額比率の平均は概ね５％程度、短期大学法人、高等学校法人は０％付近である。

⑷　収入構成の特徴を把握するための財務比率

　収入構成の特徴を把握するための比率として学生生徒等納付金比率、補助金比率、寄付金比率がある。また、補助金比率、寄付金比率については、さらに教育活動収支に対応する補助金、寄付金に関する比率として経常補助金比率、経常寄付金比率を算出することも考えられる。

　これらは経常収入あるいは事業活動収入に占める各事業活動収入項目の割合を示す比率である。したがって、ある比率が高ければ他の比率が低くなる関係にあるため必ずしも高い方が良いといった評価はできない。むしろ『今日の私学財政』に記載されている法人平均、あるいは同規模・同系統の法人平均等と比較することにより、収入面における法人の特徴を把握していくことが重要と考えられる。

　なお、経常収入とは、事業活動収支計算書における教育活動収入及び教育活動外収入を合計したものをいう。

① 学生生徒等納付金比率

　（算出方法）学生生徒等納付金÷経常収入

　経常収入に占める学生生徒等納付金の割合を示す比率である。学生生徒等

納付金は、補助金や寄付金と比べて第三者の意向に左右されることの少ない重要な自己財源であり、この比率が高水準でかつ安定的に推移していることが経営上望ましいと考えられる。

一方、学生生徒数が減少期に入っている現在では、事業活動収入の多様化を図ることも重要となってくるので、高水準で納付金に依存するよりも相対的にこの比率が低い方が良い場合もある。

したがって、この比率は平均等と比較して収入構成に特徴があるかどうかを把握するための比率と考えることができる。

令和3年度版『今日の私学財政』に基づき、大学法人(医歯系法人除く)、短期大学法人、高等学校法人の最近5年間の学生生徒等納付金比率は、以下の通りである。

区　分	H28年度	H29年度	H30年度	R1年度	R2年度
大学法人(医歯系法人除く)	73.7%	74.7%	74.8%	75.1%	74.4%
短期大学法人	61.3%	60.7%	60.5%	59.3%	57.9%
高等学校法人	54.3%	53.7%	53.5%	52.6%	53.4%

大学法人(医歯系法人除く)では75%程度、短期大学法人では60%程度、高等学校法人では53%程度で比較的安定した推移を示しているように見受けられる。

② 寄付金比率

(算出方法) 寄付金÷事業活動収入

寄付金の事業活動収入に占める割合を示す比率である。

一般的に寄付金は、任意性が強く収入源としては不安定な面もあるが、継続的に寄付金を確保できるような経営努力も必要である。この比率が経常的に高いということは、寄付金獲得のための経営努力が実を結んでいると評価することができる。

令和3年度版『今日の私学財政』に基づき、大学法人(医歯系法人除く)、

短期大学法人、高等学校法人の最近5年間の寄付金比率は、以下の通りである。

区分	H28年度	H29年度	H30年度	R1年度	R2年度
大学法人（医歯系法人除く）	3.0%	2.3%	2.1%	2.1%	2.3%
短期大学法人	8.8%	1.8%	2.1%	1.7%	1.4%
高等学校法人	3.4%	2.9%	3.4%	3.0%	2.5%

寄付は任意性が強いため年度ごとに平均値のばらつきがあるが、大学法人（医歯系法人除く）、短期大学法人、高等学校法人はいずれも2〜3％程度を推移している。

③ **経常寄付金比率**

（算出方法）教育活動収支の寄付金÷経常収入

経常的な収支である教育活動収支の寄付金が経常収入に占める割合を示す比率である。施設設備の取得に充てるという寄付者の意思が明確な寄付金は特別収支に計上されるが、それ以外の寄付金は教育活動収支に計上される。したがって、教育活動収支に計上される人件費、経費のために受け入れた寄付金が経常的な収入の中でどの程度の水準かを示す比率といえる。

ただし、使途が特定されていない寄付金は金額の有無にかかわらず教育活動収支に計上されるため、臨時性の有無は別途検討が必要である。

令和3年度版『今日の私学財政』に基づき、大学法人（医歯系法人除く）、短期大学法人、高等学校法人の最近5年間の経常寄付金比率は、以下の通りである。

区分	H28年度	H29年度	H30年度	R1年度	R2年度
大学法人（医歯系法人除く）	1.9%	1.4%	1.4%	1.4%	1.6%
短期大学法人	2.5%	1.4%	1.7%	1.2%	1.1%
高等学校法人	2.2%	2.0%	2.6%	2.1%	2.0%

大学法人（医歯系法人除く）、短期大学法人、高等学校法人はいずれも1～2％程度で比較的安定した推移を示しているように見受けられる。

④ 補助金比率

（算出方法）補助金÷事業活動収入

補助金の事業活動収入に占める割合を示す比率である。補助金は学生生徒等納付金に次ぐ第2の収入源となっており、また競争的資金の獲得等の経営努力によって増額が可能である。そのため補助金の増額は大いに期待されているところであり、この比率も高い方が望ましいといえる。一方、学生生徒等納付金の水準が低いため、結果として補助金比率が高い場合もあるため内容には留意する必要がある。

令和3年度版『今日の私学財政』に基づき、大学法人（医歯系法人除く）、短期大学法人、高等学校法人の最近5年間の補助金比率は、以下の通りである。

区　分	H28年度	H29年度	H30年度	R1年度	R2年度
大学法人（医歯系法人除く）	12.3%	12.5%	12.6%	12.2%	14.1%
短期大学法人	25.9%	28.8%	28.5%	29.7%	31.9%
高等学校法人	34.7%	34.7%	34.4%	36.1%	36.0%

大学法人（医歯系法人除く）は12～15％程度、短期大学法人は25～30％程度、高等学校法人は34～36％程度で推移している。

⑤ 経常補助金比率

（算出方法）教育活動収支の補助金÷経常収入

経常的な収入である教育活動収支の補助金が経常収入に占める割合を示す比率である。制度の趣旨が施設設備の取得に充てることが明確な補助金は特別収支に計上され、それ以外は教育活動収支に計上される。したがって、施設設備の取得とはひも付かないか、あるいはひも付くかどうか不明の補助金

の経常的な収入に対する割合を示すものとなる。補助金獲得のための経営努力を示すという意味では、この比率も高い方が望ましいと考えられる。

大学法人（医歯系法人除く）、短期大学法人、高等学校法人の最近5年間の寄付金比率は、以下の通りである。

区　分	H28年度	H29年度	H30年度	R1年度	R2年度
大学法人（医歯系法人除く）	12.0%	12.2%	12.2%	12.0%	13.9%
短期大学法人	26.6%	27.6%	27.8%	29.0%	31.0%
高等学校法人	34.2%	34.8%	34.5%	36.1%	36.0%

大学法人（医歯系法人除く）では12～14％程度、短期大学法人では26～31％程度、高等学校法人では34～36％程度で比較的安定した推移を示しているように見受けられる。

(5) **支出構成の適切性を把握するための財務比率**
① **人件費比率**
（算出方法）人件費÷経常収入

経常収入に占める人件費の割合を示す比率であり、人件費が収入に見合っているか、過大な人件費となって他の教育研究経費等を圧迫していないか等の判断に使用される。教育研究活動を維持発展させるためには優秀な教職員を多数採用することが望ましいが、人件費は固定費であり収支が悪化したからといって簡単に削減できるものではない。人件費の水準が過大になると経営を圧迫することになる。収入が無限にあるわけではない以上、財務という観点からは人件費比率はどちらかといえば低い方が望ましい。

令和3年度版『今日の私学財政』に基づき、大学法人（医歯系法人除く）、短期大学法人、高等学校法人の最近5年間の人件費比率は、以下の通りである。

区　分	H28年度	H29年度	H30年度	R1年度	R2年度
大学法人（医歯系法人除く）	53.6%	53.8%	53.0%	53.2%	51.8%
短期大学法人	60.0%	61.8%	61.9%	63.3%	61.9%
高等学校法人	64.0%	64.1%	63.8%	65.0%	64.3%

　大学法人（医歯系法人除く）では50％台、短期大学法人及び高等学校法人においては60％台で推移しており、経常収入の半分以上が人件費に回されている。教育研究の水準の維持発展という観点から見ると人件費比率が低ければよいとは限らないが、平均値を大きく超える数値を示している場合は、経営を圧迫している可能性があるため原因の検討が必要である。

　人件費を給与水準×教職員数と考えれば、給与水準は専任教員1人当たり教員人件費又は専任職員1人当たり職員人件費の平均と比較することで、ある程度判断できる。また、教職員数については、教員または職員1人当たり学生生徒数を平均と比較することで判断が可能である。例えば、教員1人当たりの学生生徒数は教育水準という観点からは、少ない方が好ましい。一方、財政という観点からは、少ない人件費で多くの学生生徒等納付金収入となるため多い方が好ましいということになる。いずれにせよ、同系統の学校法人の平均数値とも比較しながら、教育と財政のバランスをどのように取っていくか検討が必要である。

　令和3年度版『今日の私学財政』より令和2年度の専任教員1人当たり教員人件費、専任職員1人当たり職員人件費、専任教員1人当たり学生生徒等数、専任職員1人当たり学生生徒等数を算出すると、以下の通りである。

　例えば、大学法人（医歯系法人除く）では、専任教員1人に対し学生生徒数が21.8人となっている。そのため、現時点における専任教員数の1つの目安になる可能性はある。なお、教員人件費、職員人件費には兼務教員、兼務職員の人件費、及び所定福利費等も含まれているため、1人当たり人件費が専任教職員の給与水準そのものを示すものではないことに留意が必要である。

第4章　事業活動収支計算書の分析

摘　要	大学法人（医歯系法人除く）	短期大学法人	高等学校法人
a．学生生徒数（人）	2,576,187	115,346	735,518
b．専任教員数（人）	118,107	8,468	49,718
c．専任職員数（人）	62,826	3,141	10,554
d．教員人件費（百万円）	1,294,968	61,954	414,368
e．職員人件費（百万円）	540,485	19,870	73,009
専任教員1人当たり教員人件費（千円）（d÷b）	10,964	7,316	8,334
専任職員1人当たり職員人件費（千円）（e÷c）	8,603	6,326	6,918
専任教員1人当たり学生生徒等数（人）（a÷b）	21.8	13.6	14.8
専任職員1人当たり学生生徒等数（人）（a÷c）	41.0	36.7	69.7

出典：上表のうち摘要欄のaからeに限る
大学法人（医歯系法人除く）　令和3年度版『今日の私学財政』大学・短期大学編169ページ　Ⅳ集計結果　1．大学法人　5ヵ年連続事業活動収支計算書（医歯系法人を除く）
短期大学法人　令和3年度版『今日の私学財政』大学・短期大学編279ページ　Ⅳ集計結果　2．短期大学法人　5ヵ年連続事業活動収支計算書
高等学校法人　令和3年度版『今日の私学財政』高等学校・中学校・小学校編143ページ　Ⅳ集計結果　1．高等学校法人　5ヵ年連続事業活動収支計算書

② 教育研究経費比率

（算出方法）教育研究経費÷経常収入

教育研究経費の経常収入に占める割合を示す比率である。

教育研究経費は教育研究活動のための支出であり、学校法人の目的に照らすと計上額が大きいほどよいということになる。一方、教育研究経費が収入に比して過大になると経営を圧迫するのはいうまでもない。要は収入とのバランスであり、教育研究経費比率が平均と比較して著しく高い場合には、検討が必要と思われる。

令和3年度版『今日の私学財政』に基づき、大学法人（医歯系法人除く）、短期大学法人、高等学校法人の最近5年間の教育研究経費比率は、以下の通りである。

区　分	H28年度	H29年度	H30年度	R1年度	R2年度
大学法人（医歯系法人除く）	33.0%	33.3%	33.4%	33.5%	35.2%
短期大学法人	27.0%	28.6%	28.6%	29.4%	29.2%
高等学校法人	26.8%	27.4%	27.4%	28.2%	26.9%

大学法人（医歯系法人除く）は概ね30％台、短期大学法人及び高等学校法人は20％台で推移しており、これから大きく乖離している場合は原因分析が必要である。

なお、減価償却額や施設設備に関わる業務委託費等は保有する施設設備によって決定されてしまい、短期に削減することは難しい。したがって、教育研究経費比率が平均より大きい場合は、まず設備費の水準に着目することが重要である。

なお、教育研究経費についても、学生生徒等1人当たりの金額が平均と比較してどうかという分析が有益である。

摘　要	大学法人（医歯系法人除く）	短期大学法人	高等学校法人
a．学生生徒数（人）	2,576,187	115,346	735,518
b．教育研究経費（百万円）	1,325,812	41,081	216,450
c．管理経費（百万円）	307,926	14,479	53,440
学生1人当たり教育研究経費（千円）（b÷a）	514.6	356.2	294.3
学生生徒等1人当たり管理経費（千円）（c÷b）	119.5	125.5	72.7

出典：上表のうち摘要欄のaからcに限る
大学法人（医歯系法人除く）　　令和3年度版『今日の私学財政』大学・短期大学編169ページ　Ⅳ集計
　　　　　　　　　　　　　　　　結果　1．大学法人　5ヵ年連続事業活動収支計算書（医歯系法人を除く）
短期大学法人　　　　　　　　　令和3年度版『今日の私学財政』大学・短期大学編279ページ　Ⅳ集計
　　　　　　　　　　　　　　　　結果　2．短期大学法人　5ヵ年連続事業活動収支計算書
高等学校法人　　　　　　　　　令和3年度版『今日の私学財政』高等学校・中学校・小学校編143ペー
　　　　　　　　　　　　　　　　ジ　Ⅳ集計結果　1．高等学校法人　5ヵ年連続事業活動収支計算書

③ 管理経費比率

（算出方法）管理経費÷経常収入

管理経費の経常収入に対する割合を示す比率である。

管理経費は、法人の維持存続に必要な支出ではあるが、教育研究活動に直接的に影響するものではないため、支出の効率性が求められることが多い。どちらかといえば低い方がよいという評価が一般的と思われる。

令和3年度版『今日の私学財政』に基づき、大学法人（医歯系法人除く）、短期大学法人、高等学校法人の最近5年間の管理経費比率は、以下の通りである。

区　分	H28年度	H29年度	H30年度	R1年度	R2年度
大学法人（医歯系法人除く）	9.0%	8.8%	8.8%	8.9%	8.2%
短期大学法人	10.2%	10.6%	11.0%	11.4%	10.3%
高等学校法人	6.6%	6.9%	7.0%	6.6%	6.6%

大学法人（医歯系法人除く）、短期大学法人は概ね10％前後、高等学校法人は7％前後で推移している。平均を大きく超える場合は原因分析が必要と思われる。また、②で記載したように、大学法人・短期大学法人では学生生徒等1人当たり管理経費で12万円程度、高等学校法人では7万円程度を計上しているため、これも適正水準の目安になると考えられる。

④ 借入金等利息比率

（算出方法）借入金等利息÷経常収入

借入金等利息の経常収入に対する割合を示す比率である。

財務安全性を考えれば、借入金等の有利子負債への依存度が低い方が好ましいため、借入金等利息比率は低い方が望ましい。

令和3年度版『今日の私学財政』に基づき、大学法人（医歯系法人除く）、短期大学法人、高等学校法人の最近5年間の借入金等利息比率は、以下の通りである。

区　分	H28年度	H29年度	H30年度	R1年度	R2年度
大学法人（医歯系法人除く）	0.2%	0.2%	0.2%	0.2%	0.1%
短期大学法人	0.3%	0.3%	0.3%	0.2%	0.2%
高等学校法人	0.5%	0.5%	0.4%	0.4%	0.4%

当該比率が高い場合は、借入れが過大となっていないか、借入れの原因は何か、例えば、施設設備の取得であるならば、取得した価額や耐用年数と比較して借入れの水準は適切かといった点を検討する必要がある。

⑤ **基本金組入率**

（算出方法）基本金組入額÷事業活動収入

事業活動収入の中からどれだけ基本金に組み入れたかを示す比率である。

基本金組入額は、教育研究に必要な資産の増加額といえるため、この比率が高いということは教育研究用の施設設備等が充実しているといえる。したがって、教育研究という観点からは当該比率は高い方が好ましい。一方、この比率が高すぎる場合には、当年度において事業活動収入に比して多額の施設設備等の取得が行われたことを意味し、将来の経営の負担となる可能性も考えられる。

令和3年度版『今日の私学財政』に基づき、大学法人（医歯系法人除く）、短期大学法人、高等学校法人の最近5年間の基本金組入率は、以下の通りである。

第4章　事業活動収支計算書の分析

区　分	H28年度	H29年度	H30年度	R1年度	R2年度
大学法人（医歯系法人除く）	11.8%	10.8%	10.8%	10.9%	10.4%
短期大学法人	15.6%	10.2%	12.9%	7.4%	10.9%
高等学校法人	10.1%	10.6%	10.0%	9.2%	9.0%

　どの法人も概ね10％程度で推移しているため、施設設備等への投資の水準は事業活動収入合計の10％程度と考えることが可能である。単年度ではこれより上方に乖離する場合は当然ありうるが、継続して基本金組入率が10％を大きく超える水準となっている場合は、過大投資になっていないか検討が必要である。

⑥ 減価償却額比率

（算出方法）減価償却額÷経常支出

　減価償却額の事業活動支出に占める割合を示す比率である。

　減価償却額は、資金の支出を伴わない事業活動支出であり、実質的には資金として蓄積されるため、減価償却額比率が高いということは財務上好ましいといえる。ただし、過去における過大な施設設備の取得の結果として多額の減価償却額が計上されている可能性もあるため、内容の検討が重要である。

　令和3年度版『今日の私学財政』に基づき、大学法人（医歯系法人除く）、短期大学法人、高等学校法人の最近5年間の減価償却額比率は、以下の通りである。

区　分	H28年度	H29年度	H30年度	R1年度	R2年度
大学法人（医歯系法人除く）	11.8%	11.9%	11.8%	11.8%	11.7%
短期大学法人	11.0%	10.8%	11.2%	11.0%	11.4%
高等学校法人	10.1%	10.2%	10.3%	10.5%	10.7%

　いずれの法人も概ね10％程度で推移している。したがって、10％を大幅に

超えているような場合は、施設設備の保有額の水準が適正か否かについて検討が必要である。

(6) 収支バランスの適切性をみるための財務比率
① 人件費依存率
（算出方法）人件費÷学生生徒等納付金

人件費の学生生徒等納付金に対する割合を示す比率である。

一般的に、人件費は学生生徒等納付金の範囲内に収まることが好ましいとされており、人件費依存率は100％未満が望ましいと考えられる。

令和3年度版『今日の私学財政』に基づき、大学法人（医歯系法人除く）、短期大学法人、高等学校法人の最近5年間の人件費依存率は、以下の通りである。

区　分	H28年度	H29年度	H30年度	R1年度	R2年度
大学法人（医歯系法人除く）	72.8%	71.9%	70.9%	70.8%	69.6%
短期大学法人	97.9%	101.7%	102.3%	106.8%	106.9%
高等学校法人	117.8%	119.3%	119.4%	123.4%	120.3%

大学法人（医歯系法人除く）は70％前後であるが、短期大学法人は100％近い水準であり学生生徒等納付金がほとんど人件費に充当されていることになる。

また、高等学校法人については、大学法人等と比較すると手厚い助成があるため、補正人件費依存率が利用される。

当該比率は人件費依存率の分母に補助金を加算するものであり、人件費÷（学生生徒等納付金＋補助金）で計算される。令和3年度版『今日の私学財政』高等学校・中学校・小学校編198ページ　5ヵ年連続財務比率表によると、高等学校法人の補正人件費依存率の推移は、以下の通りである。

H28年度	H29年度	H30年度	R1年度	R2年度
72.3%	72.5%	72.6%	73.2%	72.0%

② **基本金組入後収支比率**

(算出方法) 事業活動支出÷(事業活動収入－基本金組入額)

事業活動支出の、基本金組入後の事業活動収入に対する割合を示す比率であり、この比率が100%のときに事業活動収支は均衡している。

ただし、事業活動収入は基本金組入により大きく左右され、多額の施設の取得等があった年度ではこの比率が著しく高くなることに留意する必要がある。

令和3年度版『今日の私学財政』に基づき、大学法人(医歯系法人除く)、短期大学法人、高等学校法人の最近5年間の基本金組入後収支比率は、以下の通りである。

区　分	H28年度	H29年度	H30年度	R1年度	R2年度
大学法人(医歯系法人除く)	107.8%	106.5%	107.0%	107.0%	105.8%
短期大学法人	110.2%	110.5%	116.2%	111.4%	112.8%
高等学校法人	106.8%	108.2%	107.3%	109.3%	106.1%

これを見る限り、いずれの法人も事業活動支出を基本金組入額控除後の事業活動収入の範囲内で賄うことはできず100%を超えている。基本金組入は年度ごとに変動するため、事業活動収支の均衡は中長期的な目標とならざるを得ないが、100%を大幅に超える状況が継続している場合は留意が必要である。

③ **教育活動収支差額比率**

(算出方法) 教育活動収支差額÷教育活動収入計

学校法人本来の教育研究活動の結果である教育活動収支差額が、教育活動収入に占める割合である。人件費や経費等の経常的な事業活動支出は、学生

生徒等納付金といった経常的な事業活動収入で賄われるべきであり、当該比率がマイナスとなることは、好ましいことではない。また、教育収支差額が大きいほど、施設設備等の取得の原資や借入金返済の財源が大きくなるため、当該比率は高い方が望ましい。

令和3年度版『今日の私学財政』に基づき、大学法人（医歯系法人除く）、短期大学法人、高等学校法人の最近5年間の教育活動収支差額比率は、以下の通りである。

区　分	H28年度	H29年度	H30年度	R1年度	R2年度
大学法人（医歯系法人除く）	2.7%	2.4%	3.0%	2.6%	3.0%
短期大学法人	1.1%	－2.8%	－3.3%	－6.3%	－3.5%
高等学校法人	1.5%	0.4%	0.7%	－0.8%	1.2%

大学法人（医歯系法人除く）は3％程度、短期大学法人は-3％程度、高等学校法人は1％前後で推移している。

④ **経常収支差額比率**

（算出方法）経常収支差額÷経常収入

臨時的な収支を除いた経常的な収支差額の経常収入に対する割合を示す比率である。

令和3年度版『今日の私学財政』に基づき、大学法人（医歯系法人除く）、短期大学法人、高等学校法人の最近5年間の経常収支差額比率は、以下の通りである。

区　分	H28年度	H29年度	H30年度	R1年度	R2年度
大学法人（医歯系法人除く）	4.1%	3.9%	4.5%	4.2%	4.6%
短期大学法人	2.4%	－1.3%	－1.9%	－4.5%	－1.7%
高等学校法人	2.0%	1.0%	1.2%	－0.2%	1.8%

いずれの法人でも、教育活動収支差額比率より経常収支差額比率が改善している。また、いずれにおいても、借入金等利息の負担はそれほど大きくなく、それ以上に資産運用収入を計上している傾向が見受けられる。

令和２年度における受取利息・配当金と借入金等利息の状況は、以下の通りである。

(単位：百万円)

区　分	受取利息・配当金	借入金等利息	差　引
大学法人（医歯系法人除く）合計	61,622	5,586	56,036
短期大学法人合計	2,211	314	1,897
高等学校法人合計	6,471	3,137	3,334

なお、参考までに令和２年度における大学法人（医歯系法人除く）、短期大学法人、高等学校法人の運用資産（現金預金、有価証券、特定資産）合計及び運用資産に対する利回り（受取利息・配当金÷運用資産）を示すと、以下の通りである。

(単位：百万円)

区　分	受取利息・配当金	運用資産	運用利回り
大学法人（医歯系法人除く）合計	61,622	7,905,999	0.78%
短期大学法人合計	2,211	298,777	0.74%
高等学校法人合計	6,471	1,203,401	0.54%

Column コラム4　公的研究費ガイドライン改正への対応

　「研究機関における公的研究費の管理・監査のガイドライン（実施基準）（以下、「ガイドライン」という）」は、文部科学省（または文部科学省が所管する独立行政法人）から配分される競争的資金を中心とした公募型の研究資金（以下、「競争的研究費等」という）について、配分先の機関（学校法人等）がそれらを適正に管理し、競争的資金の不適切な支出等、いわゆる研究費不正を防止するための必要な事項を示すことを目的として策定されたものである。ガイドラインの適用によって、学校法人等における競争的研究費等の管理・運用体制の整備が進み、その結果として研究費不正が大きく減少したのは周知の通りである。一方で、依然として毎年10件程度、研究費不正が認定され続けている。

　このような状況を踏まえて、文部科学省は、繰り返される研究費不正の要因が「不正防止のPDCAサイクルの形骸化」「不正防止意識の不徹底」「内部けん制の脆弱性」にあり、このような研究費不正を根絶すべく、令和3年2月に改めて、①ガバナンスの強化、②意識改革、③不正防止システムの強化、の3項目を柱とするガイドラインの再改正を行った。令和3年のガイドライン改正では、「ガバナンスの強化」として、不正根絶に向けた最高管理責任者のリーダーシップと役割の明確化、「意識改革」として、コンプライアンス教育・啓発活動による全構成員への不正防止意識の浸透、「不正防止システムの強化」として、監査機能の強化と不正を行える「機会」の根絶、が求められることになった。

　特に、「不正防止システムの強化」に関して、ガイドライン改正前は「公認会計士等の外部有識者を加えて内部監査を実施することが望まれる」という記載であったところ、令和3年のガイドライン改正によって「専門的な知識を有する者（公認会計士や他の機関で監査業務の経験のある者等）を活用して内部監査の質の向上を図る」という記載へと、公認会計士等の参画が要件化された。そのため、各学校法人においては、会計監査のみならず、公的研究費の管理・監査に対する内部監査においても公認会計士等との連携がより強く求められる点、留意する必要がある。連携の在り方としては、例えば、内部監査の計画・実施・報告（フォローアップ）それぞれの局面において公認会計士等の持つ専門的な知識を活用して内部監査の質の向上を図ることが考えられる。

　公的研究費の管理・監査に対する内部監査では、金額基準のみによって機械的検討対象となる取引を抽出・検証する等の実務が行われているケースも散見されるため、ガイドラインが求める"リスク・アプローチ"に基づく内部監査を真に実施できているか、これを機会に振り返ることも一案と考えられる。

第5章

貸借対照表の分析

1 貸借対照表の概要

(1) 貸借対照表の意義

貸借対照表は、年度末における学校法人の財政状態(財産の状態)を表示する計算書類であり、資産、負債、純資産(基本金、繰越収支差額に属する項目)を金額で表示している。

資産とは、教育研究活動に使用(運用)される学校法人の財産であり、負債とは、その財産の調達先のうち、将来返済しなければならない債務をいう。

純資産とは、会計的には資産の部と負債の部を控除した差額であり、基本金と繰越収支差額から構成される。基本金は学校法人が諸活動の計画に基づき必要な資産を継続的に保持するために維持すべきものとして事業活動収入から組み入れた金額であり、繰越収支差額は基本金組入後の事業活動収入の累計額と事業活動支出累計額の差額である。純資産は事業活動収入を源泉とするため、法人外部へ返済の必要のない学校法人に完全に帰属する資金総額をいう。

貸借対照表は財産の運用形態と資産を取得するための資金の調達源泉をまとめて一表にしたものであり、次の等式が成り立っている。

| 資産の部合計
(資金の運用状況) | ＝ | 負債の部合計＋純資産の部合計
(資金の調達源泉) |

また、この式を別の観点でみると、左側の資産の部合計は、学校法人として資金を何に使用してきたか(資金の運用状況)を示すものであり、右側の

負債の部合計＋純資産の部合計は、資産を取得するために必要な資金をどうやって調達してきたか（資金の調達源泉）を示すものということができる。
　したがって、学校法人における貸借対照表には、以下の２つの目的があるとされている。
　　・学校法人の財政状態が健全であるかどうかの情報を提供する
　　・教育研究のための必要な資産の保有状況を表示する

(2) **貸借対照表の記載方法**
　学校法人では、教育研究活動に必要な施設設備等の維持、充実に努める必要があり、主要な財産は校地、校舎、器具備品等といった固定資産から構成されていることから、固定性配列法が採用されている。すなわち、資産の部では固定資産、流動資産、負債の部においては固定負債、流動負債の順で表示される。
　流動と固定の区分は１年基準（ワン・イヤールール）が採用されている。すなわち、資産ならば貸借対照表日（学校法人の場合は３月31日と考えればよい）後１年以内に資金化ないし費用化されるものを流動資産、１年を超えて使用されるものを固定資産というように、貸借対照表日から１年という期間を基準に判断する方法である。

❷ 貸借対照表の記載項目

　貸借対照表に計上される科目とその内容を解説すると、以下の通りである。なお、貸借対照表に計上される科目とその内容は、基準別表第三　貸借対照表記載科目（第33条関係）を参照して記載している。

(1) **資産の部**
① **固定資産**
　固定資産は、有形固定資産、特定資産、その他の固定資産に区分される。

(i) 有形固定資産

有形固定資産とは、貸借対照表日後1年を超えて使用される資産をいう(なお、耐用年数が1年未満になっているものであっても使用中のものは有形固定資産に含まれる)。有形固定資産には以下の科目が含まれる。なお、ファイナンス・リース契約により取得した資産についても、原則として資産計上される。

科　目	解　説
土地	校舎や運動場等の敷地やその他学校法人が保有する用地をいう。
建物	校舎、図書館等の建物本体及び建物に附属する電気、給排水、暖房等の設備（建物附属設備）をいう。
構築物	プール、競技場、庭園等の土木設備又は工作物をいう。
教育研究用機器備品	教育研究活動のために使用する機械装置、工具・器具・備品をいう。 なお、少額のものについては、1年を超えて使用されるものであっても経費処理することができるが、少額重要資産[注]に該当するものは、個々の金額が少額であっても固定資産に計上する必要がある。
管理用機器備品	機器備品のうち教育研究活動以外に使用するものをいう。
図書	長期間にわたり保管し使用することが予定される書籍・雑誌、さらにはテープ、レコード、フィルム、CD、DVD等の図書と類似の役割を有する資料をいう。 図書は取得価額の多寡を問わず、すべて固定資産として処理される。 ただし、学習用図書や事務用図書等、通常その使用期間が短期間であると予想される図書は、取得年度の経費として処理することができる。
車両	乗用車、バス等の自動車、自転車、フォークリフト等をいう。
建設仮勘定	建設中又は製作中の有形固定資産をいい、工事前払金、手付金等を含む。

注：少額重要資産とは、学校法人の性質上基本的に重要な資産（学生生徒等の机、椅子、ロッカー、図書館等における書架等、教育研究上基本的に重要な資産）であり、その目的遂行上常時相当多額に保有していることが必要とされる資産をいう。

有形固定資産のうち、建物、構築物、教育研究用機器備品、管理用機器備品、車両については、時の経過により価値が減少するものであるため減価償却を行う。

　なお、図書は原則として減価償却は行わないが、例外的に除却処理が困難な場合は総合償却による減価償却を行うことが認められる（「図書の会計処理について（報告）」について（通知）昭和47年11月14日雑管第115号）。

(ⅱ) 特定資産

　使途が特定された預金や有価証券等をいい、第2号基本金引当特定資産、第3号基本金引当特定資産の他、退職給与引当特定資産、施設設備拡充引当特定資産等が該当する。

　例えば、以下のような科目が該当する。

科　目（例示）	解　説
第2号基本金引当特定資産	新たな学校の設置、既設の学校の規模の拡大若しくは教育の充実向上のために将来取得する固定資産の取得に充てる金銭その他の資産であり、第2号基本金の組入対象となるものをいう。
第3号基本金引当特定資産	基金として継続的に保持し、かつ運用する金銭その他の資産であり、第3号基本金の組入対象となるものをいう。
退職給与引当特定資産	将来の退職金支出に備えて留保した金銭その他の資産をいう。
施設拡充引当特定資産	将来の施設拡充のための支出に備えて留保した金銭その他の資産をいう。
減価償却引当特定資産	保有する減価償却資産の更新時の支出に備えて留保した金銭その他の資産をいう。施設設備の更新資金を留保する効果のある減価償却額に基づき、計上するのが一般的と思われる。

　留保される資産としては、定期預金、貸付信託、金銭信託、国債、公社債等が一般的である。ただし、将来の支出に備えて留保する資産という性格上、元本保証のない資産を特定資産とする場合には、慎重な検討が必要である。

(iii) その他の固定資産

　固定資産のうち有形固定資産、特定資産以外のものをいう。その他の固定資産には借地権、電話加入権、施設利用権、ソフトウェア等の無形固定資産及び有価証券、収益事業元入金、長期貸付金等の投資等を目的とする資産が含まれる。

科　目（例示）	解　説
借地権	所有していない土地を長期間利用するために有償で取得した賃借権・地上権をいう。
電話加入権	専用電話、加入電話等の設備に要する負担金額をいう。
施設利用権	電気、ガス、水道等の供給を受けるために支払う負担金等をいう。その他、建物等を賃借する場合に支払う権利金をこの科目に含めている場合もある。
ソフトウェア	「コンピュータを機能させるように指令を組み合わせて表現したプログラム及びこれに関連する文書」をソフトウェアという。ソフトウェアはその利用により将来の将来の収入獲得又は支出削減が確実であると認められる場合は資産計上を行う。
有価証券	長期に保有する有価証券をいう。 有価証券とは、金融商品取引法第2条に定める財産権を表象する証券であり、具体的には国債、地方債、社債、株券、金融債、証券投資信託または貸付信託の受益証券等があげられる。
収益事業元入金	収益事業に対する元入額をいう。
長期貸付金	貸付金のうちその期限が貸借対照表日から1年を超えて到来するものをいう。

② 流動資産

　流動資産に属する科目としては、以下がある。

科　目（例示）	解　説
現金預金	現金及びいつでも引き出し可能な預貯金をいう。
未収入金	学生生徒等納付金、資産の売却代金等で期末日現在未回収となっているものをいう。
貯蔵品	消耗品等で貸借対照表日で未使用のものを計上する場合には貯蔵品という科目で計上する。 減価償却の対象となる長期的な使用資産を除く。
短期貸付金	その期限が貸借対照表日後1年以内に到来するものをいう。
有価証券	一時的に保有する有価証券をいう。

(2) **負債の部**

　負債とは、資金の調達源泉の中の外部資金をいい、支払義務や役務の提供義務等が確定している法律上の確定債務と、引当金のように法律的には必ずしも債務として確定してはいないが、将来における資産の減少や役務の提供を求められるもの（以下本書では、「会計上の負債」という）が該当する。

① **固定負債**

　負債のうち、返済ないし支払の期限が貸借対照表日後1年を超えて到来するものを固定負債として計上する。

科　目（例示）	解　説
長期借入金	借入金のうち、その期限が貸借対照表日後1年を超えて到来するものをいう。
学校債	学校法人が資金調達するために発行した債券で、その期限が貸借対照表日後1年を超えて到来するものをいう。
長期未払金	未払金のうち、その期限が貸借対照表日後1年を超えて到来するものをいう。例えば、ファイナンス・リース取引の未払金等が該当する。
退職給与引当金	教職員の退職給与の支給に備えるため計上される引当金をいう。

② 流動負債

負債のうち、返済ないし支払の期限が貸借対照表日後1年以内に到来するものを流動負債として計上する。

科　目（例示）	解　説
短期借入金	その期限が貸借対照表日後1年以内に到来するものをいい、資金借入れのために振り出した手形上の債務を含む。
1年内償還予定学校債	その期限が貸借対照表日後1年以内に到来する学校債をいう。
手形債務	物品の購入のために振り出した手形上の債務をいう。
未払金	固定資産等の物品や業務委託等による用役・役務の提供を受けた場合の代金の未払額をいう。
前受金	翌年度の入学生に係る入学金、授業料その他の学生生徒等納付金の受入額が主なものである。学生生徒等納付金以外でも、代金は受け入れたがそれに見合う役務を提供していない場合は前受金として計上する。
預り金	教職員の源泉所得税、社会保険料等の預り金をいう。

(3) 基本金
① 基本金の意義

基本金とは、学校法人が、その諸活動の計画に基づき必要な資産を継続的に保持するために維持すべきものとして、その事業活動収入のうちから組み入れた金額をいう。

(i)「その諸活動の計画に基づき必要な資産」とは

学校法人の基本的諸活動である教育研究活動に必要な資産をいう。ただし、教育研究活動に直接使用する資産は広く解釈し、例えば法人本部施設・教職員の厚生施設等も基本金組入れの対象の資産となる。

(ii)「継続的に保持」とは

ある資産が提供するサービス又はその資産の果たす機能を永続的に利用す

る意思を持って、法人がその資産を所有することをいう。したがって、「諸活動の計画に基づき必要な資産」であっても、当該資産を取得した時点で将来取替更新する必要がないことが明らかな資産は、基準にいう「継続的に保持する」に該当しない。なお、継続的保持の判断に当たっては、次の点が前提とされている。

- ・私学振興助成法第3条では、学校法人の責務として当該学校の教育水準の向上に努めなければならないものとしており、教育水準の低下を来たすような資産の処分は適当ではない。また一時的に教育水準の低下をもたらすことがあっても、速やかに元の水準に引き上げなければならない。
- ・学校法人がその運営を行うために、常に一定額以上の運転資金を保持していなければならない。

(iii) 「その事業活動収入から組み入れた」とは

基本金とは、事業活動収入のうちで学校法人の永続的維持のために必要不可欠となる資産の源泉収入を事業活動支出に充当させないための貸方勘定である。

学校法人は、事業活動収入又は借入以外に資金調達の手段がないが、財務安全性の観点からは資金の源泉は事業活動収入を中心とし、借入れは最低限にとどめるべきと考えられる。そのため、まずは、事業活動収入から維持すべき資産の取得資金を確保した上で、事業活動支出に充てるべきというのが基本的な考え方である。

② **基本金の組入れ**

学校法人は、次に掲げる金額に相当する金額を、基本金に組み入れるものとする。

(i) 第1号基本金

学校法人が設立当初に取得した固定資産で、教育の用に供されるものの価額または新たな学校の設置若しくは既設の学校の規模の拡大若しくは教育の充実向上のために取得した固定資産の価額を組み入れたものが、第1号基本金である。これを図で示すと、図表5-1の通りである。

図表5－1　第1号基本金組入対象資産の内容

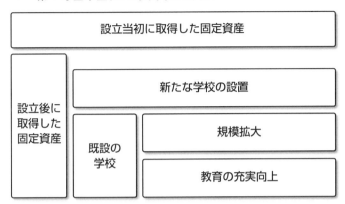

　学校法人が第1号基本金組入対象資産を、借入金・未払金等により取得した場合、これらに相当する金額は、基本金に組み入れず未組入とする。
　借入金や未払金を返済又は支払いを行った会計年度に、返済額ないし支払額を第1号基本金に組み入れる。
(ⅱ)　第2号基本金
　学校法人が、新たな学校の設置又は既設の学校の規模の拡大若しくは教育の充実向上のために、将来取得する固定資産の取得に充てる金銭その他の資産の額を組み入れたものが第2号基本金である。
　第2号基本金の組入対象資産とは、第1号基本金組入対象資産の取得原資となることが計画されている金銭その他の資産の額であり、当該資産は資産の部、固定資産の特定資産において第2号基本金引当特定資産として計上される。
　持続的な事業活動収支の均衡を図る観点から、将来高額な固定資産を取得しようとする場合、取得年度に基本金組入れが集中することがないよう取得年度に先行して年次的・段階的に基本金組入れを行うことにより、基本金組入れを平準化することが第2号基本金の趣旨である。
　したがって、第2号基本金の組入れは、固定資産の取得に係る基本金組入

計画に従い行うものとする。また、組入計画は、理事会・評議員会（評議員会が決議機関である場合）の決議が必要である。

(iii)　第3号基本金

基金として継続的に保持し、かつ、運用する金銭その他の資産の額を基本金に組み入れたものが第3号基本金である。

元本を継続的に保持運用することにより生じる果実を教育研究活動に使用するために、寄付者の意思または学校法人独自で設定した奨学基金、研究基金、海外交流基金等が、第3号基本金の組入対象資産となる。これらの基金は、寄付者または学校法人の意思によって、継続的に特定の事業目的のために基金の運用果実をもって運用されなければならないものであるため、基本金組入対象資産とされる。

第3号基本金に係る基金は、その主たる財源が特別寄付金以外の収入である場合にあっては、長期的観点からその形成を図ることとし、その基本金組入れは組入計画に従って、年次的・段階的に行う必要がある。また、組入計画は、理事会・評議員会（評議員会が決議機関である場合）の決議が必要である。

(iv)　第4号基本金

恒常的に保持すべき資金として別に文部科学大臣の定める額を組み入れたものが第4号基本金である。

ここでいう文部科学大臣が定める額とは、高私参第9号「「恒常的に保持すべき資金の額について」の改正について（通知）」（平成25年9月2日）の別添「学校法人会計基準第30条第1項第4号に規定する恒常的に保持すべき資金の額について（平成25年9月2日最終改正）」において定められており、その内容を要約すると図表5－2の通りである。図表5－2におけるEの金額を12で除した金額Fが該当するが、100万円未満の端数があるときは端数金額を切捨て可能である。

図表5-2　恒常的に保持すべき資金の額の計算過程

前年度の事業活動収支計算書の決算額		
教育活動収支	人件費（退職給与引当金繰入額、退職金を除く）	A
教育活動収支	教育研究経費（減価償却額を除く）	B
教育活動収支	管理経費（減価償却額を除く）	C
教育活動外収支	借入金等利息	D
合計（A＋B＋C＋D）		E
恒常的に保持すべき資金の額		F＝E÷12

　なお、当該計算額が前年度の保持すべき資金の額を下回るときは、その差額を取崩しの対象としなければならないが、以下の特例がある。
　特例の内容を整理すると、以下の通りである。
ア．上記算定式による計算額をA、前年度の保持すべき資金の額をBとした場合、B×0.8≦A＜Bとなっていれば、Bをもって当年度の保持すべき資金の額とし、第4号基本金は取り崩さない。
イ．B＜A≦B×1.2の場合は、Bをもって当年度の保持すべき資金の額とすることができる。

③ 基本金の取崩し

　学校法人は、以下に該当する場合は、その額の範囲内で基本金を取り崩すことができる（基準第31条）。

- その諸活動の一部又は全部を廃止した場合、その廃止した諸活動に係る基本金への組入額
- 経営の合理化により、第1号基本金組入対象固定資産を保有する必要がなくなった場合のその固定資産の価額
- 第2号基本金組入対象資産を将来取得する固定資産の取得に充てる必要がなくなった場合のその金銭その他の資産の額
- その他やむをえない事由がある場合の、その事由に係る基本金への組入額

(4) 繰越収支差額の部

　繰越収支差額は、各事業年度の事業活動収入から事業活動支出を控除した当年度収支差額及び基本金取崩額の累計であり、事業活動収支計算書の末尾となる翌年度繰越収支差額と一致する。

❸ 貸借対照表の財務分析

(1) 貸借対照表に対する財務分析の目的

　貸借対照表に対する財務分析は、財務安全性に関する判断を目的として行われる。財務安全性とは負債の返済を含めた支出と収入のバランスが取れているかであり、活動区分資金収支計算書は当年度あるいは当年度以前の資金収支の実績からこれを判断する。一方、貸借対照表では将来支払いが必要となる負債に対し、その財源としての資産が十分保有されているかという観点から財務安全性を判断することになる。例えば、以下のような観点で貸借対照表を検討することが必要である。

・資産と負債の差額である純資産が過小となっていないか
・負債が過大となっていないか
・短期的に支払いが必要となる流動負債に対し、短期的に資金化される流動資産が十分保有されているか
・短期的な資金化が困難な有形固定資産の財源が、流動負債で調達されていないか

(2) 事業団の財務比率

　事業団は、『今日の私学財政』において事業団が考案した貸借対照表に関する財務比率を公表している。

　貸借対照表について、固定資産構成比率、有形固定資産構成比率、特定資産構成比率、流動資産構成比率、固定負債構成比率、流動負債構成比率、内部留保資産比率、運用資産余裕比率、純資産構成比率、繰越収支差額構成比

率、固定比率、固定長期適合率、流動比率、総負債比率、負債比率、前受金保有率、退職給与引当特定資産保有率、基本金比率、減価償却比率、積立率の20の財務比率が公表されている。

　本書ではこれを参考に、貸借対照表の財務分析において有用と考えられる財務比率について、以下で解説する。比率の解釈等は筆者の私見である。

　なお、従来より事業団では貸借対照表に関する財務比率をいくつかの観点で分類していた。本書も、自己資金の充実度合いを評価する比率、固定資産の調達源泉の適切性を把握するための比率、資産構成の特徴を把握するための比率、負債に備えるだけの資産の蓄積度合いを把握するための財務比率、負債の水準の適切性を把握するための財務比率、将来の支出に備えて保有すべき資産の保有状況を把握するための財務比率に分類して解説することとする。

(3) 自己資金の充実度合いを評価する指標

　公益性の高い学校法人においては、可能な限り借入れに依存せず自己資金、すなわち事業活動収入を財源として支出を行うことが望ましい。その意味で純資産が充実しているかどうかを評価することが財務分析上重要である。

① 純資産構成比率

　（算出方法）純資産÷（負債＋純資産）

　基本金と事業活動収支差額の合計である純資産が負債・純資産合計に占める割合を示す比率である。

　純資産は、外部返済の必要のない法人に完全に帰属する資金の総額を示すものであり、この比率が高ければ財務安全性が高いといえる。

　令和3年度版『今日の私学財政』に基づき、大学法人（医歯系法人除く）、短期大学法人、高等学校法人の最近5年間の純資産構成比率は、以下の通りである。

区　分	H28年度	H29年度	H30年度	R1年度	R2年度
大学法人（医歯系法人除く）	87.6%	87.8%	87.8%	87.8%	87.9%
短期大学法人	88.3%	88.3%	88.4%	88.6%	88.9%
高等学校法人	84.5%	84.8%	85.1%	85.5%	85.5%

　これを見る限り90％近い純資産構成率となっており、一般的にこれらの学校法人では負債に依存しない経営を行っているように見受けられる。

② **繰越収支差額構成比率**

（算出方法）繰越収支差額÷（負債＋純資産）

　事業活動収支差額の負債・純資産合計に占める割合を示す比率である。

　繰越収支差額は設立以来の各年度の事業活動収支差額の累積である。学校法人においては、事業活動収支が均衡しているのが本来の姿であり、ゼロから大きくかけ離れている状態は検討の必要がある。

　特に、大きくマイナスとなっている場合には慢性的な資金不足の可能性が高い。

　令和３年度版『今日の私学財政』に基づき、大学法人（医歯系法人除く）、短期大学法人、高等学校法人の最近５年間の繰越収支差額構成比率は、以下の通りである。

区　分	H28年度	H29年度	H30年度	R1年度	R2年度
大学法人（医歯系法人除く）	－14.2%	－14.5%	－14.3%	－14.9%	－15.3%
短期大学法人	－15.3%	－16.2%	－16.7%	－18.1%	－19.6%
高等学校法人	－20.8%	－21.4%	－21.7%	－23.3%	－24.1%

　事業活動収支の均衡が達成されていれば、繰越収支差額構成比率は０に近い値を示すことになるが、現状は事業活動支出の累計が基本金組入額控除後の事業活動収入累計を超過している。また、事業活動収支計算書に係る財務

比率である基本金組入後収支比率が継続的に100％を超過しているため、大学法人及び短期大学法人においては、繰越収支差額比率のマイナスが年々拡大する傾向にある。

③ **基本金比率**

（算出方法）基本金÷基本金要組入額

基本金要組入額に対する組入済基本金の割合を示す比率であり、当該比率が高いほど基本金の未組入額が少ないことになる。

教育研究活動に必要な資産（基本金組入対象資産）を借入金や未払金で取得した場合、基本金組入を次年度以降に繰り延べなければならないため、この比率が低い場合は、施設設備の取得において負債に対する依存度が高いことになる。

令和３年度版『今日の私学財政』に基づき、大学法人（医歯系法人除く）、短期大学法人、高等学校法人の最近５年間の基本金比率は、以下の通りである。

区　分	H28年度	H29年度	H30年度	R1年度	R2年度
大学法人（医歯系法人除く）	97.3％	97.3％	97.3％	97.2％	97.2％
短期大学法人	97.1％	97.2％	97.5％	96.9％	97.1％
高等学校法人	95.9％	96.1％	96.3％	95.0％	95.0％

これを見る限り、基本金組入対象資産の取得額に対して２～５％程度基本金が未組入れとなっており、これらの法人では施設設備の取得に際し多額の負債に依存していないのが一般的のように見受けられる。

(4) **固定資産の調達源泉の適切性を把握するための財務比率**

施設設備の取得に資金を支出した場合、その回収には長期間を有することになる。このように資金を固定化してしまう施設設備の取得の財源は可能なかぎり返済を要しない自己資金によることが望ましい。したがって、固定資

産残高と財源となる貸借対照表の貸方項目との関係を見て、資金調達の源泉が適切か検討する必要がある。なお、学校法人の固定資産には特定資産が多額に計上されていることが多いことに留意して、固定比率や固定長期適合率を検討する必要がある。

① **固定比率**

（算出方法）固定資産÷純資産

固定資産の純資産に対する割合を示す比率である。

固定資産の購入資金は返済を要しない自己資金で賄うのが好ましく、当該比率は100％以下が望ましい。

しかし、現実には新規に大規模な設備投資を行う場合には、借入金によらざるをえない場合もあり100％を超えることも少なくない。

令和3年度版『今日の私学財政』に基づき、大学法人（医歯系法人除く）、短期大学法人、高等学校法人の最近5年間の固定比率は、以下の通りである。

区 分	H28年度	H29年度	H30年度	R1年度	R2年度
大学法人（医歯系法人除く）	98.9%	98.7%	98.8%	98.7%	98.2%
短期大学法人	95.3%	95.9%	95.5%	95.7%	95.7%
高等学校法人	101.5%	101.1%	100.9%	100.2%	99.3%

概ね100％近辺で推移しており、これらの法人では負債に依存することなく自己資金をもって固定資産の取得を行っているのが、一般的のように見受けられる。

② **固定長期適合率**

（算出方法）固定資産÷（純資産＋固定負債）

固定資産の長期資金に対する割合を示す比率である。

固定比率で述べた通り、固定資産の購入資金を自己資金のみで調達するのは困難なことが多いが、少なくとも固定負債で賄うことが望ましい。

したがって、この比率は100％以下であることが妥当であり、100％を超え

ている場合は、固定資産の一部を流動負債により賄っていることになるため、財務安全性の観点からは好ましくないとされる。

令和3年度版『今日の私学財政』に基づき、大学法人（医歯系法人除く）、短期大学法人、高等学校法人の最近5年間の固定長期適合率は、以下の通りである。

区　分	H28年度	H29年度	H30年度	R1年度	R2年度
大学法人（医歯系法人除く）	91.5%	91.6%	91.7%	91.5%	91.2%
短期大学法人	88.9%	89.4%	89.0%	89.3%	89.6%
高等学校法人	91.7%	91.3%	91.5%	91.2%	90.4%

これらの法人平均では、固定長期適合率100%以下を達成している。

(5) 資産構成の適切性を把握するための財務比率

学校法人が教育研究活動を行っていく上で、多額の有形固定資産を保有しなければならない。一方、財務安全性だけを考えると、すぐに資金化可能な流動資産を多く保有することが望ましく、資金を固定化させる施設設備は少ない方が良い。このバランスを考える上で以下の比率が参考となる。

なお、令和3年度版『今日の私学財政』に基づき、大学法人（医歯系法人除く）、短期大学法人、高等学校法人の最近5年間の資産構成を見ると、概ね固定資産の総資産に占める割合は85%程度、流動資産が同じく15%程度、総資産のうち有形固定資産は60%から65%程度と見受けられる。

① 固定資産構成比率

（算出方法）固定資産÷総資産

総資産に占める固定資産の割合を示す比率である。学校法人は、教育研究の水準を維持発展させるために多額の施設設備を保有する必要があるため、この比率が著しく高くなるのが特徴である。

一般にこの比率が高い場合、資金の固定化が進み流動性に欠けていると評

価される。逆に極端に低い場合は、減価償却が進んで簿価が小さくなっている有形固定資産が多く老朽化しているのではないかを検討する必要がある。

令和3年度版『今日の私学財政』に基づき、大学法人（医歯系法人除く）、短期大学法人、高等学校法人の最近5年間の固定資産構成比率は、以下の通りである。

区　分	H28年度	H29年度	H30年度	R1年度	R2年度
大学法人（医歯系法人除く）	86.7%	86.6%	86.8%	86.7%	86.3%
短期大学法人	84.1%	84.7%	84.5%	84.8%	85.1%
高等学校法人	85.8%	85.8%	85.8%	85.7%	84.9%

② 有形固定資産構成比率

（算出方法）有形固定資産÷総資産

有形固定資産の総資産に占める割合を示す比率である。

有形固定資産が、資産構成上バランスが取れたものであるかを評価する指標である。

学校法人は、教育研究等のために多額の施設設備等を必要とするため、この比率が高くなるのが通常であるが、収支規模等と比較して過剰な設備投資になっていないか十分な検討が必要である。

令和3年度版『今日の私学財政』に基づき、大学法人（医歯系法人除く）、短期大学法人、高等学校法人の最近5年間の有形固定資産構成比率は、以下の通りである。

区　分	H28年度	H29年度	H30年度	R1年度	R2年度
大学法人（医歯系法人除く）	61.2%	60.7%	59.9%	59.6%	59.1%
短期大学法人	60.2%	60.6%	59.8%	59.7%	59.7%
高等学校法人	66.0%	65.9%	65.6%	64.9%	64.4%

③ 特定資産構成比率

(算出方法) 特定資産÷総資産

特定資産の総資産に占める割合を示す比率である。

各種引当特定預金等の長期にわたって固定的に保持する資産の蓄積状況及び総資産におけるバランスを評価する指標である。

この比率が高いほど財政基盤が安定しており、学校法人運営を計画的に行うことができ、この比率が低いほど資産の蓄積が少なく、将来的な財政上の課題への計画的な対応が難しくなる。

令和3年度版『今日の私学財政』に基づき、大学法人(医歯系法人除く)、短期大学法人、高等学校法人の最近5年間の特定資産構成比率は、以下の通りである。

区　分	H28年度	H29年度	H30年度	R1年度	R2年度
大学法人(医歯系法人除く)	21.4%	21.7%	22.2%	22.4%	22.4%
短期大学法人	19.0%	18.9%	19.7%	20.0%	20.2%
高等学校法人	15.7%	15.9%	16.1%	17.0%	16.8%

④ 流動資産構成比率

(算出方法) 流動資産÷総資産

総資産に占める流動資産の割合を示す比率である。

通常、流動資産は現金預金及び短期的に資金化可能な資産から構成されているため、この比率が高い場合には資金流動性に富んでいると判断することができる。

令和3年度版『今日の私学財政』に基づき、大学法人(医歯系法人除く)、短期大学法人、高等学校法人の最近5年間の流動資産構成比率は、以下の通りである。

区　分	H28年度	H29年度	H30年度	R1年度	R2年度
大学法人（医歯系法人除く）	13.3%	13.4%	13.2%	13.3%	13.7%
短期大学法人	15.9%	15.3%	15.5%	15.2%	14.9%
高等学校法人	14.2%	14.2%	14.2%	14.3%	15.1%

⑤ **減価償却比率**

（算出方法）減価償却累計額÷減価償却資産取得価額

減価償却資産の取得価額に対する減価償却累計額の割合を示す比率であり、減価償却の実施状況あるいは進行状況を表す。

減価償却累計額は、減価償却によって留保された資金の総額を意味するため、この比率が高いほど内部留保が厚いと考えられる。

しかし、古くから保有している資産が多いことによりこの比率が高い場合もあり、その場合は学校法人の目的である教育研究活動の維持向上という点で問題はないか、検討の必要がある。

令和3年度版『今日の私学財政』に基づき、大学法人（医歯系法人除く）、短期大学法人、高等学校法人の最近5年間の減価償却比率は、以下の通りである。

区　分	H28年度	H29年度	H30年度	R1年度	R2年度
大学法人（医歯系法人除く）	49.6%	50.5%	51.5%	52.4%	53.2%
短期大学法人	52.3%	52.7%	53.2%	53.9%	54.5%
高等学校法人	49.7%	50.4%	51.1%	52.5%	53.5%

これらの法人全体で、年々比率は上昇傾向にあり、古くから保有している資産が増加傾向にあるように見受けられる。

第5章　貸借対照表の分析

(6) 負債に備えるだけの資産の蓄積度合いを把握するための財務比率

　資産のうち有形固定資産等は短期的に資金化することは困難なため、負債の支払いには現金預金、有価証券、これらを特定の目的のために振り替えた特定資産が充てられる。これらの資産を運用資産と呼んでおり、負債と比較して運用資産が多いほど財務安全性は高いと判断することができる。

① 内部留保資産比率

　（算出方法）（運用資産$^{(注)}$－総負債）÷総資産
　　注：運用資産＝現金預金＋特定資産＋有価証券

　運用資産から総負債を引いた金額が、資産規模に比してどの程度の水準かを評価する比率である。
　プラスが大きいほど運用資産の蓄積度が大きいことになるが、この比率がマイナスである場合は、蓄積された運用資産より総負債が上回っており、財政上の余裕度が少ないことを示す。
　令和3年度版『今日の私学財政』に基づき、大学法人（医歯系法人除く）、短期大学法人、高等学校法人の最近5年間の内部留保資産比率は、以下の通りである。

区　分	H28年度	H29年度	H30年度	R1年度	R2年度
大学法人（医歯系法人除く）	24.2%	24.8%	25.7%	26.1%	26.4%
短期大学法人	25.4%	25.0%	25.9%	26.2%	26.3%
高等学校法人	15.0%	15.6%	16.2%	17.6%	17.8%

　これらの法人全体では、運用資産が負債を上回っており実質的には無借金の状況にあるように見受けられる。

② 運用資産余裕比率

　（算出方法）（運用資産$^{(注1)}$－外部負債$^{(注2)}$）÷事業活動支出
　　注1：運用資産＝現金預金＋特定資産＋有価証券

注2:外部負債=総負債−(退職給与引当金+前受金)

　運用資産から外部負債を引いた金額が、事業活動支出の何倍かを示す比率である。

　この比率は運用資産から返済が必要な外部負債を差し引いた金額が、法人の1年間の支出規模に対してどの程度蓄積されたかを示す比率である。

　この比率が高いほど支出規模に対して資金蓄積が良好であるといえる。

　令和3年度版『今日の私学財政』に基づき、大学法人(医歯系法人除く)、短期大学法人、高等学校法人の最近5年間の運用資産余裕比率は、以下の通りである。

区　分	H28年度	H29年度	H30年度	R1年度	R2年度
大学法人(医歯系法人除く)	1.8年	1.9年	1.9年	1.9年	2.0年
短期大学法人	1.8年	1.7年	1.8年	1.8年	1.8年
高等学校法人	0.9年	0.9年	1.0年	1.0年	1.1年

　これで見ると、外部に対する負債をすべて返済した後でも、運用資産によって平均的な大学法人及び短期大学法人ではおよそ2年、高等学校法人では1年程度は維持できるものと見受けられる。

③ 流動比率

　(算出方法) 流動資産÷流動負債

　流動負債に対する流動資産の割合を示す比率であり、短期的な支払能力を判断する重要な指標である。

　ただし、学校法人においては、現金預金による支払いを必要とする外部負債とは性質を異にする前受金が期末では多額に流動負債に計上される。また、預金や有価証券を特定資産に振り替えていることも多く、流動資産が少ないからといって支払いに充てる資金が不足しているとはいえない場合も多い。このような学校法人の特性、特に年度末の状況を考慮しないと判断を誤る可

能性がある。

　令和3年度版『今日の私学財政』に基づき、大学法人（医歯系法人除く）、短期大学法人、高等学校法人の最近5年間の流動比率は、以下の通りである。

区　分	H28年度	H29年度	H30年度	R1年度	R2年度
大学法人（医歯系法人除く）	252.2%	248.3%	246.6%	251.8%	256.6%
短期大学法人	298.6%	288.9%	304.0%	299.8%	294.0%
高等学校法人	221.8%	234.1%	228.5%	237.5%	247.2%

　企業においても流動比率は重視されており、200%以上であることが1つの目安となっているが、大学法人で250%程度、短期大学法人で290%程度、高等学校法人で240%程度とほぼクリアしている。

④ **前受金保有率**

　（算出方法）現金預金÷前受金

　翌年度の事業活動収入となる前受金に相当する資金が年度末に保有されているかをみる比率である。

　前受金は、翌年度の教育研究活動に係る支出に充てるべきものであり、年度末においては全額未使用のはずである。したがって、当該比率は少なくとも100%以上でなければならない。

　令和3年度版『今日の私学財政』に基づき、大学法人（医歯系法人除く）、短期大学法人、高等学校法人の最近5年間の前受金保有率は、以下の通りである。

区　分	H28年度	H29年度	H30年度	R1年度	R2年度
大学法人（医歯系法人除く）	345.8%	354.2%	348.7%	348.8%	358.5%
短期大学法人	488.0%	496.4%	505.6%	522.7%	537.8%
高等学校法人	564.7%	591.1%	590.7%	645.6%	707.9%

概ね大学法人では前受金の3倍、短期大学法人では5倍、高等学校法人では7倍の現金預金残高を有しているため、特に大きな問題は生じていないように見受けられる。

⑤ **退職給与引当特定資産保有率**

（算出方法）退職給与引当特定資産÷退職給与引当金

退職給与引当金に見合う資産を、引当特定預金あるいは資産としてどの程度保有しているかを示す比率であり、高い値を示すほど退職給与の支払原資が確保されていることになるため好ましいと考えられる。

ただし、退職給与引当金の計上の方法は、採用している退職金制度により異なるため、統計値とそのまま比較すると判断を誤るおそれがある。

令和3年度版『今日の私学財政』に基づき、大学法人（医歯系法人除く）、短期大学法人、高等学校法人の最近5年間の退職給与引当特定資産保有率は、以下の通りである。

区　分	H28年度	H29年度	H30年度	R1年度	R2年度
大学法人（医歯系法人除く）	69.2%	69.9%	71.2%	72.1%	72.1%
短期大学法人	58.2%	58.3%	59.3%	59.9%	61.6%
高等学校法人	73.9%	72.4%	67.8%	71.5%	71.9%

(7) **負債の水準の適切性を把握するための財務比率**

学校法人においても、支払能力を超えた過大な負債を負えば倒産という状況に陥る。そのようなことがないよう負債の水準が適切かどうかを判断するための指標となるのが、以下の比率である。

① **固定負債構成比率**

（算出方法）固定負債÷（負債＋純資産）

負債、純資産合計に占める固定負債の割合を示す比率である。

資金の調達は、償還又は支払いを要する負債より自己資金である事業活動

収入に依ることが好ましいため低い方がよい。ただし、流動負債構成比率が高いために、結果として固定負債構成比率が低くなっているかどうかは留意が必要である。

令和3年度版『今日の私学財政』に基づき、大学法人（医歯系法人除く）、短期大学法人、高等学校法人の最近5年間の固定負債構成比率は、以下の通りである。

区　分	H28年度	H29年度	H30年度	R1年度	R2年度
大学法人（医歯系法人除く）	7.1%	6.8%	6.8%	6.9%	6.8%
短期大学法人	6.4%	6.4%	6.5%	6.3%	6.0%
高等学校法人	9.0%	9.1%	8.7%	8.5%	8.4%

② 流動負債構成比率

（算出方法）流動負債÷（負債＋純資産）

負債、純資産合計に占める流動負債の割合を示す比率である。

財務安全性の観点からは資金調達は、純資産、固定負債、流動負債の順に好ましいと考えられるため、この比率が低い方が好ましい。ただし、事業年度末は前受金が多額に計上されている時期であることを考慮しておく必要がある。

令和3年度版『今日の私学財政』に基づき、大学法人（医歯系法人除く）、短期大学法人、高等学校法人の最近5年間の流動負債構成比率は、以下の通りである。

区　分	H28年度	H29年度	H30年度	R1年度	R2年度
大学法人（医歯系法人除く）	5.3%	5.4%	5.4%	5.3%	5.3%
短期大学法人	5.3%	5.3%	5.1%	5.1%	5.1%
高等学校法人	6.4%	6.1%	6.2%	6.0%	6.1%

③ 総負債比率

（算出方法）総負債÷総資産

負債総額の総資産に占める割合を示す比率であり、総資産のうちどの程度が負債により資金調達されたものであるかを表している。

財務安全性の観点から、資金の調達源泉は負債に依存せず可能な限り自己資金で賄うことが望ましいため、この比率は低い方が望ましい。なお、この比率が100％を超えると純資産がマイナスの状態（いわゆる債務超過）となるため、100％に近い値を示す場合は、早急に対策が必要となる。

令和3年度版『今日の私学財政』に基づき、大学法人（医歯系法人除く）、短期大学法人、高等学校法人の最近5年間の総負債比率は、以下の通りである。

区　分	H28年度	H29年度	H30年度	R1年度	R2年度
大学法人（医歯系法人除く）	12.4%	12.2%	12.2%	12.2%	12.1%
短期大学法人	11.7%	11.7%	11.6%	11.4%	11.1%
高等学校法人	15.5%	15.2%	14.9%	14.5%	14.5%

概ね10％から15％の範囲内にあり、また退職給与引当金のような必ず計上を求められる負債があることを考えると、現時点ではこれらの学校法人全体としては有利子負債に大きく依存しない状況にあると見受けられる。

④ 負債比率

（算出方法）総負債÷純資産

負債総額と純資産の関係を示す比率である。

当該比率が100％以上の場合、純資産に見合う資産を全て処分しても負債を全額返済できない状態のため好ましくない。

令和3年度版『今日の私学財政』に基づき、大学法人（医歯系法人除く）、短期大学法人、高等学校法人の最近5年間の負債比率は、以下の通りである。

区　　分	H28年度	H29年度	H30年度	R1年度	R2年度
大学法人（医歯系法人除く）	14.2%	13.9%	13.9%	13.8%	13.8%
短期大学法人	13.3%	13.3%	13.1%	12.9%	12.5%
高等学校法人	18.3%	17.9%	17.6%	17.0%	17.0%

　これらの学校法人においては純資産構成比率が85％程度であり、総資産と純資産の金額に大きな相違がないため、負債比率も総負債比率と同様の傾向を示している。

(8) 将来の支出に備えて保有すべき資産の保有状況を把握するための財務比率
■ 積立率
　（算出方法）　　運用資産　÷　要積立額
　　　　　　　　　運用資産　＝　現金預金　＋　特定資産　＋　有価証券
　　　　　　　　　要積立額　＝　減価償却累計額　＋　退職給与引当金　＋
　　　　　　　　　第2号基本金　＋　第3号基本金

　将来の施設設備の取替更新、退職金の支払等に備えて保有しておくべき資産の保有状況を示す比率である。第2号基本金及び第3号基本金はこれに見合う金額を特定資産として計上する必要があるため、結果として減価償却累計額と退職給与引当金に見合う運用資産が保有されているかを示すものとなる。
　令和3年度版『今日の私学財政』に基づき、大学法人（医歯系法人除く）、短期大学法人、高等学校法人の最近5年間の積立率は、以下の通りである。

区　分	H28年度	H29年度	H30年度	R1年度	R2年度
大学法人（医歯系法人除く）	78.9%	78.6%	79.3%	78.5%	78.0%
短期大学法人	76.6%	74.5%	74.4%	72.5%	70.8%
高等学校法人	68.1%	66.8%	66.4%	65.1%	64.0%

　これらの学校法人のうち、短期大学法人及び高等学校法人においては積立率が年々下落傾向にあり、減価償却累計額と退職給与引当金に見合う運用資産の保有割合が低下しているように見受けられる。

コラム5　Afterコロナ、Withコロナの働き方

　新型コロナウイルス感染拡大防止や働き方の多様化の実現のため、民間企業を中心にテレワークが推進されている。この動きは教育業界にも波及しており、東北大学や名古屋大学ではテレワーク宣言を行い、大学全体で取り組みを進めている。テレワークに関して、学校法人においては、オンライン講義の導入といった教育面の取り組みが先行している反面、経理・人事・総務といった事務においては、まだまだ導入検討がこれからという印象である。

　「テレワーク」とは「tele＝離れた所」と「work＝働く」を合わせた造語で、「情報通信技術（ICT＝Information and Communication Technology）を活用した、場所や時間にとらわれない柔軟な働き方のこと」（一般社団法人日本テレワーク協会、https://japan-telework.or.jp/tw_about/）をいう。在宅勤務のみならず、コワーキングスペースでの就業や移動中のモバイルワーク等を含み、これまでの職員全員が1つの就業場所に集まる働き方とは異なるものである。

　テレワークを導入するためには、単に専用の端末やオンライン環境を整備・構築するだけでは不十分であり、「パソコンで実施できる仕事が一部に限られ、結局出社せざるを得ない」状況となりかねず、効果が限定的となってしまう。継続的に運用するためには「書面、押印、対面」を原則とした制度・慣行・意識からの転換が必要であり、検討課題は多岐にわたる。そのため実現したい施策別に、技術・運用の両面で整備すべき事項をリストアップすることが有効である。

施策別の整備すべき事項例

施策（案）	実現したいこと	技術整備	運用整備
在宅勤務環境整備	■変則勤務 ■災害・感染症対策等での出勤できない場合の業務継続（BCP）	■在宅勤務用仮想環境（VDI環境） ■仮想専用線（VPN） ■ルータ・携帯電話 ■ビデオ会議アプリケーション ■ノート型パソコン	※特定個人情報・要配慮個人情報を含む業務は除外 ■人事規則の改訂 　※電子的な勤怠管理の確立
課外業務支援	■出張先での勤務、コミュニケーション ■設計図等の紙資料が大量に必要となる現場作業→"直行・直帰"を可能にする		■業務プロセスの見直し ■在宅勤務を前提にしたBCP改訂 ■ガイドライン（働き方・セキュリティ） ■在宅・庁外勤務サポートデスク
フリーアドレス	■いわゆるプロジェクト型の業務推進 ■スペースの効率的な利用	■無線LAN ■ノート型パソコン	■人事規則の改訂 　※電子的な勤怠管理の確立

新しいコミュニケーション	■自宅からの各種申請・支払 ■契約・請求などのオンライン対応	■システムを活用した電子化による契約書押印省略 ■キャッシュレスの活用	■各種規程の改訂 ■業務プロセスの見直し
人に依存しない業務	■煩雑な単純作業の自動化 ■自動応答 ■設備・建築物等の自動監視	■RPA ■システム再構築（クラウド化） ■AIチャットボット ■IoT（各種センサー）、ドローン	■業務プロセスの見直し
徹底的なペーパレス	■上記施策を実現することを阻害する紙の撤廃	■上記、技術に加え文書管理システム	■文書・収納規程の改訂 ■業務プロセスの見直し

　技術整備にはICT関連投資予算が少なからず必要であり、管理職や経営者層がテレワーク導入の必要性を理解し、経営資源を振り分けていく意思決定が不可欠である。コロナ禍でテレワークを支援する様々なサービスや技術が登場しているが、実現したいことを明確にし、効率的に投資を行う必要がある。

　運用整備にあたっては、単に書面をデータに置き換えるだけでなく、従来の「書面、押印、対面」を原則とした業務フローそのものを抜本的に見直す必要がある。そして見直す対象となる業務は１つの部署で完結するものもあるだろうが、多くは複数部署に波及する業務ではないだろうか。調達関連業務を例にとって考えてみれば、発注申請する原局、調達方法を検討する契約担当、伝票起票や支払事務を行う経理、備品であれば備品管理のための管財担当と、３つ、あるいは４つの部署の関与が想定できる。そのため部署の垣根を超えたワーキンググループを組成し、短期的・集中・戦略的に対応することが有効である。

　大学事務を取り巻く外部環境はAfterコロナ、Withコロナに向かって変化しており、大学職員の働き方も社会に合わせて変革していくことを検討してはどうだろうか。

第6章

財務分析のケーススタディ

《演習問題1》
学校法人A学園の財務情報等に基づき、以下の検討を行ってください。
(1) 活動区分資金収支計算書の作成及び分析
(2) 第4章、第5章で解説した財務比率の算出

(1)、(2)の結果を基に、A学園の経営状況及び財政状態を検討し、問題点及び必要な改善案を検討してください（ここで記載したA学園の概要及び計算書類の数値は架空のものであり、実在するいかなる学校法人とも関係がありません）。

A学園の基本的な情報と財務情報は、以下の通りです。

(1) 学校法人A学園の基本情報

〈A学園の概要〉
　設置する学校：大学（法学部、経済学部、文学部、教育学部）
　　　　　　　　高校（普通科・男子校）

〈学生生徒数及び教職員数の推移〉

	X1年度	X2年度	X3年度
学生生徒数（名）	5,900	6,100	6,000
専任教員数（名）	204	207	208
専任職員数（名）	96	94	95

なお、×1年度から×3年度において、法人全体では収容定員を充足している。

(2) 比較資金収支計算書（簡略化したもの）

（単位：億円）

科目	X1年度	X2年度	X3年度
収入の部			
学生生徒等納付金収入	60	62	61
手数料収入	4	3	3
寄付金収入	3	1	2
補助金収入	9	9	9
受取利息配当金収入	1	1	1
雑収入	2	1	1
借入金等収入	22	37	5
前受金収入	15	15	17
その他の収入			
施設設備等拡充特定資産取崩収入	－	30	－
前期末未収入金収入	1	1	1
資金収入調整勘定			

前期末前受金	△15	△15	△15
期末未収入金	△1	△1	△1
前年度繰越支払資金	25	31	38
収入の部合計	126	175	122
支出の部			
人件費支出	30	32	32
教育研究経費支出	16	17	16
管理経費支出	6	7	7
借入金等利息支出	1	2	3
借入金等返済支出	2	2	3
施設関係支出	23	59	26
設備関係支出	2	18	6
資産運用支出			
施設整備等拡充特定資産繰入支出	15	—	—
その他の支出			
前期未払金支払支出	2	2	2
資金支出調整勘定			
期末未払金	△2	△2	△2
翌年度繰越支払資金	31	38	29
支出の部合計	126	175	122

寄付金収入、補助金収入の明細は、次の通りである。

(単位:億円)

摘　要	X1年度	X2年度	X3年度
一般寄付金	2	1	2
施設設備寄付金	1	0	0
合計	3	1	2

(単位:億円)

摘　要	X1年度	X2年度	X3年度
経常費補助金	7	6	7
施設設備補助金	2	3	2
合計	9	9	9

　各年度の前受金、未収入金はすべて学生生徒等納付金に係るもの、未払金は施設設備関係の支出に係るものである。

(3) 比較事業活動収支計算書(簡略化したもの)

(単位:億円)

科　目	X1年度	X2年度	X3年度
教育活動収支			
学生生徒等納付金	60	62	61
手数料	4	3	3
寄付金	2	1	2
経常費等補助金	7	6	7
雑収入	2	1	1
教育活動収入計	75	73	74
人件費	31	32	33

教育研究経費	20	22	26
減価償却額	4	5	10
その他	16	17	16
管理経費	7	8	8
減価償却額	1	1	1
その他	6	7	7
教育活動支出計	58	62	67
教育活動収支差額	17	11	7
教育活動外収支			
受取利息・配当金	1	1	1
借入金等利息	1	2	3
経常収支差額	17	10	5
特別収支			
施設設備寄付金	1	0	0
施設設備補助金	2	3	2
資産処分差額	0	1	1
基本金組入前当年度収支差額	20	12	6
基本金組入額合計	△5	△40	△29
当年度収支差額	15	△28	△23
前年度繰越収支差額	1	16	△12
翌年度繰越収支差額	16	△12	△35

(参考)

事業活動収入計	79	77	77
事業活動支出計	59	65	71

(4) 比較貸借対照表（簡略化したもの）

(単位：億円)

科　目	X0年度	X1年度	X2年度	X3年度
資産の部				
固定資産	175	210	250	270
有形固定資産	140	160	230	250
土地	30	30	30	40
減価償却資産：取得価額	95	100	225	236
減価償却累計額	25	30	35	46
簿価	70	70	190	190
図書・建設仮勘定	40	60	10	20
特定資産	35	50	20	20
退職給与引当特定資産	2	2	2	2
施設設備等拡充特定資産	33	48	18	18
その他の固定資産	0	0	0	0
流動資産	26	32	39	30
現金預金	25	31	38	29
未収入金	1	1	1	1
資産の部合計	201	242	289	300

負債の部				
固定負債	30	50	80	85
長期借入金	20	39	69	73
退職給与引当金	10	11	11	12
流動負債	19	20	25	25
短期借入金	2	3	8	6
前受金	15	15	15	17
未払金	2	2	2	2
負債の部合計	49	70	105	110
純資産の部				
第1号基本金	145	150	190	219
第4号基本金	6	6	6	6
基本金合計	151	156	196	225
繰越収支差額	1	16	△12	△35
純資産の部合計	152	172	184	190
合計	201	242	289	300

　第1号基本金要組入額は、X1年度196億円、X2年度271億円、X3年度302億円である。

《解　答》

1　財務分析の実施結果

(1)　**活動区分資金収支計算書**

　A学園のX1年度からX3年度までの活動区分資金収支計算書を比較表形式で示すと、以下の通りである。

(単位:億円)

科目			X1年度	X2年度	X3年度
教育活動による資金収支	収入	学生生徒等納付金収入	60	62	61
		手数料収入	4	3	3
		寄付金収入	2	1	2
		経常費等補助金収入	7	6	7
		雑収入	2	1	1
		教育活動資金収入計	75	73	74
	支出	人件費支出	30	32	32
		教育研究経費支出	16	17	16
		管理経費支出	6	7	7
		教育活動資金支出計	52	56	55
	差引		23	17	19
	調整勘定等		0	0	2
	教育活動資金収支差額		23	17	21
施設整備等活動による資金収支	収入	施設設備寄付金収入	1	0	0
		施設設備補助金収入	2	3	2
		施設設備拡充引当特定資産取崩収入	0	30	0
		施設整備等活動資金収入計	3	33	2
	支出	施設関係支出	23	59	26
		設備関係支出	2	18	6
		施設設備拡充引当特定資産繰入支出	15	0	0
		施設整備等活動資金支出計	40	77	32

	差引		△37	△44	△30
	調整勘定等		0	0	0
	施設整備等活動資金収支差額		△37	△44	△30
小計（教育活動資金収支差額＋施設整備等活動資金収支差額）			△14	△27	△9
その他の活動による資金収支	収入	借入金等収入	22	37	5
		小計	22	37	5
		受取利息・配当金収入	1	1	1
		その他の活動資金収入計	23	38	6
	支出	借入金等返済支出	2	2	3
		小計	2	2	3
		借入金等利息支出	1	2	3
		その他の活動資金支出計	3	4	6
	差引		20	34	0
	調整勘定等		0	0	0
	その他の活動資金収支差額		20	34	0
支払資金の増減額（小計＋その他の活動資金収支差額）			6	7	△9
前年度繰越支払資金			25	31	38
翌年度繰越支払資金			31	38	29

　資金収支計算書から活動区分資金収支計算書への組替えの過程は、以下のワークシートにて示している。

活動区分資金収支計算書作成のためのワークシート

（X1年度）

（単位：億円）

科　目	資金収支計算書	教育研究活動 収入	教育研究活動 支出	教育研究活動 調整勘定等	施設整備等活動 収入	施設整備等活動 支出	施設整備等活動 調整勘定等	その他の活動 収入	その他の活動 支出	その他の活動 調整勘定等
収入の部										
学生生徒等納付金収入	60	60								
手数料収入	4	4								
寄付金収入	3	2			1					
補助金収入	9	7			2					
受取利息配当金収入	1							1		
雑収入	2	2								
借入金等収入	22							22		
前受金収入	15			15						
その他収入										
施設設備等拡充特定資産取崩収入										
前期末未収入金収入	1			1						
資金収入調整勘定										
前期末前受金	△15			△15						
期末未収入金	△1			△1						
前年度繰越支払資金	25									
資金収入合計	126									
支出の部										
人件費支出	30		30							
教育研究経費支出	16		16							
管理経費支出	6		6							
借入金等利息支出	1								1	
借入金等返済支出	2								2	

第6章　財務分析のケーススタデイ

科目	資金収支計算書	教育研究活動 収入	教育研究活動 支出	教育研究活動 調整勘定等	施設整備等活動 収入	施設整備等活動 支出	施設整備等活動 調整勘定等	その他の活動 収入	その他の活動 支出	その他の活動 調整勘定等
施設関係支出	23					23				
設備関係支出	2					2				
資産運用支出										
施設整備等拡充特定資産繰入支出	15					15				
その他の支出										
前期未払金支払支出	2						2			
資金支出調整勘定										
期末未払金	△2						△2			
翌年度繰越支払資金	31									
資金支出合計	126									
収入、支出、調整勘定等の合計		75	52	0	3	40	0	23	3	0
活動資金収支差額		23			△37			20		6（支払資金の増減）

（X2年度）

（単位：億円）

科目	資金収支計算書	教育研究活動 収入	教育研究活動 支出	教育研究活動 調整勘定等	施設整備等活動 収入	施設整備等活動 支出	施設整備等活動 調整勘定等	その他の活動 収入	その他の活動 支出	その他の活動 調整勘定等
収入の部										
学生生徒等納付金収入	62	62								
手数料収入	3	3								
寄付金収入	1	1								
補助金収入	9	6			3					
受取利息配当金収入	1							1		
雑収入	1	1								
借入金等収入	37							37		
前受金収入	15				15					

科目	金額									支払資金の増減
その他収入										
施設設備等拡充特定資産取崩収入	30			30						
前期末未収入金収入	1		1							
資金収入調整勘定										
前期末前受金	△15		△15							
期末未収入金	△1		△1							
前年度繰越支払資金	31									
資金収入合計	175									
支出の部										
人件費支出	32	32								
教育研究経費支出	17	17								
管理経費支出	7	7								
借入金等利息支出	2						2			
借入金等返済支出	2						2			
施設関係支出	59				59					
設備関係支出	18				18					
その他の支出										
施設整備等拡充特定資産繰入支出										
前期末払金支払支出	2				2					
資金支出調整勘定										
期末未払金	△2				△2					
翌年度繰越支払資金	38									
資金支出合計	175									
収入、支出、調整勘定等の合計	73	56	0	33	77	0	38	4	0	
各活動資金収支差額		17		△44			34			7

第6章 財務分析のケーススタデイ

（X3年度）

（単位：億円）

科　目	資金収支計算書	教育研究活動			施設整備等活動			その他の活動		
		収入	支出	調整勘定等	収入	支出	調整勘定等	収入	支出	調整勘定等
収入の部										
学生生徒等納付金収入	61	61								
手数料収入	3	3								
寄付金収入	2	2								
補助金収入	9	7			2					
受取利息配当金収入	1							1		
雑収入	1	1								
借入金等収入	5							5		
前受金収入	17			17						
その他収入										
施設設備等拡充特定資産収入										
前期末未収入金収入	1			1						
資金収入調整勘定										
前期末前受金	△15			△15						
期末未収入金	△1			△1						
前年度繰越支払資金	38									
資金収入合計	122									
支出の部										
人件費支出	32		32							
教育研究経費支出	16		16							
管理経費支出	7		7							
借入金等利息支出	3								3	
借入金等返済支出	3								3	
施設関係支出	26					26				

213

設備関係支出	6			6					
その他の支出									
施設整備等拡充資産繰入支出									
前期未払金支払支出	2			2					
資金支出調整勘定									
期末未払金	△2			△2					
翌年度繰越支払資金	29								
資金支出合計	122								
収入、支出、調整勘定等の合計	74	55	2	2	32	0	6	6	0	支払資金の増減
各活動資金収支差額		21			△30			0		△9

(2) 事業活動収支計算書に係る財務比率の算出

　X1年度からX3年度の事業活動収支計算書に係る財務比率を算出すると、以下の通りである。なお、参考までに第4章に記載した令和2年度大学法人（医歯系法人除く）の平均（以下本書では、「大学平均」という）を付記した。

No.	比率名	算式	X1年度	X2年度	X3年度	令和2年度大学平均（医歯系法人除く）
経営状況はどうなっているか						
1	事業活動収支差額比率（％）	基本金組入前当年度収支差額÷事業活動収入	25.3	15.6	7.8	5.2
収入構成はどうなっているか						
1	学生生徒等納付金比率（％）	学生生徒等納付金÷経常収入	78.9	83.8	81.3	74.4
2	寄付金比率（％）	寄付金÷事業活動収入	3.8	1.3	2.6	2.3
3	経常寄付金比率（％）	教育活動収入の寄付金÷経常収入	2.6	1.4	2.7	1.6
4	補助金比率（％）	補助金÷事業活動収入	11.4	11.7	11.7	14.1

			X1年度	X2年度	X3年度	令和2年度大学平均（医歯系法人除く）
5	経常補助金比率（％）	教育活動収入の補助金÷経常収入	9.2	8.1	9.3	13.9
支出構成は適正であるか						
1	人件費比率（％）	人件費÷経常収入	40.8	43.2	44.0	51.8
2	教育研究経費比率（％）	教育研究経費÷経常収入	26.3	29.7	34.7	35.2
3	管理経費比率（％）	管理経費÷経常収入	9.2	10.8	10.7	8.2
4	借入金等利息比率（％）	借入金等利息÷経常収入	1.3	2.7	4.0	0.1
5	基本金組入率（％）	基本金組入額÷事業活動収入	6.3	51.9	37.7	10.4
6	減価償却額比率（％）	減価償却額÷経常支出	8.5	9.4	15.7	11.7
収入と支出のバランスは取れているか						
1	人件費依存率（％）	人件費÷学生生徒等納付金	51.7	51.6	54.1	69.6
2	基本金組入後収支比率（％）	事業活動支出÷（事業活動収入－基本金組入額）	79.7	175.7	147.9	105.8
3	教育活動収支差額比率（％）	教育活動収支差額÷教育活動収入計	22.7	15.1	9.5	3.0
4	経常収支差額比率（％）	経常収支差額÷経常収入	22.4	13.5	6.7	4.6

(3) 貸借対照表に係る財務比率

X1年度からX3年度の貸借対照表に係る財務比率を算出すると、以下の通りである。なお、参考までに第5章に記載した大学平均を付記した。

No.	比率名	算式	X1年度	X2年度	X3年度	令和2年度大学平均（医歯系法人除く）
純資産は充実されているか						
1	純資産構成比率（％）	純資産÷（負債＋純資産）	71.1	63.7	63.3	87.9
2	繰越収支差額構成比率（％）	繰越収支差額÷（負債＋純資産）	6.6	△4.2	△11.7	△15.3

3	基本金比率（％）	基本金÷基本金要組入額	79.6	72.3	74.5	97.2

固定資産の調達源泉は適切か

1	固定比率（％）	固定資産÷純資産	122.1	135.9	142.1	98.2
2	固定長期適合率（％）	固定資産÷（純資産＋固定負債）	94.6	94.7	98.2	91.2

資産構成は適切か

1	固定資産構成比率（％）	固定資産÷総資産	86.8	86.5	90.0	86.3
2	有形固定資産構成比率（％）	有形固定資産÷総資産	66.1	79.6	83.3	59.1
3	特定資産構成比率（％）	特定資産÷総資産	20.7	6.9	6.7	22.4
4	流動資産構成比率（％）	流動資産÷（負債＋純資産）	13.2	13.5	10.0	13.7
5	減価償却比率（％）	減価償却累計額÷減価償却資産取得価額	30.0	15.6	19.5	53.2

負債に備えるだけの資産が十分蓄積されているか

1	内部留保資産比率（％）	（運用資産－総負債）÷総資産	4.5	△16.2	△20.3	26.4
2	運用資産余裕比率（年）	（運用資産－外部負債）÷事業活動支出	0.6	△0.3	△0.5	2.0
3	流動比率（％）	流動資産÷流動負債	160.0	156.0	120.0	256.6
4	前受金保有率（％）	現金預金÷前受金	206.7	253.3	170.6	358.5
5	退職給与引当特定資産保有率（％）	退職給与引当特定資産÷退職給与引当金	18.2	18.2	16.7	72.1

負債の水準は適切か

1	固定負債構成比率（％）	固定負債÷（負債＋純資産）	20.7	27.7	28.3	6.8
2	流動負債構成比率（％）	流動負債÷（負債＋純資産）	8.3	8.7	8.3	5.3
3	総負債比率（％）	総負債÷総資産	28.9	36.3	36.7	12.1
4	負債比率（％）	総負債÷純資産	40.7	57.1	57.9	13.8

将来の支出に備えて保有すべき資産の保有状況はどうか

1	積立率（％）	運用資産÷要積立額	197.6	126.1	84.5	78.0

なお運用資産及び外部負債の金額は、以下の通りである。

(単位：億円)

項　目	算　式	X1年度	X2年度	X3年度
運用資産	現金預金＋特定資産＋有価証券	81	58	49
外部負債	総負債－（退職給与引当金＋前受金）	44	79	81
積立額	減価償却累計額＋退職給与引当金＋第2号基本金＋第3号基本金	41	46	58

❷ 財務分析の実施結果の検討

(1) 活動区分資金収支計算書の要約

(単位：億円)

科　目	X1年度	X2年度	X3年度
教育活動資金収支差額	23	17	21
施設整備等活動資金収支差額	△37	△44	△30
その他の活動資金収支差額	20	34	0
支払資金の増減額	6	7	△9

① 教育活動による資金収支の状況

収入は多少の増減はあるがほぼ横ばい、支出は人件費、管理経費が増加している。

X2年度は、X1年度と比較して学生生徒等納付金収入が増えたものの、それ以外の収入が4億円減少、人件費支出が2億円、教育研究経費支出が1億円、管理経費支出が1億円増加したため、教育活動資金収支差額が6億円減少し17億円となった。

X3年度は、X2年度と比較すると前受金収入の増加2億円、収入の増加

が差し引き1億円、教育研究経費支出の減少1億円があったため、教育活動資金収支差額は4億円増加し21億円となった。

② 施設等整備活動による資金収支の状況

X1年度からX3年度にかけて施設関係支出、設備関係支出合計で25億円、77億円、32億円の支出が行われている。同じ期間、施設設備寄付金収入が1億円、施設設備補助金収入が7億円及び施設設備拡充引当特定資産の取崩収入が30億円あったが、この3事業年度における施設整備等活動資金収支差額のマイナス累計は111億円に上っている。

③ その他の活動による資金収支の状況

施設整備等活動資金収支差額のマイナスを教育活動資金収支差額のプラスで賄いきれなかった金額がX1年度では14億円、X2年度27億円、X3年度で9億円となっている。これについてX1年度では借入金等収入22億円、X2年度では37億円で対応した。

X3年度では5億円の借入れを行ったが、返済と利息支払のための支出でその他の活動資金収支差額は0であり、資金の不足分は結果として現金預金の取崩しで対応した。

(2) 事業活動収支計算書に関する財務比率の検討

事業活動収支計算書の最近3年間の傾向、大学平均を基に各比率について検討した結果は、以下の通りである。詳細な情報がない中での検討であるため、今後さらに詳細な検討が必要である。

① 経営状況を示す比率

比率名	最近3年間の傾向	令和2年度大学平均（医歯系法人除く）との比較	コメント
事業活動収支差額比率	低下（悪化）	平均以上だが、大学平均に近づいている	教育研究経費（特に減価償却額）及び借入金等利息が増加したため、年々悪化している。大学平均より依然高いが、急激な悪化は検討が必要である。

第6章 財務分析のケーススタデイ

② 収入構成を示す比率

比率名	最近3年間の傾向	令和2年度大学平均（医歯系法人除く）との比較	コメント
学生生徒等納付金比率	78.9%→83.8%→81.3%とばらつき	平均以上	平均より高く、収入については学生生徒等納付金の占める割合が高い体質と思われる。学生生徒1人当たり学生生徒等納付金は、大学平均とは大きな差がないが、A学園と同系統と考えられる文系複数学部を設置する法人の平均と比較すると40千円程度高く、このことが高い学生生徒等納付金比率に繋がっているものと思われる[注1]。ただし、逆にいうと今後これ以上納付金を値上げする余地は乏しいものと考えられる。
寄付金比率	3.8%→1.3%→2.6%とばらつき	X1年、X3年は平均以上、X2年は平均以下とばらつきがある。	一般的に寄付金は年度により変動する傾向にあるため、多額でなくとも安定した水準を確保することが望まれる。ただし、多額の施設設備を取得したX2年度に寄付金比率が低くなっている理由は検討が必要である。
経常寄付金比率	2.6%→1.4%→2.7%とばらつき	平均以上	同上
補助金比率	ほぼ横ばい	平均より3％程度低い	令和3年度版『今日の私学財政』大学・短期大学編によると、A学園と同系統と思われる文他複数学部の事業活動収入に占める割合（補助金比率に相当）は15.8%となっている。大学平均（医歯系法人除く）だけでなく、文他複数学部平均より4％程度低いことについて原因の分析が必要である。例えば、他の収入が多いので相対的に低いだけなのか、そもそも補助金の獲得額が少ないのかといった視点での検討が必要と思われる。

| 経常補助金比率 | X2年度だけ減少 | 平均より4～6％程度低い | 令和3年度版『今日の私学財政』大学・短期大学編によると、A学園と同系統と思われる文他複数学部の経常補助金比率は15.4％[注2]となっている。
補助金比率と同様に、大学平均（医歯系法人除く）だけでなく、文他複数学部平均より6～7％程度低いことについて原因の分析が必要である。 |

注1：学生生徒等1人当たり学生生徒等納付金の推移

摘　要	X1年度	X2年度	X3年度	令和2年度大学平均 （医歯系法人除く）
学生生徒1人当たり学生生徒等納付金（千円）	1,017	1,016	1,017	973

　　令和3年度版『今日の私学財政』によれば、令和2年度における文他複数学部合計の学生生徒等納付金688,864百万円に対し、学生生徒数は707,264人となっており、学生生徒等1人当たり学生生徒等納付金の平均は973千円と計算される。

注2：文他複数学部の経常補助金比率
　　令和3年度版『今日の私学財政』によれば、令和2年度における文他複数学部合計の経常収入926,027百万円に対し、教育活動収支の補助金は143,359百万円となっており、経常補助金比率は15.4％と計算される。

③支出構成の適正性を示す比率

比率名	最近3年間の傾向	令和2年度大学平均(医歯系法人除く)との比較	コメント
人件費比率	増加	平均より低い	学生生徒等1人当たり収入は大学平均とほぼ同水準、学生生徒等1人当たり人件費が大学平均より20万円近く低いので、結果として平均より低い(注1)。 人件費の水準は、専任教職員1人当たり人件費が大学平均より高いものの、専任教職員1人当たり学生生徒数も平均より多い(すなわち学生生徒等の人数に比較して専任教職員数が少ない)ため、結果として大学平均より低いものとなっている。 なお、文他複数学部設置大学法人と比較しても、状況は同じである。 ただし、専任教職員1人当たり人件費がX2年度、X3年度ともに対前年度比で2%以上増加しているため人件費比率が増加傾向にある。
教育研究経費比率	増加	平均より低い	X1年度の20億円に対しX3年度は26億円と大幅に増加しているが、減価償却額の増加にほぼ見合いである。 学生生徒等1人当たり教育研究経費の水準はX3年度において大学法人平均より低い水準となり、A学園と同系統と思われる文他複数学部設置大学法人と同水準となっている(注2)。
管理経費比率	増加	平均以上	大学平均と比較して2%以上高くなっており、原因の分析が必要である。 学生生徒等1人あたり管理経費の水準は、大学法人平均、A学園と同系統と思われる文他複数学部設置大学法人平均のいずれも、A学園を下回っている(注3)。
借入金等利息比率	増加	平均より大幅に高い	借入金合計がX0年度の22億円からX3年度が73億円に増加していることに伴い、大幅に増加している。大学平均が0.1%であることを考えると、著しく高い借入金負担といえる。
基本金組入率	X2年度、X3年度大幅に増加	X2年度から高水準となり、平均より大幅に高い	X2年度、X3年度で多額の基本金組入を行っているため大幅に増加している。 ただし、X0年度に33億円、X1年度に48億円の施設設備拡充特定資産を有していたことを考えると、第2号基本金の組入れを行わなかったことについては疑問が残る。
減価償却額比率	増加傾向	X2年度まで平均以下、X3年度は平均以上	X2年度、X3年度の多額の施設設備の取得に伴い減価償却額が大幅に増加している。

注1:人件費に関する1人当たりの金額

(単位:千円)

摘　要	X1年度	X2年度	X3年度	令和2年度大学法人 (医歯系法人除く)平均(注)
学生生徒1人当たり人件費	525	525	550	758
学生生徒1人当たり経常収入	1,288	1,213	1,250	1,463
専任教職員1人当たり人件費	10,333	10,631	10,891	10,787
専任教職員1人当たり学生生徒数(人)	19.7	20.3	19.8	14.2

出典:令和3年度版『今日の私学財政』大学・短期大学編169ページ　5ヵ年連続事業活動収支計算書(医歯系法人を除く)より筆者算出。

　　参考までに文他複数学部を設置する大学法人の令和2年度平均を記載すると、以下の通りである。

学生生徒1人当たり人件費	690
専任教職員1人当たり人件費	10,345
専任教職員1人当たり学生生徒数(人)	14.9

出典:令和3年度版『今日の私学財政』大学・短期大学編184ページ　令和2年度事業活動収支計算書(系統別)大学法人複数学部(2-2)より筆者算出。

注2:学生生徒等1人当たり教育研究経費の推移

(単位:千円)

摘　要	X1年度	X2年度	X3年度	令和2年度大学法人(医歯系法人除く)平均	令和2年度文他複数学部
学生生徒1人当たり教育研究経費	339	361	433	514	439

出典:令和2年度大学法人(医歯系法人除く)平均については令和3年度版『今日の私学財政』大学・短期大学編169ページ　5ヵ年連続事業活動収支計算書(医歯系法人を除く)より筆者算出。
　　令和2年度文他複数学部については、令和3年度版『今日の私学財政』大学・短期大学編185ページ　令和2年度事業活動収支計算書(系統別)大学法人複数学部(2-2)より筆者算出。

第6章 財務分析のケーススタデイ

注3：学生生徒等1人当たり管理経費の推移

(単位：千円)

摘　要	X1年度	X2年度	X3年度	令和2年度大学法人（医歯系法人除く）平均	令和2年度文他複数学部
学生生徒1人当たり管理経費	119	131	133	120	117

出典：令和2年度大学法人（医歯系法人除く）平均については令和3年度版『今日の私学財政』大学・短期大学編169ページ　5ヵ年連続事業活動収支計算書（医歯系法人を除く）より算出した。
　　　また、令和2年度文他複数学部については、令和3年度版『今日の私学財政』大学・短期大学編185ページ　令和2年度事業活動収支計算書（系統別）大学法人複数学部（2－2）より筆者算出。

④ 収入と支出のバランスを示す比率

比率名	最近3年間の傾向	令和2年度大学平均(医歯系法人除く)との比較	コメント
人件費依存率	増加	低い	学生生徒1人当たり人件費が大学平均より低いため、人件費依存率も低い数値を示している。
基本金組入後収支比率	増加	X2年度から大幅に高くなっている。	基本金組入の水準が高いため、X2年度から大幅に悪化し、100％を大きく超過している。
教育活動収支差額比率	減少	高い	教職員1人当たり人件費の上昇及び減価償却額の増加により教育活動支出が増加している。文系複数学部平均と比較して高い1人当たり学生生徒等納付金、学生生徒に比較して少ない教職員数等の要因により、X1年度では22.7％となっていたが、X3年度では9.5％にまで低下した。 大学平均3.0％と比較すると依然高い水準といえるが、今後の状況に留意が必要である。
経常収支差額比率	減少	高い	学校法人においては借入金等利息よりも受取利息・配当金の方が大きく、経常収支差額が教育活動収支差額より大きくなる傾向があるが、逆にA学園は借入金等利息の負担が大きく、経常収支差額が教育活動収支差額より小さくなっている。

(3) 貸借対照表関係比率の検討

　貸借対照表の最近3年間の傾向、大学法人（医歯系法人除く。令和2年度平均）（以下本書では、「大学平均」という）を基に各比率について検討した結果は、以下の通りである。

① 自己資金の充実度合いを示す比率

比率名	最近3年間の傾向	令和2年度大学平均（医歯系法人除く）との比較	コメント
純資産構成比率	減少（悪化）	低い	大学平均と比較して低い比率で推移している。負債が過大といわざるを得ない。
繰越収支差額構成比率	減少（悪化）	大学平均より高い水準	X1年度はプラスであったが、X2年度からの多額の基本金組入れによりマイナスに転じた。 減価償却額と借入金等利息の負担により、基本金組入前当年度収支差額が激減している中で、マイナス35億円の繰越収支差額となっており、事業活動収支の均衡を達成するのは容易ではなく、改善のための方策を検討する必要がある。
基本金比率	減少（悪化）	低い	施設設備の取得資金を借入金により資金調達しており、結果として未組入高が大きく基本金比率も大学平均より低いものとなっている。

② 固定資産の調達源泉の適切性を示すための財務比率

比率名	最近3年間の傾向	令和2年度大学平均（医歯系法人除く）との比較	コメント
固定比率	増加（悪化）	高い（好ましくない）	継続して100%を超過しており、X3年度は142.1%となっている。純資産に比較して有形固定資産が過大と考えられる。

固定長期適合比率	増加（悪化）	高い（好ましくない）	一般的に固定長期適合比率は100％未満であることが求められているが、100％に近い水準で推移している。特定資産の存在を考えると、一概に100％未満でなければならないとはいえないが、A学園の場合は、分子を有形固定資産としてもＸ３年度では90.1％である。

③ 資産構成の適切性を把握するための比率

比率名	最近３年間の傾向	令和２年度大学平均（医歯系法人除く）との比較	コメント
固定資産構成比率	増加	Ｘ１年度、Ｘ２年度は平均と同水準、Ｘ３年度では平均より高い	有形固定資産がＸ０年度の140億円からＸ３年度では250億円に増加しているため、固定資産の構成割合は増加した。
有形固定資産構成比率	増加	高い	大学平均が59.1％に対し、Ｘ３年度は83.3％となっており著しく高い水準となっている。大学平均より高いから過大投資だとは言い切れないが、少なくとも今後の設備投資に当たっては慎重な判断が必要であろう。
特定資産構成比率	減少	低い	Ｘ１年度に施設設備等拡充特定資産を30億円取り崩して有形固定資産の取得資金に充当したため著しく低下し、全国平均と比較しても相当低い水準になっている。
流動資産構成比率	減少	Ｘ３年度では平均より低い	Ｘ３年度では支払資金が９億円減少しており、資金の流動性の観点からは不安が生じている。今後、減価償却を通じて投下した資金は回収されていくが、ある程度手許資金に余裕が生じるまでは、施設設備の取得は慎重に行うべきと考える。

比率名	最近3年間の傾向	令和2年度大学平均（医歯系法人除く）との比較	コメント
減価償却比率	減少	低い	X2年度、X3年度の設備投資のため、有形固定資産全体の取得からの平均年数が短くなっており、結果として減価償却比率は大学平均と比較して低いものとなっている。

④ 負債に備えるだけの資産の蓄積度合いを把握するための比率

比率名	最近3年間の傾向	令和2年度大学平均（医歯系法人除く）との比較	コメント
内部留保資産比率	減少（悪化）	低い	X1年度において大学平均よりも低かったものがさらに悪化し、最近2年度はマイナスを示している。 この比率がマイナスであるということは、蓄積された運用資産を総負債が上回っているということであり、財政上の余裕度が少ないことを示している。
運用資産余裕比率	減少（悪化）	低い	X2年度からマイナスとなっており、支出規模に対し十分な資金の蓄積ができておらず負債が過大となっている状況である。 仮に事業活動収入が大幅に減少するような状況が生じた場合は、負債の支払いが困難になる可能性があることに留意が必要である。
流動比率	減少（悪化）	低い	短期借入金の増加、X3年度の現金預金の減少等により低下している。 貸借対照表はあくまでも事業年度末の状況を示すものであり、流動比率が低いことが即資金繰りの懸念を示すものではないが、短期的に支払うべき流動負債に対し、1.2倍程度の流動資産しかないのは不安があるといわざるを得ない。
前受金保有率	減少（悪化）	低い	X3年度における前受金が17億円であり、少なくともその金額は現金預金で保有しておく必要がある。 したがって、X3年度末の現金預金残高29億円のうち12億円が今後使用可能な現金預金ということになる。 X3年度の活動区分資金収支計算書では教育活動資金支出が55億円、借入金返済と利息による支出が6億円となっており、今後の資金繰りには十分留意する必要がある。

| 退職給与引当特定資産保有率 | 減少 | 低い | 大学法人の平均値と比較して極端に低く、またX1年度からX3年度に積立ても行われていない。
積立て方針を明確にする必要がある。 |

⑤ **負債の水準の適正性を把握するための財務比率**

比率名	最近3年間の傾向	令和2年度大学平均（医歯系法人除く）との比較	コメント
固定負債構成比率	増加	高い	X3年度は28.3%と、令和2年度大学平均6.8%と比較して著しく高い。 X1年度から有形固定資産の増加と、それに伴う借入金が増加しているためである。
流動負債構成比率	横ばい	高い	安定的に8%を維持しているが、令和2年度大学平均5.3%と比較すると、高い水準にある。大学平均と比較すると短期借入金の水準が高いことによるものと思われる。
総負債比率	増加（悪化）	高い	X3年度は36.7%と、令和2年度大学平均12.1%と比較して著しく高い。 学校法人は教育研究の水準を維持発展させるため、施設設備の充実を図っていく責務があるが、学校法人は収入拡大のために施設設備の取得を行う企業とは異なる。 したがって、財務安全性を考えると、過度に借入れに依存することは避けなければならない。A学園の活動区分資金収支計算書における教育活動資金収支差額は20億円前後であり、X3年度末における79億円という借入金残高は過大と考えざるをえない。
負債比率	増加（悪化）	高い	X3年度は57.9%と、令和2年度大学平均13.8%と比較して著しく高い。

⑥ 将来の支出に備えて保有すべき資産の保有状況を把握するための比率

比率名	最近3年間の傾向	令和2年度大学平均（医歯系法人除く）との比較	コメント
積立率	減少	X1年度、X2年度では平均を大きく上回っていたが、X3年度では平均程度となった。	多額の有形固定資産の取得により、減価償却累計額もX0年度末の25億円からX3年度末で46億円に増加しているが、それに見合う資金の蓄積ができていないため悪化している。

3 総合所見

(1) **財務の概況**

1. A学園は、X1年度から多額の施設設備の取得を開始し、特にX2年度は70億円有形固定資産を増加させている。これに伴い、借入金もX0年度末の22億円からX3年度末では79億円に増加している。そのため多額の基本金組入れが継続している。

2. 減価償却額の増大により教育研究経費及び管理経費が増加するとともに、借入金等利息も大きく増加している。

3. 一方、教育活動収入は横ばいの状況が続いているため、基本金組入前当年度収支差額はX1年度の20億円からX3年度では6億円に低下している。

4. X3年度における教育活動資金収支差額は21億円のプラスであるが、施設整備等活動資金収支差額が30億円のマイナスとなっており9億円の資金が不足している。これに対し借入金の新規借入5億円を実行したが、返済と利息の支払いで6億円支出しており、その他の活動資金収支差額が0となっている。結果として現金預金を9億円取り崩して対応した。

(2) **問題点**

1. 負債比率、総負債比率ともに大学法人（医歯系法人除く）平均より高

い。借入金のＸ３年度末残高は、Ｘ３年度の事業活動収入を超過しており、著しく負債が過大である。運用資産以上の負債となっているため、内部留保資産比率、運用資産余裕比率も低く財政上の余裕度が少ない状況である。
2. Ｘ３年度末で現金預金を９億円減少しているため、前受金保有率や流動比率が著しく悪化している。短期的な財務安全性にも懸念が生じている。
3. 借入金等利息比率がＸ３年度で4.0％と著しく高い。経費と利息について削減策を検討しないと収支の改善は困難である。
4. 学生数に比して教職員数が少なく、１人当たり学生生徒等納付金も高いため、Ｘ１年度では22.7％という非常に高い教育活動収支差額比率を達成していた。このことが、逆に学生生徒等納付金の増加、人件費や経費の削減の余地が少ない可能性を示唆している可能性も考えられる。
5. Ｘ１年度末では、48億円の施設設備等拡充特定資産を有しており、過去においてそれだけの財政的余裕があるのならば、第２号基本金の計画的組入れを実施するのが望ましかった。
6. 貸借対照表の推移をみると、Ｘ２年度で施設設備の取得は一段落したように見受けられる。したがって、現金預金残高を取り崩してまで行ったＸ３年度の設備施設の取得は、財政状態から考えて実施すべきものであったか議論が必要である。
7. 退職給与引当特定資産保有率の水準が非常に低い。

(3) その他追加で調査を要する事項
1. この分析では法人全体で検討しているが、大学・高校さらには大学の学部別等に検討することが必要である。
2. 部門別の定員充足率によって各部門別の今後の収支状況をある程度予測できるため、これを検討する必要がある。
3. 文系複数学部を設置する大学法人の平均と比較して、学生生徒等納付

金が40万円ほど高くなっている。しかも、専任教職員1人当たり学生生徒数も多いので、教育水準の向上を図るという点ではむしろ専任教職員を増やすべきという議論もありうる。1人当たり学生生徒等納付金が高くても定員を維持できている理由は何か検討が必要である。
4．教育研究経費及び管理経費のうち減価償却額以外の経費はほとんど増加していないが、これだけの多額の施設設備を取得したのだから当然維持費が必要となるはずである。今後の収支予想を行う際に経費について精査していくことが必要と思われる。

(4) **課題**

A学園は、多額の施設設備の取得を行ったことにより、固定的な経費の増加と金利負担が著しい。学校法人の永続的な維持を考えるならば、事業活動収支の均衡を長期的な目標として考えていく必要がある。

高い水準の教育研究活動を行っていくことにより学校法人の価値を高めていくことが、収支改善においても最も重要ではあるが、そのためには収入基盤を拡大し不要な支出を削減していくことが必要である。一般的な収支改善のための検討課題として以下が考えられる。

(5) **収入基盤の拡大**
　① **外部資金（補助金、受託事業）の獲得**
　② **資産の有効活用**
　③ **寄付金募集の体制の見直し**
　④ **産業界との連携**
　⑤ **地方公共団体との連携**
　⑥ **受験生及び学生の確保**
　　・入試方法の改善
　　・受験料の見直し
　　・広報活動の見直し

- ・就職支援の一層の充実
- ・キャンパス環境の整備
- ・他大学との連携
- ・留学生の確保

(6) 支出の削減（文他複数学部平均の水準まで減少させる）
  ① **人件費の見直し**
   - ・給与体系の再構築
   - ・人事評価制度の導入
   - ・業務割当ての見直し等による適切な人員配置等
  ② **業務の合理化**
  ③ **契約の見直し、入札方式の改善**
  ④ **ボランティアの活用**
  ⑤ **情報通信技術の活用とペーパーレス化**
  ⑥ **業務のアウトソーシング**
  ⑦ **施設設備の計画的な取得**
  ⑧ **低利の借入金への借換え、借入金残高の削減等による金利負担軽減**
  ⑨ **予算編成の見直し（特に、前年実績を基準としないゼロベース予算の導入、活動別予算の導入）**
  ⑩ **集中購買等の発注方式の見直し**

　A学園の場合、短期的に事業活動収支の均衡を達成するだけの収支改善を図ることは困難と考えられるため、中長期の経営計画を作成し計画的に財務の健全化を図る必要があると思われる。

《演習問題2》

　A学園のX1年度からX3年度の計算書類及び《演習問題1》で作成した活動区分資金収支計算書を基に、事業団が公表している「自己診断チェックリスト」を参考に分析を行ってください。

(1) 自己診断チェックリストによる財務比率の算出

区分	比率名	算式	判定(注)	比率			
				X1年度	X2年度	X3年度	令和2年度大学法人(医歯系法人除く)平均
事業活動収支の状況	経常収支差額比率	経常収支差額÷経常収入	△	22.4%	13.5%	6.7%	4.6%
	人件費比率	人件費÷経常収入	▼	40.8%	43.2%	44.0%	51.8%
	人件費依存率	人件費÷学生生徒等納付金	▼	51.7%	51.6%	54.1%	69.6%
収支状況資金	教育活動資金収支差額比率	教育研究活動資金収支差額÷教育活動資金収入	△	30.7%	23.3%	28.4%	14.6%
運用資産状況	積立率	運用資産÷要積立額(退職給与引当金、第2号引当金、減価償却累計額、第3号基本金)	△	197.6%	126.1%	84.5%	78.0%
	運用資産超過額対教育活動資金収支差額比(年)	(運用資産－外部負債)÷教育活動資金収支差額×－1(教育活動資金収支差額がマイナスの時のみ)	△	該当なし	該当なし	該当なし	該当なし
	運用資産対教育活動資金収支差額比(年)	運用資産÷教育活動資金収支差額×－1(教育活動資金収支差額がマイナスの時のみ)	△	該当なし	該当なし	該当なし	該当なし

第6章 財務分析のケーススタデイ

	比率名						
外部負債の状況	流動比率	流動資産÷流動負債	△	160.0%	156.0%	120.0%	256.6%
	外部負債超過額対教育活動資金収支差額比(%)	（外部負債－運用資産）÷教育活動資金収支差額（教育活動資金収支差額がプラスの時のみ）	▼	△160.9%	123.5%	152.4%	△1,211.3%

注：▼低い方がよい、△高い方がよい、～どちらともいえない。

(2) 比率の検討

比率名	最近3年間の傾向	令和2年度大学平均（医歯系法人除く）との比較	コメント
経常収支差額比率	減少（悪化）	高い（良い）	教職員1人当たり人件費の上昇及び減価償却額の増加により教育活動支出が増加、借入金等利息の負担が大きく悪化傾向が続くが、大学平均よりは未だ高い水準。ただし、×1年度の22.4%と比較すると落ち込みの幅が大きい。
人件費比率	増加（悪化）	低い（良い）	専任教職員1人当たり学生生徒等が平均より多い（すなわち学生生徒等の人数に比較して専任教職員数が少ない）ため、結果として人件費の水準は大学平均より低いものとなっている。
人件費依存率	増加（悪化）	低い（良い）	専任教職員1人当たりの学生生徒等が多く、学生生徒1人当たり人件費が大学平均より低いため、人件費依存率も低い数値を示している。
教育活動資金収支差額比率	×2年度減少（悪化）×3年度増加（改善）	高い（良い）	年度ごとの増減はあるが、教育活動資金収支差額は20億円前後を確保している。ただし、人件費支出が増加しており施設設備の維持費が今後増加する可能性があることに留意する必要がある。

積立率	減少（悪化）	X1年、X2年は平均より高い（良い）、X3年度はほぼ平均並み	多額の有形固定資産の取得により、減価償却累計額もX0年度末の25億円からX3年度末で46億円に増加しているが、それに見合う資金の蓄積ができていないため悪化している。
運用資産超過額対教育活動資金収支差額比（年）	教育活動資金収支差額がプラスのため該当なし（運用資産で教育活動資金収支差額のマイナスを補填する必要がないため該当しない）。		
運用資産対教育活動資金収支差額比（年）			
流動比率	減少（悪化）	低い（悪い）	短期借入金の増加、X3年度の現金預金の減少等により低下している。X3年度の120%という水準は、大学平均と比較するとかなり低い。
外部負債超過額対教育活動資金収支差額比（％）	増加（悪化）	高い（悪い）	負債が著しく増加しているため悪化。教育活動資金収支差額の水準は高いが、教育活動資金収入計を超える借入金残高は改善の必要性が高い。

(3) **財務安全性に関する総合的な検討**

「自己診断チェックリスト」を参考にした分析の結果は、以下の通りである。
- 最近3年間の推移を見ると教育活動資金収支差額比率以外のすべての比率が、一貫して悪化傾向を示している。
- 教職員1人当たりの人件費の増加、多額の施設設備の取得による減価償却額の増加、借入れの増加に伴う利息負担の増加等により、経常収支差額比率、人件費比率、人件費依存率等の事業活動収支に関連する比率は悪化傾向を示している。
- 借入金の増加、X3年度における手元資金の取崩し等により運用資産の状況や外部負債の状況を示す比率も悪化している。
- 特に流動比率はX3年度末で120％しかなく、短期的な支払能力にも懸念が生じる状況である。
- A学園の比率悪化の原因は、多額の施設設備の取得をこの3年間続けて

おり、そのために多額の借入れを行ったことにある。
- ただし、教育活動資金収支差額比率は悪化しておらず、また教育活動資金収支差額はコンスタントに20億円前後を確保しているため、突発的な要因がなければ資金不足による支払不能（資金ショート）といった状況は考えにくい。
- 今後は、施設設備の取得は慎重に行うとともに、毎期ある程度安定的に確保している教育活動資金収支差額により借入金の返済、手元資金の積増しを進めて財務安全性の回復を図っていくことが必要と考える。

Column コラム6　ESG情報の開示と統合報告

　近年、資本市場において、従来の財務情報だけでなく、環境・社会・ガバナンスの観点で投資判断評価を行うESG投資が活発化している。ESGとは、環境（Environment）、社会（Social）、企業統治（Governance）の頭文字をとったものである。企業が持続的に成長するためにはこれらの視点が重要であるとされており、投資家が企業を評価する際の重要なものさしの1つとされている。企業は、ESGに取り組むことが企業のさらなる企業価値の向上につながること、機関投資家をはじめとする利害関係者のニーズに応えるためのコミュニケーションを効果的かつ効率的に行うことが課題となっていることから、ESG情報の開示の検討が進められている。

　特に、年金基金など大きな資産を超長期で運用する機関投資家を中心に、企業経営のサステナビリティを評価するという概念が普及し、気候変動などを念頭においた長期的なリスクマネジメントや、企業の新たな収益創出の機会（オポチュニティ）を評価するベンチマークとして、国連持続可能な開発目標（SDGs）と合わせて注目されている。近年、日本では、投資にESGの視点を組み入れることなどを原則として掲げる国連責任投資原則（PRI）に、日本の年金積立金管理運用独立行政法人（GPIF）が2015年に署名したことを受け、ESG投資が広がっている。

　18歳人口の減少に伴い、学校法人の主な収入源である授業料の減少が見込まれる中、企業が取り組んでいるESG投資及びESG情報開示の動向を把握し、学校法人においても非財務情報の情報開示の検討に取り組むことが有用であると思われる。

学校法人においてもSDGsの取り組みの一環として、ESG対応は進められている。例えば、環境においては、カーボンニュートラルに関連する二酸化炭素の排出削減の研究や環境分野そのものの教育研究の推進、社会においては、働き方改革、ワークライフバランスへの取組みの推進、企業統治については、役員の責任強化、財務情報の開示の推進、大学版ガバナンス・コードの策定が進められている。
　このESG投資を促すための公表情報として、統合報告書が挙げられる。
　「統合報告書発行状況調査2020最終報告」（株式会社ディスクロージャー＆IR総合研究所）によれば、2020年度の統合報告書発行企業数は591社、日経225構成銘柄のうち186社、JPX日経400構成銘柄のうち277社が統合報告書を発行している。企業が制度開示書類とは別に、自主的な開示媒体を公表する実務が広がっており、統合報告書等の名称で、自主的な年次報告書を公表する実務が広がっている。ESGに関連する情報はこのような統合報告書に代表される自主開示実務において、企業独自の価値創造ストーリーを、ビジョン、ビジネスモデル及び戦略等を中心に創意工夫を凝らして説明する取組が行われている。開示されている統合報告書の事例のうち、比較的多くの企業が上述したIIRCの国際統合報告フレームワークを参照していた。本コラムでは、当該フレームワークにおける価値創造プロセスの概念図を紹介する。

〈図表１〉　価値創造プロセスの概念図

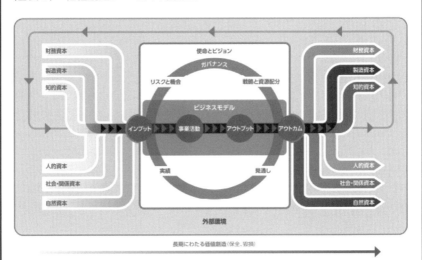

出典：「国際統合報告フレームワーク　日本語訳」2014年３月、International Integrated Reporting Council。

当該概念図はオクトパスモデルと称されるが、左のたこ足は組織に流れ込む資本（財務以外の人的資本・社会資本が含まれる）を表し、右のたこ足は組織から社会に対するアウトプットを示す。中央は組織そのものを示し、組織がどのようにリスクを軽減又は管理し、機会を最大化するかを表す。そして、それによって戦略目標及びこれを達成するための戦略が設定され、これらは資源配分計画を通じて実行される（「国際統合報告フレームワーク　日本語訳」（2014年3月、IIRC）2.27）。また、図表の中の矢印は時間の概念を示しており、価値創造プロセスは静的なものではなく、組織の見通し、実績、そして実績評価に基づく資源の再配分を行う必要性を示している。

　すなわち、組織が、外部の資本を使って、いかに価値を創造し、社会に還元していくか、それを、自組織の強みを活かしてどのように取り組み、それをどのように外部に説明するか、という点が重要である。

　学校法人の実務において、統合報告書の作成を検討することは有用であると思われるが、その検討の入り口として、当該概念図を用いて自組織がどのように価値を創造し、社会に還元していくか、ということをブレインストーミングし、また、中期的な計画との相互連携を検討することは、少子化の環境において、どのように法人の存在価値を示し、社会に発信していけばよいのか、ということを法人内部で検討する1つのツールになるのではないかと思われる。

　このように、ESG投資の概念が浸透し、その市場が拡大していることを考慮すると、企業のESG投資先として学校法人が選択肢に入ることも考えられることから企業が取り組んでいるESG情報開示について、学校法人において検討に着手しておくことは有益であると思われる。

第7章

財務内容の改善策

1 はじめに

　学校法人の目的は、教育研究や地域貢献等により社会からの期待に応えることである。これを達成するための財務的な目標として学校法人においては事業活動収支の均衡が求められている。事業活動収支の均衡が達成されない場合とは、端的にいって事業活動収入に比較して事業活動支出が大きすぎるということである。このような状況を改善する方法として以下が考えられる。

① **収入基盤の維持・拡大**
　・外部資金（競争的資金や寄付金等）の増加
　・受験生及び学生・生徒の確保
　など
② **支出の削減**
　・予算管理の見直し
　・契約の見直しによる調達コストの削減
　・給与体系や人事評価制度の見直しによる人件費の見直し
　など

　また、短期的に事業活動収支の均衡を達成することは困難と考えられるため、中長期の経営計画を作成し、計画的に財務の健全化を図る必要がある。

　したがって、本章では、上記の課題に対応するための方策を解説する。

❷ 中長期経営計画による総合的な経営改善

　学校法人では、少子高齢化、グローバル化、多様化など環境変化が大きく予測困難な時代を迎えている。このような状況の中、学校法人全学一丸となってその実現に邁進できる将来ビジョンを示し、ビジョン実現のために強みを活かした戦略計画を骨格とする中長期計画の策定（見直し）が極めて重要である。本節では、中長期計画の意義、計画の内容、計画を達成するポイント等について解説する。

　・中長期計画の意義・メリットと全体像
　・中長期計画の基本戦略・個別戦略
　・財政計画（財政規律）との連携・整合性

(1)　今なぜ中長期計画が必要か

図表７－１　今なぜ経営計画が重要か

環境が厳しく予測困難な時代
❶ 予測が困難な時代だからこそ、明確なミッションやビジョンが重要
❷ 財務構造を変革するには、中長期的な戦略実行が重要
❸ 戦略的・計画的なお金の使い方で将来に差が出る
❹ 情報開示の時代、正直かつ透明性がありかつ魅力的な経営計画が重要

① 環境が厳しいからこそ、教職員のベクトルを合わせ全学一丸になれる錦の御旗が必要である。
② 外部資金の構成割合等、長期的視点での収支構造の見直しが重要であり、特にイノベーション（教育・研究の改革等）、ブランド化のために長期的視点に立って戦略を実行しなければ、本質的・抜本的に財務構造の変革はできない。

③ 変化・予測困難な時代は資金を蓄えておくのが一般的だが、今財政が厳しいからといって必要な投資をしないと、将来に歴然とした差が出る可能性がある。ここに中長期戦略と財政規律の一体的な取組みが重要となる。
④ 正直にかつ魅力的な計画を開示していくことが、社会や受験生等の評価につながる。

(2) 中長期経営計画のメリットと策定（見直し）により解決できるテーマ
① 中長期経営計画のメリット
　a．改めて建学の精神の具現化、教育研究の充実・強化につながった。
　b．法人部門と学校（学部）が共通の目標に向けて活動できるようになった。
　c．中長期計画に明記された改革が実現しやすくなった。
　d．目指す目標が教職員に浸透し、学校運営に対する共通理解（改革を進める雰囲気）が進んだ。
　e．教育・研究から学部再編に至るまで、具体的な実行計画を掲げることで意識改革につながった。

② 中長期計画の策定（見直し）を通じて解決できるテーマ
　a．図表7-2①②③のテーマについて
　　ミッション（建学の精神・理念）、ビジョン・戦略については、中長期計画の根幹に関わるところであり、ここが揺らいでいると土台が築けないという意味で赤信号と考えられる。また、安定した財務基盤は、戦略の実行財源として必要不可欠なテーマである。
　b．図表7-2④⑤のテーマについて
　　ミッションに基づいたターゲット（学生・生徒）は誰か、そしてそのターゲットにどのような独自価値（法人の強みであり、他法人と差別化できるもの）を提供するかは、学校法人の経営上、基本的かつ重要なテーマであり絶えず意識して忘れてはいけないという意味で、黄信号と考え

られる。
c．図表7－2⑥⑦⑧のテーマについて
いずれもよく話題になるオーソドックスなテーマである。特に、計画の策定段階からステークホルダー（学生、教職員、後援会、校友会等の関係者）の意見を収集し取り入れることは、社会的使命を果たし、ステークホルダーの満足度を高める上で重要なポイントである。

図表7－2　中長期計画で解決できるテーマ

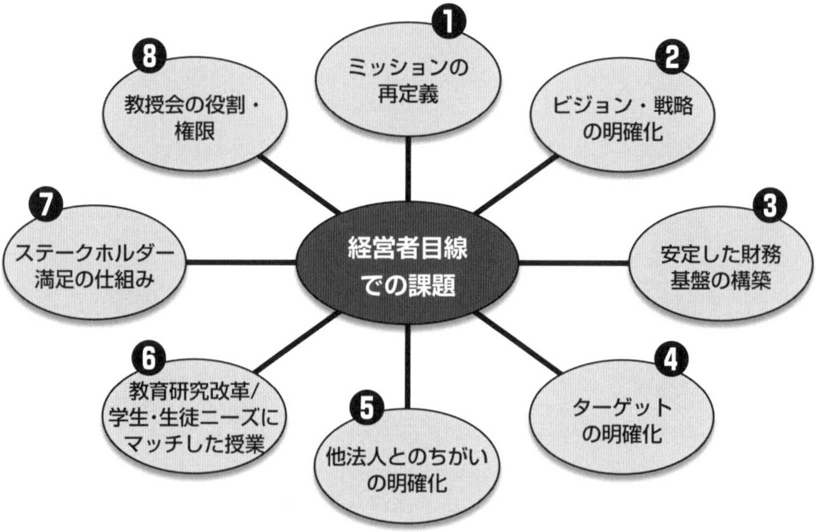

経営者目線での課題
- ❶ ミッションの再定義
- ❷ ビジョン・戦略の明確化
- ❸ 安定した財務基盤の構築
- ❹ ターゲットの明確化
- ❺ 他法人とのちがいの明確化
- ❻ 教育研究改革／学生・生徒ニーズにマッチした授業
- ❼ ステークホルダー満足の仕組み
- ❽ 教授会の役割・権限

(3) 中長期計画の全体像と概要

中長期計画の全体像は図表7－3のように6つの基本的要素から構成されるが、根底とゴールにある建学の精神（ミッション）とビジョンについて説明する。

〈建学の精神（ミッション）〉

学校法人の存在意義は、教職員が一生懸命に働ける目的・原動力であり、折に触れこの原点たる建学の精神に立ち返ることが重要である。さらに建学

図表7-3　中長期経営計画の全体像

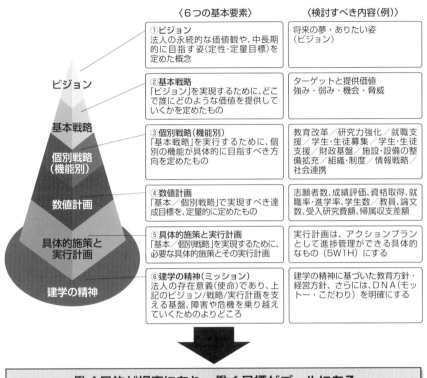

働く目的が根底にあり、働く目標がゴールにある

の精神を日常業務で浸透していくには、行動レベルに落とし込んだ行動指針（いわゆるDNA・こだわり）が必要である。これは端的で分かりやすいものがよい。例えば次のようなものである。

「挨拶は、仕事に優先する」
「"昔からこうです"と言わない」

〈ビジョン〉

　将来法人が向かう方向・ありたい姿（夢）を定めることは、教職員の将来

の不安を解消し、モチベーションを持続させ高める上で、非常に大切なことである。

また、ビジョンの策定段階において、経営層だけで決めるのではなく、教職員をはじめとしたより多くのステークホルダーの声を反映することが望ましい。特に教職員については、少しでも自分が関わった計画であるという参画意識ができると、当事者意識をもって自ら進んで障害を解決し計画を実現しようとするからである。

次は、ミッションを果たしビジョンを実現するために策定する「基本戦略」「個別戦略」（主にマーケティング、イノベーション）の内容について解説する。

〈基本戦略〉

基本戦略とは、誰に（ターゲット）・何を（独自価値・強み）提供するかを定めたものである。ドラッカーによれば（『ドラッカーの遺言』（講談社））、経営の本質とは「『成果』を得るために、**どんな『強み』を活かして**、何をしなければならないのか？」を考え・実践することとしている。その強みを活かすには、ターゲットが明確でなければならない。

★大学の取り組み事例①
：【少人数教室】【全講義英語】【24時間図書館】の３つの価値を提供している事例

教育システム・教育環境の強みを活かした事例であり、グローバル人材を求める有力企業（東証１部上場ほか）から注目され、卒業生の就職率はほぼ100％となっており、グローバル教育を求める学生（ターゲット）に対して、このような独自価値を提供している。

第7章　財務内容の改善策

図表7-4　基本戦略：顧客と提供価値（強み）がポイント

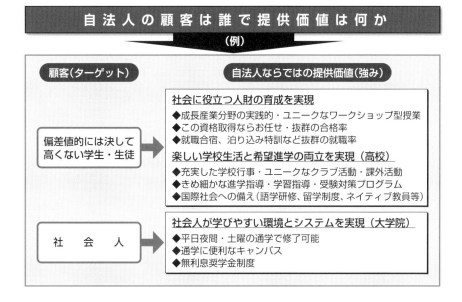

★大学の取り組み事例②
：きめ細かな就職支援を実施している事例
　就職支援は教育の一環として捉え、学生の高出席率維持（就職ガイダンスや各種対策講座）、負担の軽減（全ての対策講座を受講料無料で実施）、個人指導の徹底（模擬面接・履歴書指導他）、的確な情報提供（昼休みを利用した企業説明会）等、教育効果が高まる工夫をしている。

〈個別戦略〉
　ドラッカーによれば（『マネジメント　基本と原則』（ダイヤモンド社））、法人（企業）の目的は、顧客の創造である。
　そのためには、マーケティングとイノベーションを実践しなければならないとしている。
　・マーケティング：顧客の欲求からスタートする

・イノベーション：新しい価値・満足を顧客に生み出す

※本章では、顧客＝学生・生徒、社会と位置づけている。

◆マーケティング戦略

まずよく知られているマーケティングの４Ｐを、学校法人にあてはめてみると図表７－５のようになる。

図表７－５　マーケティングの４Ｐ

Product　商品	Price　価格
授業／社会人向け専門教育／公開講座　研究成果 etc	受験料（割引）・入学金（返還）・授業料（奨学金）、ロイヤリティ収入 etc
Place　販売チャネル	Promotion　広報（募集促進）
立地（通学、サテライトキャンパス）　TLO、産官学連携組織 etc	広告・パブリシティ・SNS・マイクロブログ　高校訪問、中学訪問、代理店活用 etc

↓

マーケティング・ミックス
（どのように組み合わせるか？）

↓

マーケティング戦略の肝

例えば、無料の公開講座（商品・サービス）に関していえば、ＳＮＳで社会人向け授業の様子を発信し（広報・募集促進）、大学院が提供する社会人向け専門教育（商品）への関心・応募へ誘導することが考えられる。

４Ｐの中でも関心が高い広報（募集活動）については、他法人との違いを顧客視点でいかに分かりやすく伝えるかがポイントである（後述の図表７－25を参照）。そのためには、全教職員が、常に学生・生徒視点－自分が学生・生徒だったらという視点で考える習慣が重要である。

◆イノベーション戦略

　イノベーションの対象は、教育・研究活動はもちろんであるが、学生支援サービスも重要な対象となる。学ぶ場であり学生支援の場でもある図書館についての事例を紹介したい（図表7－6）。

　図表7－6　図書館の活用例

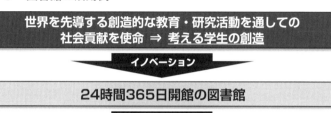

LINK棟	概要・特徴	備　考
L棟	静かに勉強する場所	キーボード音の出る機器等の使用禁止
I棟	授業の収録が可能なコンテンツスタジオの設置	
N棟	複数で学習するコンセプト⇒おしゃべり・飲み物OK 授業資料ナビゲーターの設置⇒授業の参考書籍が、授業別に展開	タブレット端末（iPad）やパソコンの貸出し
K棟	書庫として機能	

　また図書館に関連して、グーグルの創業物語となったスタンフォード大学の図書館の改革事例を紹介する（図表7－7）。
　ポイントは、問題の再定義（質問の変更）というシンプルな作業を行った点である。
　図書館に関するイノベーションの視点としては、学生の閲覧図書の履歴を集計・分類し学生にフィードバック（平均閲覧数等）というサービスも面白い。学生がどれだけ勉強しているかを確認でき、一方で図書館の書籍がどれだけ活用されているかを検証することもできるからである。

図表7－7　グーグルの創業物語（スタンフォード大学）

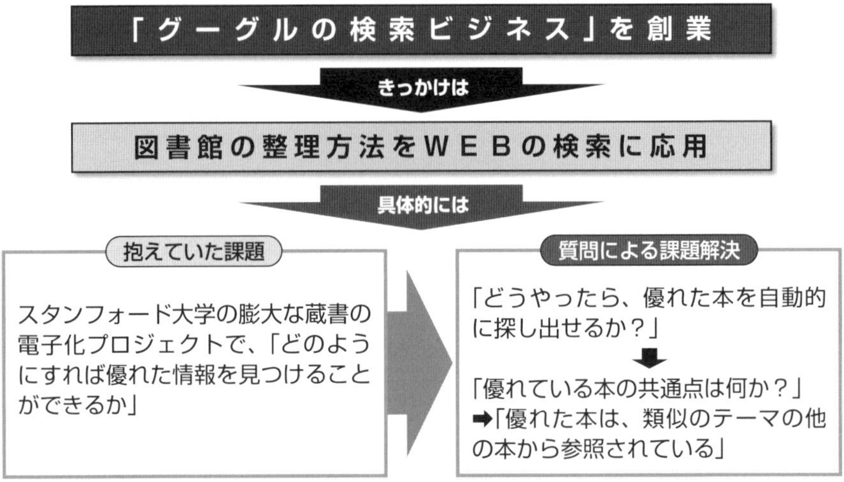

```
┌─────────────────────────────────────┐
│　「グーグルの検索ビジネス」を創業　　│
└─────────────────────────────────────┘
              ▼ きっかけは
┌─────────────────────────────────────┐
│　図書館の整理方法をWEBの検索に応用　│
└─────────────────────────────────────┘
              ▼ 具体的には
```

【抱えていた課題】
スタンフォード大学の膨大な蔵書の電子化プロジェクトで、「どのようにすれば優れた情報を見つけることができるか」

【質問による課題解決】
「どうやったら、優れた本を自動的に探し出せるか？」
⇒「優れている本の共通点は何か？」
➡「優れた本は、類似のテーマの他の本から参照されている」

　教育改革（イノベーション）については、様々な取組みが行われているが、時には、現状の延長線でなく、新たな視点で検討することも必要である。次に「イノベーションのDNA」を紹介する（図表7－8）。

　質問力は、スタンフォード大学の事例でもその重要性は認識されているが、例えば、関連づける力として、理系＆文系のコラボレーション授業や、右脳＆左脳の組み合わせ授業などいろいろなバリュエーションが考えられるところなので、検討する価値は大きいと思われる。

図表7-8 「イノベーションのDNA」による教育(授業)のイノベーション

5つの発見力	内　容	発見力を伸ばすためのヒント
質問力	質問を重ねて、新しい洞察を誘発する力	「質問ストーミング」例)選んだ問題に最低50個の質問
観察力	顧客や製品など、周りの世界の観察を通じて、新しいやり方のもとになる洞察やアイデアを得る力	顧客を観察する(何を好み、何を嫌い、何に喜び、何に苦しんでいるか)
ネットワーク力	多様な分野の人たちとの交流を通じて、物事を異なる観点からとらえる能力	週に一度の食事
実験力	製品やプロセス、アイデアを分解して、その仕組みを理解し、新しいアイデアに結びつける能力	新しい環境(国や企業)を訪れたり、新しい社会活動に参加する
関連づける力	一見無関係に見える疑問やアイデアを結びつけ、新しい方向性を見いだす能力	「強制連想」例)電子レンジと食洗機の機能を組み合わせた製品を想像(普通は組み合わせない物事の組み合わせ)

出典：『イノベーションのDNA』(著者：クリステンセン・クレイトン、ダイアー・ジェフリー、グレガーセン・ハル)より筆者作成

(4) 戦略実行と財政計画との連携・整合性について

　戦略の策定・実行を進めていく上で、戦略実行コストと財政計画(財政規律)との連携・整合性が必要となるため、この点について解説する。中長期計画の必要性の中で、「戦略的・計画的なお金の使い方で将来に差が出る」と前述した。今財政が厳しいからといって、必要な投資をしないと、将来に歴然とした差が出る可能性がある。このため中長期戦略と財政規律の一体的な取組みが必要となる。

　ともすると「理想の追求」と「財政規律」は、相矛盾する可能性があるが、日本マクドナルド前CEOの原田氏は、その著書『大きく、しぶとく、考え抜く。』(日本経済新聞出版社)の中で、図表7-9のようにコメントされている。

図表7－9　「両方追うのがビジネス」（日本マクドナルド 前CEO 原田氏）

両方追うのがビジネス

経営というのは、全ての相反する要素を満たそうとする矛盾を追いかけることである。矛盾だらけの中で経営をしているわけだ。
例えば、顧客満足度を上げようと思ったら、店舗にクルーをたくさん入れれば上がる。しかし、クルーを多くしたらその分、利益を圧迫する。一方で、利益を上げようとすると満足度が下がる。
「では、どちらをとりますか」という質問をよく受けるが、その時は「両方とれ」と言う。両方をとるのがビジネスなのだ。
同時にとれないから、双方のバランスをとりながら、誘導していくのだ。

『大きく、しぶとく、考え抜く。』（著者 原田泳幸氏）

注：店舗を大学、クルーを教職員と置き換えると分かりやすい。

「理想の追求」と「財政規律」の双方のバランスをとりながら、両方を誘導していく際の考え方を2つ紹介する。

1つは、短期と長期のバランスマネジメント、もう1つは、財政シミュレーションと重要管理指標（KPI）の設定である（KPI：Key Performance Indicator）。

① 短期と長期のバランスマネジメント

ポイントは、2つある。

第1に、戦略コスト（戦略的な事業やプロジェクトを実行するコスト）については、短期的な視点で安易に支出を削らず、将来のことを考え必要な投資を実行することである。なぜなら、中長期計画終了年度におけるビジョン・目標の達成は、今現在、戦略的なコストをどれだけ投入し有効に使用したかにかかっているからである。

第2に、財政規律の観点から、いかに戦略コストの財源を確保するかがポ

図表7−10　縦（短期）と横（長期）のバランスマネジメント

		20X1	20X2	20X3	20X4	20X5	〜
A学部／学科	財政規律による支出のコントロールと戦略実行コストとの調整	教育研究の維持・発展が継続できる適切な投資計画か？ →					
a学科／専攻		戦略事業実行のためのコスト（予算）は十分か？ →					
B学部／学科							
〜							
全学の収支							

○年後の教育研究の発展（成果）は、今経営資源をどれだけ投入（投資）したかに依存

イントとなる。このためには、予算編成における改善（特に経常費予算のコスト削減）、予算執行・管理を厳格に行い自力で財源を生み出す努力が重要である。また寄付金や競争的資金等の外部資金を積極的に獲得することも同じように重要である（予算管理については、③参照。外部資金については、⑦参照）。

② **財政シミュレーションとKPIの設定**

中長期の戦略目標の設定と実行にあたっては、財政シミュレーションと適切なKPIを設定することが重要である。中長期計画策定には、財政シミュレーションが必要だが、あくまで戦略目標策定・戦略コストの予算化のための手段であって、シミュレーション自体が目的化しないよう留意すべきである。

そこで、まずは大元の目的である、戦略目標の策定・実行による目標達成のストーリーを確認することにする。

〈戦略目標達成のストーリーの例〉
・少人数対話型授業により学生への教育密着度を上げる（教員1人当たり学生数を少なくする）。
・上記により、学生の成績アップを図る。
・これにより、就職率のアップや就職企業の評価を向上させる。
・企業評価の向上と就職率アップにより大学のブランドが高まり、志願者数のアップや寄付金等の外部資金の獲得がしやすくなる。
・上記により収入額がアップすることにより（教員の人件費の増加分を吸収して）、財務内容が改善し、再び教育研究の充実・強化のために資金（コスト）を投入できる。

これらの好循環サイクルを図示すると、図表7－11のようになる。

また各項目の指標の例を示すと、図表7－12のようになる。

さらに先の戦略目標達成ストーリーに基づき、戦略目標とKPI、戦略コストの設定例をあげると図表7－13のようになる。

図表7－11　戦略テーマの有機的連携（イメージ）

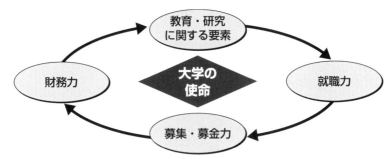

第7章 財務内容の改善策

図表7-12　大学の価値を向上させる管理指標（例）
　　　　　（文部科学省「大学改革実行プラン」の客観的評価指標を考慮）

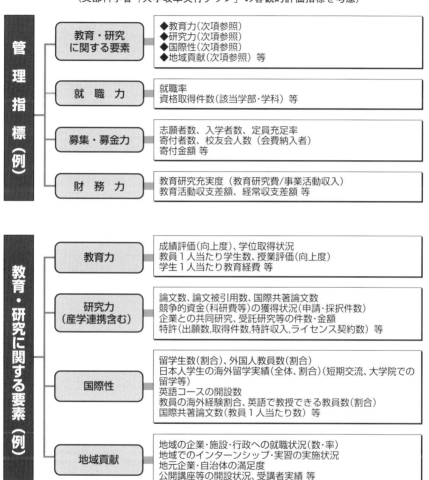

図表7－13　戦略目標に基づくKPIの設定

戦略テーマごとに重要管理指標を設定する

設定例

戦略テーマ	戦略目標（例）	重要管理指標（例）	戦略コスト
教育力	教員1人当たりの学生数	・少人数対話型授業の比率 ・学生成績評価	教員人件費 教育研究経費 （授業革新コスト）
就職力 （学生支援）	学生満足度 就職企業満足度	・進路決定率、実質就職率 ・インターンシップ受入企業数 ・インターンシップ派遣人数	職員人件費 管理経費 （キャリアセンター）
募金力	寄付金額	・校友会人数 ・会費納入者数	広報費

ベースは

建学の精神・教育方針・教育目標

　少人数対話型授業により、教員数の増加が必要となる。結果として、人件費は増加するが、入学者数増加という結果が得られるまで時間がかかる。その間は、外部資金獲得額の向上を図る等の帰属収入の増加目標が必要になる。

　ここに、財政シミュレーションとそれをふまえたKPIの目標管理が必要となる（図表7－14）。

　1年目は、少人数対話型授業のための教員人件費の増加、外部資金獲得のための管理経費の増加を見込んでいる。寄付金等の外部資金による事業活動収入の増加を目指すものの教育研究経費の戦略予算経費は必要十分な額の確保が必要であるため、財政規律の観点から、教育研究経費の経常予算経費や管理経費については、厳格な予算管理が必要となる。具体的には、教育研究経費、管理経費は、大科目としての総額を一定水準以内に納めながら、戦略事業の実施コスト（教育研究経費の戦略予算経費や管理経費の中の広報費など）の確保等のメリハリを効かせた期間配分と予算管理が必要となる。

　このように、中長期計画は「経営資源の配分計画」ともいえる。

図表7−14 中長期計画期間における主要項目の指標管理

財政規律のもと、中長期戦略目標を反映した指標管理を行う

例

管理指標	ポリシー	1年目	2年目	3年目	4年目	5年目
事業活動収入	年度ごとに、学納金収入と外部資金の構成比を目標設定する	○○○	○○○	○○○	○○○	○○○
人件費比率 （教員人件費比率）	戦略目標である教員人件費見直しのため、1年目から○○%	○○% (○○%)	○○% (○○%)	○○% (○○%)	○○% (○○%)	○○% (○○%)
教育研究経費比率 ＜戦略予算経費＞	中長期計画に基づき、おおよその目標を設定するが事業評価により毎期見直す	○%	○%	○%	○%	○%
教育研究経費比率 ＜経常予算経費＞	予算統制を徹底し、期間を通じて○○%以下に設定する	○○%	○○%	○○%	○○%	○○%
管理経費比率 （広報費比率）	戦略目標である寄付金等獲得のため、広報費は○年間は○%	○○% (○○%)	○○% (○○%)	○○% (○○%)	○○% (○○%)	○○% (○○%)
●上記の目標管理に基づき、下記の財務指標（教育研究のための必要条件）を管理する。						
教育活動収支差額比率	期間平均○%	○%	○%	○%	○%	○%
経常収支差額比率	期間平均○%	○%	○%	○%	○%	○%

　中長期計画のまとめとして、その要約を1枚にまとめると図表7−15になる。

図表7-15　ビジョン計画（長期計画）と中期計画のイメージ・関連性

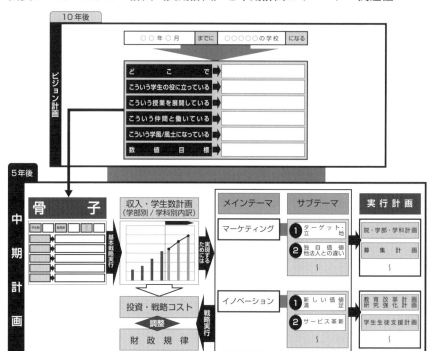

　経営計画は作ることが目的ではなく、その計画を実行して、ビジョンや経営目標を達成するためにある。ここに3つのメッセージを伝えたい。

> ★シンプルな計画で全教職員に浸透！
> ★実行してこそ意味がある！
> ★検証してこそ改善できる！

要はPDCAを回し続けることが肝要である。

第7章 財務内容の改善策

❸ 予算制度のあり方（予算制度の見直し）

(1) 中長期計画達成システムにおける事業計画と予算管理

図表7－16　中長期計画達成のマネジメントシステム

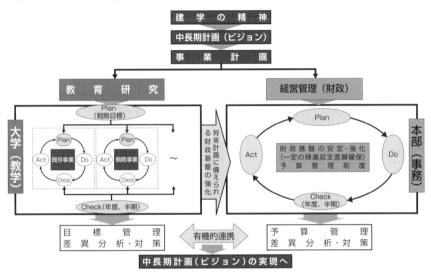

① 経常予算と戦略予算

　大学においては、中長期計画を実現するため、アクションプランとしての事業計画を策定し、実行している。事業計画は、各設置学校や学科・専攻ごとに作成され、それらを効果的に実現するための方策として「戦略予算」が制度化されている。各設置校の学科・事務局等での通常業務や施設設備営繕に係る経常的業務に充てる「経常予算」と明確に区分した上で、先に説明した個別戦略テーマである以下の項目ごとに戦略事業（新規事業・既存事業の改革）を設定し、それを戦略予算と結び付けて推進することがポイントとなる。

　◆教育改革　◆研究支援

◆広報・募集　◆学生支援　◆就職支援　◆社会連携
◆財務・財政　◆施設・設備の整備拡充
◆組織・制度　◆情報戦略

　「経常予算」には、一定の金額目標や財政的要件が与えられ、「戦略予算」には、その効果と必要性を評価した上で配分が行われる仕組みが重要である。また次回の予算のために効果確認をしっかり行うことも必要である。このように大学においては、中長期計画、事業計画、予算をリンクさせ、PDCA（Plan-Do-Check-Action）を基本に、効率的な学校（法人）運営を行うことが求められる。

② **予算管理のポイント**

　経営改革、事業計画に基づく予算の編成については、個別戦略に基づく重点事業ごとに主管部署が予算を立案し、予算編成会議において審議・承認する。ここで、重要な点は、主管部署が関連部署を巻き込み情報共有・意見を吸い上げながら、予算を立案することである。中長期計画、事業計画ともに全学的合意を重視して策定され、それを背景として予算管理体制を構築することが重要である。

　予算・実績のチェックについては、年度途中では中間報告（四半期報告、半期報告）、年度末には、実績報告及び成果発表会を行う等して予算制度の効率性と実効性を高めることが重要である。

　予算内に実績（執行）を収めることは第一義的に重要である。その上で、執行した予算が当初の目的を達成したか、つまり事業計画がその計画に実行され成果をあげたかについて、評価することが極めて重要である。

　そして成果については発表会を行うこともポイントである。次年度に向けて教職員のモチベーションを高め、さらに質の高い事業計画、質の高い行動が期待できるからである。

　大学の運営が組織的に機能していること、その基本は、中長期計画・事業

計画・予算・執行がリンクされており、目標、実施、評価等の目標管理サイクルが確実に実行されているところにある。中長期計画について、毎年進捗確認を行い実績や成果を評価し、その結果新たに発見された課題を次期の事業計画策定、さらには中長期計画の第2フェーズに反映させることが、中長期計画から事業計画・予算管理の成功のポイントである。

(2) **目的別機能別の予算管理の重要性**

予算管理を有効に行うためには、形態別の支出科目では不十分であるため、目的別機能別の予算管理が導入されている。

例えば、募集経費予算として、予算額を設定した場合、財務会計上の支出科目は、印刷製本費、旅費交通費などに分かれており、これらの該当科目ごとに募集経費予算（目的別機能別予算）を明確にしておかないと、予算の適切な執行管理ができない。また、募集経費のように費用対効果の分析が必要な費用について目的別に予算を設定しておかないと、そもそも費用対効果の分析ができないため、その意味でも目的別機能別の予算設定・執行管理は重要である。

目的別機能別予算管理は、管理会計上のテーマでもある（第3章参照）。

(3) **経費削減の視点**

経費削減を図るために、各種の施策がとられているが、予算編成の段階で経費削減の内容を織り込むのが最も確実な方法といえる。以下に予算編成段階で経費削減の内容を織り込んでいる大学の取り組み事例を紹介する。

・年度の予算要求時に理事長以下常任理事が各予算要求課に直接ヒアリングを行い、不要不急の予算要求を抑制している
・新年度予算編成方針として基本的にゼロシーリングを採用し、特に経費削減を重点方針としている予算申請科目については、前年度比▲○%のマイナスシーリングを行っている（消費税アップ分をマイナスシーリングする場合もある）

・予算編成時に部署毎に削減目標を提示した上で、部署毎に事業計画を策定させている
・予算一律○％カット、予算策定の見直し、予算執行状況のチェック、予算措置の抑制
・全体のコスト削減目標を決め、運営費予算を圧縮している
・支出増大項目の洗い出しと削減率の設定

　上記例に共通な点は、削減目標（削減率）を設定している点があげられる。また、理事の直接ヒアリングという行為も削減を推進する有効な施策と思われる。

　大事なことは、教育研究経費を含め既存予算については聖域を設けず、支出構造改革をすることが重要である。既存の予算の中でも、事業そのものの見直しや、予算に対して決算における執行率が低い予算等について、予算の見直しを行うことがポイントである。

　なお、新規事業や戦略事業として、戦略を実行するための戦略コストについては削減対象とせず、合わせて効果の検証をしっかり行うことが重要である。

(4) 新規事業についての十分な検討

　新規事業の申請に際しては、目的・目標・評価基準を明示し、また収入見合いの事業については、その新規事業の収支見通しを必ず添付させることが重要である。収支が均衡しない事業は、社会的使命と収支バランスの双方を十分考慮し、今後の実施方針について徹底的に議論することが重要である。収支がとれない事業を採択する場合には、外部資金が活用できないか、また担当箇所の他の事業の見直し（スクラップ＆ビルドの考え方）ができないか検討することが望まれる。

　また、新規事業はその推進個所の誰が責任を持つのかを明示させるなどして、最後まで責任を持たせる工夫をすることが重要であり、実施結果について事業評価を行うことが極めて重要である（事業評価については④参照）。

❹ 管理会計のあり方（管理会計の進化）

(1) 管理会計の定義と目的

　学校法人において、管理会計という言葉は馴染みが薄いかもしれない。ここでは、管理会計を、「学校法人が中長期計画、事業計画を達成するために有効な管理指標を設定し、そのPDCAを回して計画達成に導く会計」と定義する。その上で管理会計の目的を定義すると以下のようになる。

　管理会計の目的：中長期計画の実現に資すること、具体的には、管理会計の活用によって、戦略事業の有効性が評価できること、及び規律ある財政運用にも資することである。

　この目的にそって管理会計の要件、適用イメージについて具体的にみていくことにする。

・管理会計の対象領域 − 中長期計画達成のマネジメントシステム
・管理会計の適用単位 −「学部別収支・学科別収支」、「事業」
・管理会計の適用場面 −「学部別収支・学科別収支」⇒予算管理制度
　　　　　　　　　　　「事業」⇒目的別の予算管理と事業評価制度

　まず、学部別収支・学科別収支（以下本書では、「部門別収支」という）を把握してどう活用するかの方針が重要である。例えば、収支改善の課題を共有し、その解決策を学内で検討することになれば、収支把握の意味が見出される。

　一方、事業評価の実施と活用により、主要施策や予算の見直しにつなげる。さらに、事業の目的達成と財政規律の維持にも寄与することになる。

図表7-17　管理会計の活用方針

```
┌─────────────────────────────────────────┐
│     管理会計の実施及び活用の方針検討        │
└─────────────────────────────────────────┘
                    ▼
┌─────────────────────────────────────────┐
│ ① 部 門 別 収 支 の 把 握                 │
│   ⇒収支改善の課題と解決策を学内で検討      │
│                                         │
│ ② 事 業 評 価 の 実 施                   │
│   ⇒主要施策や予算の見直し(目的の達成と財政規律) │
└─────────────────────────────────────────┘
                    ▼
┌─────────────────────────────────────────┐
│ 現状を正しく認識し、今後どうするかの議論を活性化 │
│ することが重要(何もしないことは改悪)        │
└─────────────────────────────────────────┘
```

(2) **事業評価の概念図と評価のイメージ**

　事業評価とは、事業のPDCAを回すことにより、事業の集中と選択を行い、実施の優先順位を明確にすることにある。そのことにより、財政基盤の強化につなげることができる。

　事業評価の対象は、大きな分類として、教育研究事業、大学運営事業、社会貢献事業の3つとなり、それぞれに、既存事業と新規事業がある。

　その対象に対して、事業評価を行う手法は以下の2つが考えられる。

・事業別収支の予算管理（支出については、目的別・機能別の分類で行う）
・事業の有効性評価（目的・目標・KPIを明確にする）

図表7-18 管理会計の活用方針

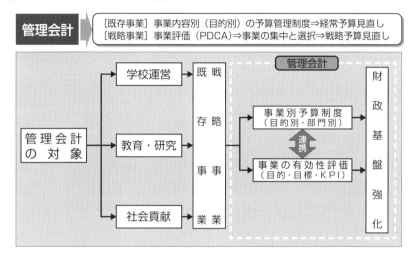

　図表7-18において、戦略事業とは、新規事業および既存事業の改革と定義する。
　例えば、少人数対話型教育事業であったり、外部資金獲得のための研究推進プロジェクトであったり、長期的視点で取り組む研究事業（国際社会の課題解決につながるような事業など）があげられる。
　以下に管理会計を用いた事業評価の具体的事例を2つ紹介する。
・少人数対話型教育事業の有効性評価の事例（戦略事業の事業評価）
・オープンキャンパス事業の有効性評価の事例（既存事業の事業評価）
　オープンキャンパスは、例年実施される既存事業であるが、一定の経費資源を投入するため、事業評価は必要と思われる。
　重要なポイントは、2つある。
・事業の目的を明確にし、その達成度を評価すること
・目的達成のための数値目標、施策・予算（P）を明確にし、その結果・効果を検証する（（CとA）＝PDCAを回す）

図表7-19　戦略事業の有効性評価【管理会計の適用イメージ】
　　　　　～少人数対話型教育事業のケース～

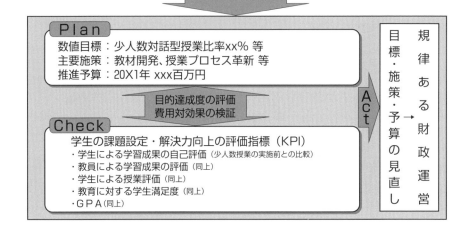

図表7-20　オープンキャンパス事業の有効性評価【管理会計の適用イメージ】

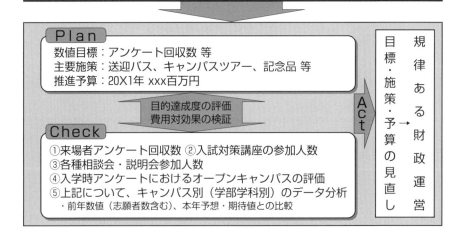

第7章　財務内容の改善策

　以上、個別事業の事業評価についてみてきたが、本節の最後に、戦略事業の管理を時間軸の視点で解説する。戦略事業は、その性格によって、短期実施事業、中期的スパンでの実施事業、長期スパンでの実施事業に大分類される。貴重な経営資源を配分するため、それぞれの性格に応じた有効な管理を行うことがポイントとなる。短期的事業であれば、きちんと事業評価を行い、事業の選択と集中を進めるべきであり、一方、長期的事業であれば、長期間ぶれずに一定の投資を行うことを法人の意思として決定し、実施すべきものである。研究開始後42年目にしてクロマグロの完全養殖に成功した近畿大学の事例は、まさにその代表的な例といえる。
　図表7－21に戦略事業の管理のイメージを示す。

図表7－21　戦略事業の管理のイメージ（時間軸）

短期・中期・長期のバランスと方針の明確化が重要

	20X1	20X2	20X3	20X4	20X5	方針
A. 短期的事業	→	→	→	→	→	成果目標の達成管理を行い事業の集中と選択
B. 中期的事業	───────────→					最終年度の成果目標の設定中間進捗管理
C. 長期的事業	──────────────────→					教育・研究のイノベーションを起こす
戦略事業費比率（対事業活動収入）	○%（ABCのウェイト）	○%（ABCのウェイト）	○%（ABCのウェイト）	○%（ABCのウェイト）	○%（ABCのウェイト）	Cのウェイトは一定、A、Bは毎期見直し

(3) **中長期計画と財政規律の両立に資する管理会計のイメージ**
　(2)で中長期計画を構成する個別の戦略事業における管理会計について考察

した。この項のまとめとして、中長期計画で掲げた戦略目標(財務関連目標、戦略事業・施策目標)と、学部別収支計画(財政規律に配慮した収支構造計画)の有機的連携により、両者の両立を図るイメージを紹介する(図表7－22)。

有機的連携のポイントは3つある。
・財務関連目標と非財務関連目標が整合しているか(例：教員・学生比率目標に対して、科目クラス数やクラス人数が、多すぎないか)
・財務関連目標と学部別収支の主要科目目標は整合しているか(例：教員・学生比率目標に対して、学納金収入や教員人件費は妥当な水準か)
・戦略事業への投入資源(ヒト・モノ・カネ)は、学部別収支の該当科目の事業予算額と整合しているか(例：少人数教育に適した教室の設備・備品が、該当経費予算に適切に反映しているか)

図表7－22　戦略目標と財政規律実現のための有機的関連ツリー

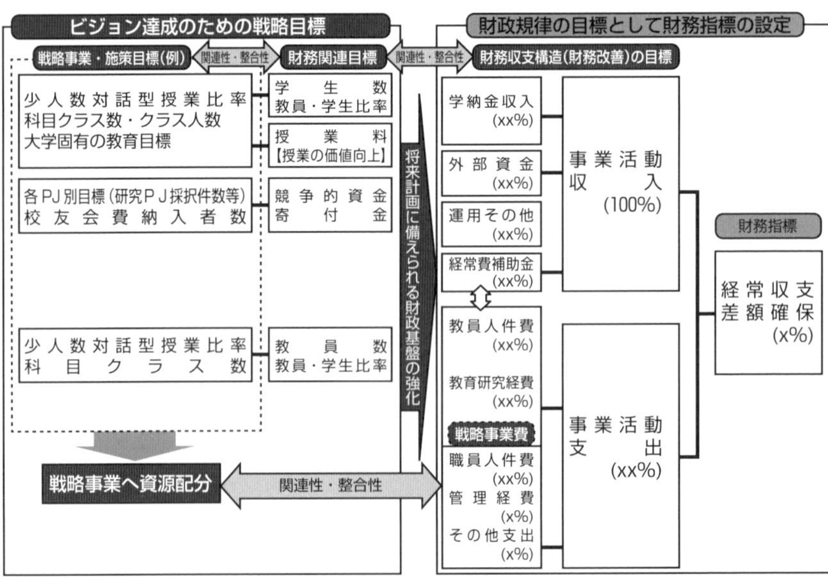

❺ 収入拡大のための方策：学生・生徒募集戦略の見直し

「②中長期経営計画による総合的経営改善」の〈個別戦略〉において、マーケティング戦略の概要を述べた。

この節ではそれをもとに、より具体的なテーマについて解説する。

(1) 学生・生徒募集の設計図

効果的な学生・生徒募集活動を行うためには、まず、設計図の作成が必要である。例えば図表7−23の通りである。

図表7−23　学生・生徒募集ストーリー（例）

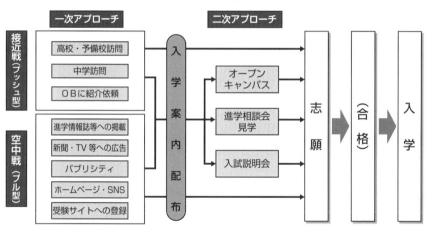

入学時のアンケート結果から、受験に役立った情報の上位には、おおよそ以下5つの情報があげられている。

① 入学案内（パンフレット）
② ホームページ（WEBサイト）
③ オープンキャンパス
④ 個別相談会

⑤　高校の進路指導

　特に入学時のアンケートで集めた学生の声を①入学案内や②ホームページにおいて紹介することは、受験生の参考情報としては有用である。またホームページへのアクセス件数が逓減傾向になっていないかチェックし、逓減していれば、情報を更新していないなど何が不足しているのかを徹底分析し、その対策を講じる必要がある。

　③オープンキャンパスについては、その効果を認識している大学は多いと思われる。したがって、オープンキャンパスへの来場者をいかに増やすかに焦点をあて、そのための施策に工夫をこらすことが重要である。以下はその事例である。

　以下に効果を認識している例を4つ紹介する。

例1　オープンキャンパスの参加者の出願率が高いことから、オープンキャンパスに参加を誘導する資料請求者の拡大に力点を置いた。そのために葉書を添付している雑誌広告を重視している。

例2　オープンキャンパスへの勧誘に必要なリスト（資料請求者名簿）を集約できている。このリストを元にDM等で集客のための広報を展開した結果、前年度よりオープンキャンパスへの参加者が増えている。当学のオープンキャンパスに参加した者の受験率が約80%に達するので、オープンキャンパスへの誘いを最優先に訴求効果を狙った事例である。

例3　ネット媒体の効果は限定的である。むしろ、広報効果としては、高校での進路ガイダンスやオープンキャンパス等を通じ、直接、受験生に対面で説明できる場の方が期待できる。そのため、ネット媒体は「学校の理解促進」「入試情報の提供」に加え、「オープンキャンパスの告知」を主たる狙いとしている。

例4　日ごろからの地道な認知活動も重要である。社会貢献や地域貢献の一環としてオープンセミナー（無料）や図書館の開放などを行っている。

ここで重要な点は、データの把握＝効果の検証である。
　例2のようにオープンキャンパスに参加した者の受験率をデータで把握することが極めて重要であり、それが高い率であるならば、例3のようにネット媒体を「オープンキャンパスの告知」手段と位置づけた有効な広報施策が可能となる。そして、明確な根拠をもって、オープンキャンパスの成功を最重要目標として取り組むことができるのである。

　以下はオープンキャンパスへの取り組み例である。
★大学の取り組み事例①
　在学生が「学生スタッフ」（運営スタッフ）として積極的に活動している大学がある。
　この学生スタッフのほとんどは、自分が高校生の時にオープンキャンパスに参加し感動した在学生であり、今度は自身が受験生の立場に立って、オープンキャンパスを運営するため、非常に効果が高い。しかもボランティアで活動している。
　オープンキャンパスの満足度向上⇒受験生の感動体験⇒その感動した学生が、今度は大学スタッフとして運営側に⇒オープンキャンパスの満足度向上⇒……という好循環サイクルが生み出されている。
★大学の取り組み事例②
　オープンキャンパスになかなか参加できない遠方在住の生徒に対して、選定した各地区において、オープンキャンパスの雰囲気を味わってもらうことを目的にしたイベントを実施する大学もある。
　このイベントには、大学紹介の資料だけではなく、オープンキャンパスで実際に使用した資料を展示資料としている点や、校友会の地域支部との共催で開催している会場もある点が、特徴的である。結果、イベント開催地の志願者が全国平均を上回っているという成果も出ている。
　④個別相談会も効果が認識されている。「受験生コーナー」（週末特定の曜日にコーナーを設け、在学生が受験生の相談に対応）は、オープンキャンパ

ス以外で受験生が在学生と交流できる場として定着し、利用者も大幅に増加して、広報強化の一翼を担っているという事例も報告されている。

また受験生と大学の交流の場として、高校生を対象としたコンクールやコンテストの主催を通して、大学を身近に認識してもらい、特に学習意欲の高い高校生に対して、志願の動機付けを行っている事例もある。

⑤高校の進路指導も効果的であると判断されている。

★大学の取り組み事例③

ある大学では、受験生が多い高校には教員と職員がペアとなって訪問したり、また、首都圏だけでなく全国から志願者を集めたいとして、主要地域には入学アドバイザーと称する職員を割り当て、年2回高校を訪問している。これによって、進路指導担当の先生に対する強力な支援体制を確立しており、志願者数増加につながっている。

また、別の大学は、テレビCMの導入や訪問する高校の数を3.5倍に増やすなど積極的な募集活動を展開したことにより、入学志願者数は急増し前年度比1.5倍、入学定員充足率約1.4倍に達することができた。入学定員充足率はその後も約1.2倍を推移している。

一方、SNSの活用も考えられる。つまり、高校の教職員が大学のSNSにアクセスしてきた場合、招待状を送って、活動内容をリアルタイムで見てもらい、それを生徒への進路指導に活用してもらうことである。

以上みてきた5つの情報のどれをとっても共通に重要なことは、「自法人の強みを活かした他大学とのちがい」である（図表7－24）。

「ちがい」があっても、それが受験者層に十分に認識されないと意味がなくなるので、「受験生にとってわかりやすいか」というチェック項目は重要である。

さらに、そのちがいが顧客に価値を提供しているかという点であるが、ちがいを出すことばかりに注力してしまうと、自己満足に陥る可能性があるため、あくまでそのちがいが顧客に価値を提供できるものなのかどうかはしっ

図表7-24 自法人の強みの訴求ポイントは何か（3段階のチェック）

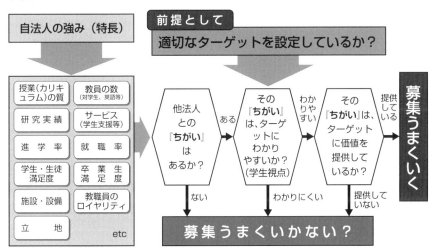

かり評価する必要がある。

　つまり、「授業内容が実益があり分かりやすい」、「キャリア教育が充実している」といった教育の「中身」がいかに価値を提供しているかが決め手となる。

　新車販売に例えれば、どれだけ宣伝に力を入れても肝心の車自体が良くなければ売れないように、大学もいくら素晴らしいパンフレットを大量に作成しても、在学生にこの大学に入学して良かったと思ってもらえないと、受験生は集まらない。

　そしてまたその喜びの声がパンフレットに紹介され、オープンキャンパスで実際に生の声が聞けたりして大学の良さの一端が垣間見ることができれば、志願者が増加する。入学した生徒は事前の情報どおりの教育サービスに満足するといった好循環が生み出されるのである。

　すべての教職員はこのことを常に意識し目指して、業務にあたることが重要である。

図表7−25　顧客(学生・生徒・社会)の視点で他法人とのちがいを作っているか？

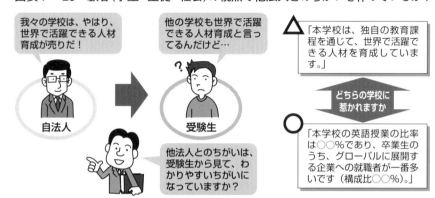

　また伝えたつもりでも実は伝わっていなかったということはよく耳にする。
　相手に届くことを意識した広告の事例として、弘前大学の漫画誌への広告の事例を紹介する。同大学は、2010年3月に少年・少女漫画誌6誌に広告を掲載し、2010年度「第50回消費者のためになった広告コンクール」（日本アドバタイザーズ協会主催）雑誌広告部門で銀賞を受賞している。また2010年12月から2011年1月にかけ5回にわたり『週刊少年マガジン』（講談社）の裏表紙などにカラーの1ページ広告を掲載した。高校を舞台にした連載中の人気漫画の主人公が登場し、弘前大の教授や研究内容を「特別授業」で紹介、「弘前だから学べる！　君のパイオニア精神を目覚めさせろ‼」のキャッチコピーをあしらい、漫画誌と見事に同化した広告を行った。その広告の甲斐もあり、2011年春の一般入試の志願者は過去8年間で最高の倍率（5倍超え）を達成している。

伝えた≠伝わった　ユニークな内容で相手に届く広告がポイント！

図表7－26　学校法人の特徴の伝え方・知名度アップ（参考：ジョハリの窓）

	自　法　人	
	知っている	知らない
学生・卒業生等　知っている	経営良好窓　←	A 学生・卒業生に教えてもらう窓
学生・卒業生等　知らない	B 受験生・保護者へアピール窓 ↑	経営悪化の窓

　Aのゾーンとしては、学生アンケート（入学前・入学時）の実施により、把握できることがあるので、まめに学生の声を入手することは大事である。

(2) 募集成功のポイント

　募集成功のポイントを整理すると、次の6つになる。
① 他法人とのちがい（自法人の強み）を探し続ける
　◇　他法人とのちがい（教育、研究、就職等学生支援等）を明確にする
　◇　「○○なら我が学校！」という意識をもつ（○○がないとなかなか受験生に認知されない）
② 学生獲得ストーリーを作る
　◇　受験生の関心・行動を知り、行動に合わせたストーリーを作成する
　◇　受験生が当法人に近づきやすいしかけを作る（焦らない）
　◇　空中戦（マス広告）、接近戦（人的アプローチ）を効果的に組み合わせる

③ 効果的な募集促進ツールの作成（その気にさせる！）
  ◇ 自法人にとって最適な募集促進ツール（パンフレット、メールマガジン、ホームページ）を選択する
  ◇ キャッチコピー、内容にこだわる（その気にさせるキーワードを抽出）
  ◇ ハイテク（システム化）とローテク（アナログ）の一体化（効率追求主義は受験生から敬遠される）
④ マーケティングの標準化
  ◇ 販促ツールの標準化（**学生の声等の小冊子の標準版**、作成チェックリスト等）
  ◇ マーケティング実行マニュアルの作成（広告出稿の手順、費用対効果の検証ルール等）
⑤ 全員がマーケッターとしてがんばる（みんなでがんばる！）
  ◇ 「マーケティングは特定の人がやるものだ」という誤解の払拭
  ◇ マーケッターとしての感性を磨く（**常に受験生視点、自分が受験生だったら、という視点で考える習慣をつける**）
  ◇ **全員（教職員）からの提案制度の採用**
⑥ マーケティング目標達成システム
  ◇ P（Plan）→D（Do）→C（Check）→A（Action）のサイクル確立
  ◇ 「マーケティングは科学である」という発想（プラン作りにリサーチは重要）
  ◇ 費用対効果分析の徹底（次ページで説明する）

6 広報費(募集活動費)の有効活用(有効な支出の方策)

(1) 広報費（広告費）の特質

専門家によれば、90％の広告は無視されると言われるため、以下のような施策が必要である。
  ① ターゲットと訴求価値の明確化

② 広告の属性をふまえた単発で終わらない広報
　SNS等でのフォローが有効である。
③ 地道な営業活動との相互連携
　キャッチメントエリアの高校への営業があげられる。
④ 研究成果等に基づいた実績・事例紹介型の広報
　新聞等のパブリシティ（記事掲載）が有効である。

(2) **広報費の費用対効果の検証**

　広報費（広告費）は、ともすれば効果がきちんと検証されないまま次の広報活動にいく可能性があるので、ブラックボックス化せずに、きちんとPDCAを回すことが重要である。

　そのためには、以下のような6つの項目についての検討が必要である。

　例は、高校訪問の場合である。

① 活動項目
　　例）高校訪問
② 効果指標（KPI）
　　例）説明会参加者数（目標）、相談会参加者数（目標）
③ 直接コスト
　　例）訪問のための交通費等、資料代
④ 間接コスト
　　例）資料作成コスト（人件費・印刷費等）
⑤ 効果分析（指標チェック）
　　例）実際の参加者数
⑥ 今後の改善策

(3) **効果指標（KPI）の詳細分析**

　分析の視点として、3Eの観点を用いることは有効である。
　・経済性（Economy）

・効率性(Efficiency)
・有効性(Effectiveness)

具体的には次のようなイメージである。

効果の検証項目	効果指標(KPI)
目標の志願者数が獲得できたか(有効性)	・志願者数(増加率)
費用対効果、プロセスは効率的か(効率性)	・入学検定料等手数料／広報費 ・説明会や相談会参加者数／高校等営業コスト
大学パンフレット等募集のためのツールの制作費は、経済的か(経済性)	・実際の製作費／予算

(4) 現状分析(効果分析)の視点

図表7-27　現状分析の重要性

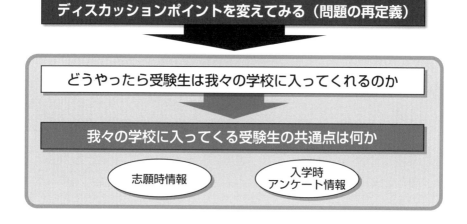

共通点は、自法人の大学を選んで入学してくる受験生の属性や傾向ともいえる。

例えば、次のような分析コメントがある。

・パンフレットで「実学」をうたっているが、実際も受験理由として実学主義の授業・専門的な講義を受けたいという声が多かった。
　⇒パンフレットの重要性
・○○地区の出身者が意外に多い
　⇒○○地区の高校への訪問強化
・オープンキャンパスの満足度が非常に高い
　⇒オープンキャンパスのさらなる充実強化

矢印に示したように、募集強化のために有効な施策やツールを再確認することができる。
また、これらについては、ＩＲ[注]をする時の参考にすることができる。
注：インスティテューショナル・リサーチ

学校法人が取り組むべき課題を解決するために、学内外の情報を収集・分析・活用し意思決定に活かす仕組み。

❼ 収入拡大のための方策：外部資金の獲得

外部資金獲得の方法として、以下に示すように様々な方法があげられる。
・競争的外部資金の獲得
・寄付金の募集
・企業からの研究受託や教育研修受託
・企業との共同研究
・知的財産の活用
など
上記のうち本書では、理系に偏らない方法で最近注目されている方法を2つ取り上げることにする。競争的外部資金の獲得と寄付金募集である。

(1) 競争的外部資金の獲得

　競争的外部資金の獲得としては、文部科学省、経済産業省等の競争的研究資金の獲得、政府系法人の公募制研究委託の獲得等があげられる。
　競争的外部資金獲得のためには、次の2点がポイントとなる。
◆大学の強み（個性・特色）を最大限に活かす
◆理事長の強いリーダーシップのもと、共通の目標に向かう全学的体制を構築する

① 大学の強み（個性・特色）を最大限に活かす
　原点に戻り、大学の強みを再認識・再定義することが重要である。
★大学の取り組み事例
　保育専門の大学が、保育者を志す学生や現場の保育者にとって、「保育紙芝居」を日常的な保育教材でありながら、貴重な資料であると位置づけて取り組んだ事例である。具体的には、「保育紙芝居」の収集と学術研究を推進し、図書館を紙芝居の情報センターとするため、「子ども文化と紙芝居プロジェクト」に取り組んだ。図書委員会（教員、職員）を中心にデータベース作成を開始し、さらにはデジタル紙芝居の企画に着手、古書店を中心に戦前の作品収集も開始した。結果、同プロジェクトは、「子どもゆめ基金」として採択・交付決定されている。
　上記の事例は、教育研究活動を極め、進化する過程において、全学的なプロジェクトが組成され、改めて「大学の大きな強み・特色になる」と理事会や学長に評価されたことがきっかけとなったものである。そのきっかけをチャンスとして、外部資金の導入に取り組んだという流れはスムーズであり、望ましい姿と言える。大学の強みは何かというのは、最も基本的なテーマであるがゆえに、暗黙の認識のもと、あえて学内で議論することには至らないこともある。しかし、外部環境は変化しており、内部の状況も変化している可能性があるため、定期的に「強み」についての議論を行うことは重要である。

図表7－28　学校法人の強みは何か・どんな強みを活かすか

② 全学的体制の構築

　全学的体制の構築のためには、理事長直轄の専門部署の設置が有効である。

　専門部署が設置されたことにより、学内での補助金申請可能案件の掘り起こしが容易になり、潜在的な補助金対象事業の把握が可能となる。結果として、文部科学省が募集する各種のプロジェクト型資金を獲得できた事例がある。このことは、教職員の外部資金獲得への意識も高揚させる結果となっている。

　つまり、競争的資金獲得の成功は、教職員と学生が一丸となって取り組んだ結果生まれるものである。外部資金の導入の重要性を教職員が認識し、外部資金獲得に向けた努力が、結果的には学生も取り込んだ全学の取組みとなることで、学生、卒業生、近隣地域からの評価が向上し、財政的効果はもちろん、広報、教学、組織の活性化において大きなメリットがあると言える。

　また、大学の取組みがマスコミに取り上げられたケースもあり、外部から評価されることで学生は帰属意識と誇りを持つことになり、就職活動や学習活動に良い影響を与えていることがもう1つのメリットとしてあげられる。

(2) **寄付金の募集**

　寄付金募集のポイントは、身近なステークホルダーとの密接な連携・日ごろの信頼関係の構築により、寄付金募集のためのベース（素地）を構築できているかどうかである。ＯＢにしても保護者にしても突然寄付金の依頼がきてはなかなか協力しようという気にならない。大学からの定期的な近況レポートや、交流会やお役立ちセミナー等のイベント案内を通じて、親近感や大学の身近な関係者であることのメリットを感じとってもらうのが重要である。

　以下は、同窓会組織と密接に連携して、協力関係を築きながら支援を受けている大学の事例である。

★**大学の取り組み事例**
- ○○周年記念事業では、同窓会が寄付を集め、その資金を元に大学に、毎年一定の寄付を行っている。また、同窓会が、学生の就職活動に必要な旅費の貸与等も行っている。
- 大学では、その寄付金から成績優秀者や留学生に対する奨学金を出している。
- 実業界で活躍している人材が、同窓会から講師として派遣されるオムニバス形式の授業を実施している。その授業は、学生から大変な好評を得ており、教室に入りきれないほどの受講希望者が出る授業となっている。
- 一方同窓会の組織率が低下してくると、今度は大学が、在学生を賛助会員と位置付け、同窓会に代わり会費を徴収するなど、財政上の協力も行っている。

　このように、卒業生（同窓会）と大学の密接な協力関係の背景には、大学教育の大きな特徴である「ゼミ」による影響が大きい。実学重視、少人数教育という独自路線のもと、小規模という強み（特色）を生かし、２年間同じメンバーが各ゼミ専用の教室で授業を受ける体制を敷いている。このため、学生同士の結束に加え、学生と教員との結束も非常に強くなるなど、将来的な同窓意識に繋がっている。

大学の強みを活かしその特色に合った寄付金募集を考えることが極めて重要である。

❽ ブランディング（収入向上策）

(1) ブランドの形成要因

一般的にブランドというと2つの視点がある。
- 知名度からくる信頼感や安心感
- 卒業することで、どれだけ付加価値が向上するかという視点

付加価値の向上が、端的に表れるのが、卒業生の就職状況である。大学生の就職状況が厳しさを増すなかで、就職率の高い大学ほど社会から評価されているという認識が広がるようになり、大学のブランド力の大きな部分を、就職状況が占めるようになったと言える。このことは、偏差値以上に実学志向に拍車がかかり、就職に有利な資格取得を目指す学部・学科の人気が高まっていることにつながっている。

それでは、大学におけるブランディングとはどのようにして形成されるのか。

1つの考え方としては、社会の要請に応えられる人材育成に注力し、卒業生や採用企業の満足度を向上させていることが、結果として、ブランドを築いていると言える。

例えば、国際社会に通用する人材を育成するためには、語学力はもちろん、自分の国である日本に対する深い理解と、自分で考えて語れる発信力が必要である。さらに哲学や歴史といった教養の習得も必須になる。幅広い知識とともに、どんな場にあってももの怖じせず、相手の理解を得られるようなコミュニケーション力も重要であり、異なる意見を交えることのできる闊達な雰囲気も必要である。

このような能力やスキルを実現できる教育の仕組み（期待される授業を提供し改善する仕組み）や、教育環境の整備がなされると、「グローバル人材

育成なら○○大学」との認知・評価がなされ、ブランド化する。

　このように、大学の「強み（特色）」を活かし、ステークホルダー（学生、採用企業、地域社会など）の満足を実現させることができれば、ブランドを築くことができる。
　強みを活かしブランドに寄与する取り組みの例をあげる。
・学部の枠を越えたカリキュラムや、多様性を受容する取り組みをしている（英語による雑談休憩ルームの設置など）
・一貫して実学を重視した少人数の授業を行うことにより実践力を養っている
・学生の能力・長所を生かすマンツーマンの就職支援をきめ細かく行い、就職率を向上させている
・図書館の開放など積極的に地域社会に貢献している

　ブランド構築のために、ステークホルダー満足度に関する指標を設定し満足度向上のために実績の推移を管理していくことは有用である。

図表7-29　ステークホルダー満足向上のための管理指標（イメージ）

ステーク ホルダー	管理指標		20X0年度 （実績）	20X1年度	20X2年度	20X3年度
	項目	単位				
学生・生徒 （OB含む）	入学時～卒業時までの満足度	%	目標 実績	目標 実績	目標 実績	目標 実績
	卒業生(社会人)満足度	%	目標 実績	目標 実績	目標 実績	目標 実績
保護者	学校に対する満足度	%	目標 実績	目標 実績	目標 実績	目標 実績
教員・職員	働きがい満足度	%	目標 実績	目標 実績	目標 実績	目標 実績
地域	企業地域貢献度	%	目標 実績	目標 実績	目標 実績	目標 実績

(2) ステークホルダー満足向上のための施策
① カリキュラム内容の今日的な見直し

　　カリキュラム内容は学部（学科・コース）の生命線である。時代または社会のニーズを勘案し、普遍的でも良い科目と、スクラップ・アンド・ビルドを敢行すべき科目を明確に認識すべきである。

　　例えば、学生・生徒に対する「授業評価アンケート」の結果に基づき授業内容の充実を図る必要がある。

② シラバスの見直し

　　シラバスは、教員の作成する授業科目のいわば「マニフェスト」である。教員は、作成時にその説明責任があるという認識を持ち、履修する学生・生徒の判断を誤らないような内容となるよう十分時間をかけて作成することが必要である。魅力ある授業を展開すべく常に見直すべきであり、願わくば冊子に加え、電子シラバスをＷＥＢ上に広く公開し利用に供することも必要である。

③ 学生・生徒による授業評価とフィードバック

　　アンケート等により授業評価を実施する。さらにその評価結果を広く学内外にフィードバックして公開し、良い点はさらに伸ばし、悪い点は徐々にでも見直していく。この地道な作業を繰り返すサイクルが、授業改善だけでなく大学全体の活性化につながる。

④ 卒業生の就職状況と満足度の把握

　　卒業生の就職状況や満足度合いについては、良くも悪くも大学の実績となる。大学の就職支援部署においては、その推移を経年比較し、十分把握した上で、今後の取り組みにつなげていくことが学生募集活動に寄与するものと思われる。

⑤ 就職後の追跡調査と満足度の測定

　　就職内定時と就職後の一定期間を経過した時点における満足度合いは、必ずしも一致しているとは限らない。経年比較ができるようなアフターケア体制を確立しておくことが有効である。

⑥ **保護者の満足度把握と真摯な対応**

　上記の学生・生徒の満足度向上施策により、結果として保護者の満足度も高まると思われる。一方で、保護者に対する直接のアンケート調査、3者面談や保護者会における意見聴取、さらには保護者向けの情報発信・教養講座等により、保護者に対する直接的な満足度を高める真摯な取り組みが重要である。

⑦ **教員・職員の満足度の向上**

　以上顧客満足（学生・生徒満足）についてみてきたが、実際に現場の最前線で顧客に接しているのは教職員であるため、教員・職員が満足していなければ、顧客満足を実現することができない。満足度向上施策として表彰制度を作り、モチベーションを高めている事例がある。

　　教員：ベストティーチャー賞、グッドティーチャー賞
　　職員：ベスト職員賞、グッド職員賞

　このように褒める文化を形成していくことは非常に重要である。

⑧ **卒業生に対する情報提供**

　大学の各種取組みなど最新情報をホームページでの発信だけでなく個別に情報提供することで、つながりを持つことが重要である。卒業生はやがて受験生をもつ親になるためである。

⑨ **地域社会に愛される大学づくり**

　公開講座の開催、大学図書館等施設の開放、地方公共団体や近隣小中学校との連携、環境美化への取組みなど、開かれた大学づくり、地域社会に対する貢献を意識し、いわゆる「共生」していくことが必要である。

⑩ **上記以外のロイヤリティアップの取り組み例**

図表7-30　ロイヤリティアップ（母校愛等）の取り組み例

保護者へ入学お礼の手紙	エンロールメント・マネジメント講座（保護者と学生・生徒が一緒に参加）	お食事会ご招待
学生・生徒の日イベント（著名人のトークイベント）	教員の日イベント	職員の日イベント
卒業生向け実践セミナー	ホームカミングデー	社会人お役立ち情報の提供
地域住民への公開講座	住民に図書館、体育館等の施設の開放	小・中・高生向け講座 出前講座

(3) **就職支援**

(1)でみたように就職支援は、今やブランドの大きな構成要素となっている。そこで、以下に就職支援の取り組み例を紹介することにする。

★大学の取り組み事例①

・個人面談（ゼミナール担当教員）、模擬面接や履歴書指導（常駐の就職相談員）など徹底した個人指導と、職業教育を通して就職後の考え方を培う（早期退職の予防）ことに重点を置いている。また、卒業時点で就職できなかった学生を登録し、企業から募集が来た時点ですぐに連絡できる体制をとるなど、卒業後のフォローにも力を入れている。

・就職支援を教育の一環として捉え、学生の授業出席率の向上と維持（就職ガイダンスや各種対策講座）、負担の軽減（全ての対策講座を受講料無料で実施）、的確な情報提供（昼休みを利用した企業説明会）等、教育効果が高まる工夫をしている。

★大学の取り組み事例②

・就職後3年間のケアを行い、「早期離職率の低減」を掲げている。学生

に対する指導の際には、学生の特徴を捉え、安易な考えの地元就職だけではなく、東京、大阪など他地域の企業の紹介も行い、視野を広げるアドバイスを行っている。そのため、就職支援ツアーを東京、大阪、福岡で実施している。内定状況をゼミごとに集計し、理事長・学長へ報告し、場合によっては事情説明を行い、教員にも就職支援は教員の本業であることを意識させている。
- 職業意識の向上、技術者資格の取得支援、特定スキルの習得を柱とした講演会、講座を開設し社会から求められる人材の育成に努めている。就職後、職場での悩み相談や、離職者の就職斡旋の窓口として就職部にホットラインを設け、卒業生に文書で案内を行っている。また、全卒業生対象に離職率の把握を行っている。
- 企業での経験を持つ教員が就職部長として活動の推進役にあたっている。また、就職部長を教員とすることで事務局と教学側の連絡・調整が円滑に進むようになっている。
- 教職員も学生も常に「就職」を意識せざるを得ないよう、就職状況の情報を逐次公表し、チェックさせている。

★大学の取り組み事例③

- 教育の結果とは学生が就職できることだと考え、「教育付加価値日本一の大学」を目指して絶え間ない教育改革を実施している。
- この結果、学生に対する面倒見のよい大学、就職実績の高い大学との評価が全国的に定着している。
- 様々な教育改善が行われている。例えば、学生が教えてもらいたいと思ったことに瞬時に対応する教育支援システムとして、基礎教育センターがあり、利用者は、延べ数万人に上るという。基礎教育センターでは、基礎教育担当の教員が随時家庭教師のようにマンツーマンで質問を受け付け、補習などを行っている。
- 授業についても定期試験をなくすというユニークな改革をしている。定

期試験のみで評価するのではなく、課題を中心に学生が教育の中味として何を確認できているかなどの複眼的な評価を実施している。それが、レポートと課題が日本一多い大学といわれている。
・学生募集を単独では考えておらず、大学としての魅力を作るように努力している。

つまり、入試改革や学生募集のテクニックだけで学生を集めるのではなく、教育の内容をいかに学生に、より分かりやすく伝えることに努力している。教育の中味をしっかり知ってほしいために、入学案内は他の大学と比べてかなり厚いものにしている

以上、3つの事例に共通なのは、「ユニークさ」である。大学の個性・特徴を明らかにし、絶えず改善を繰り返してイノベーションを追及している結果である。このことは教職員が各々部分最適にならず全体最適を目指して活動していること、さらには、学生・教職員・理事の信頼関係が深く根付いていることが背景にあるものと考えられる。

図表7－31　ロイヤリティアップ（母校愛等）の取り組み例

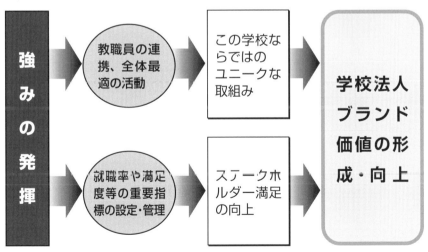

本章の要約を図で示すと図表7-31のようになる。

9 施設設備の有効活用（収入向上策）

(1) キャンパスの賃貸
★大学の取り組み事例

　首都圏の私立大学の中には、都心部のキャンパスを賃貸オフィスとして民間に賃貸するケースが増えつつある。これは少子化により18歳人口が今後100万人を割り込むという見通しがある中で、授業料など学納金収入の減少に備え、資産運用・収益事業でカバーしようというものである。キャンパスの移転や集約（売却⇒新キャンパス）を契機に行われ、特に集約については既存施設に係る固定費削減とセットで実施するケースがみられる。ある大学の新棟キャンパスは、上層部を賃貸オフィスとする収益物件である。賃貸で得た収益は海外留学生などを支援する奨学金制度の創設に充てることも検討している。

(2) 保有ビルの賃貸
★大学の取り組み事例

　ある大学では、本部キャンパス近くに保有するビルの一部を民間企業に賃貸している。企業の中には、大学発ベンチャー企業もあり、ベンチャー育成の拠点という位置づけも垣間見ることができる。また賃借する企業にとっても大学に近いところで事業を営むことは、大学の知財の活用や、優秀な学生の採用も可能となることから、メリットは多い。

(3) 施設の有効活用時の留意点

　上記のようにキャンパスや保有ビルの賃貸により施設の有効活用がなされ、大学の収益源泉の1つとして機能するようになったことは確かである。しかし、大学にとっては、単なる収益確保にとどまらず、企業との交流を通じて、

就業体験など学生の就職支援につながるといった視点が重要である。すなわち、可能な限り大学のミッションや戦略目標と関連づけた活用をすることが必要である。

上記は賃貸の例であるが、他には、多くの大学で進んでいる図書館の一般開放についても改めてそのあり方を検討することが有用である。地域社会への貢献や知名度の向上につながるという視点も重要であるが、さらに一歩踏み込んで図書館利用の価値をあげることを検討すべきである。例えば、利用者の属性別（社会人、学生、教員、高校生など）の貸出回数等の利用情報（特に市販されていない学習書や学術書）が分かると、もっと関心をもって図書館を利用する人が増えると期待できる。

以上、施設の有効活用は、最終的には教育研究の充実・強化につながることを見据えて、行うべきである。

❿ 人件費の有効な管理（支出抑制策）

経費の約半分を占める人件費の抑制は非常に重要である。しかし、人員の削減や、給与等の引下げなどを実施するのは非常に困難である。そこでここでは、検討が必要かつ実行可能な策を紹介する。

① **教員の評価制度の検討**

教育研究の質が厳しく問われるもとで、研究業績、教育、学校運営、社会貢献、学生による授業評価などを含む多面的かつ柔軟な教員評価システムを確立することが必要である。そして自己評価結果を教員間で共有する仕組みを設け、それによりお互いが切磋琢磨できる環境が重要である。また、自己評価結果を集約することにより、各教員が納得できるような評価基準を十分な議論の時間をかけて合意形成することが極めて重要である。直接学生・生徒に向き合い教育サービスを提供する教員が満足しない限り、顧客満足、つまり学生・生徒の満足や社会（企業）の満足もないからである。

「教員満足なくして、顧客満足もなし」

② 職員の人事考課制度の検討

　人事政策は組織づくりの要である。組織を活性化し、職員の活力を引き出すため透明性・公正性・納得性のある人事考課に基づく、適切な処遇格差を設定することが必要である。また、業務目標を設定し、その到達度を検証・評価するシステムの確立も重要である。そして業務目標の設定にあたっては、職員にとっての顧客は誰か（サービスを提供する相手は誰か）という基本を再度認識し、教員支援、学生・生徒支援に関する有効な目標を設定することが肝要である。

③ 年功序列型給与制度等の見直し

　年功序列型給与を評価制度等に基づきどう変更できるか。職位対応型、職種対応型、両方の組合せ型、年俸制の導入等を検討すべきである。

　教員も例外ではない。教授、准教授、講師の資格別給与のほかに、例えば研究40％、教育40％、大学行政20％というような考え方で給与を決定することも有効と思われる。また、退職金の支給基準についても見直すことも検討課題である。そして、学校法人への貢献度を反映した退職金制度のあり方についても検討することが有効である。

④ 賞与・諸手当の支給基準等の見直し

　賞与、家族手当、役職手当、超過勤務手当、教員の諸手当（入試、各種委員等）などについても見直すことが有効である。

⑤ 任期制教員制度の検討

　多様な形態での任期制教員制度を導入することにより、教員人事の活性化と教育研究の充実・向上を図り、学生や社会の多様なニーズに応えることが必要である。

⑥ 雇用制度の見直し

　定年まで雇用保障されているため、地位に安住しがちな終身雇用制度の見直しが求められている。教育研究の複雑化、多様化、高度化への対応と人件費政策の観点から、終身雇用制度、教員の定年制の見直し、任期制教員の導入、再雇用制度などを検討することが必要である。また、職員は中途採用が

活発に行われるようになり風土も変わりつつある。これからもヘッドハンティングを含めた有能な職員を採用することが肝要である。

⓫ 経費の削減（支出削減策）

(1) 清掃・管理・警備委託費

清掃・管理・警備委託費は、施設の新築等で年々増加する傾向にある。この経費をいかに抑制するかは重要なポイントである。削減事例としては以下のようなものが考えられる。

① 清掃頻度、警備内容等を定めた使用基準が作成されているかがポイントである。作成されていない場合は、まず使用基準を作成することが必要である。この場合、不要あるいは過剰なサービスは切り捨てることが重要である。

② 職員による清掃・管理等から外部委託化、すでに外部委託している場合には、多数の業者に委託し非効率になっていないかどうか、場合によっては少数業者による統合管理も検討することが必要である。

③ 適宜巡回し使用基準通り作業しているかチェックすることも重要である。

④ 教育機関として、環境資源に配慮する観点からも、ゴミの分別・物品の学内自主リサイクルを進めることも重要である。

(2) 調達コストの削減

① 「単価契約」

事務用備品や研究室備品、名刺、印刷物（封筒、葉書等）、印刷用紙、印刷機やＦＡＸ用消耗品等は、年間で一定量に達する。想定される年間使用量を前提にメーカーと折衝し、値引き価格で納品を行う「単価契約」方式を導入すれば調達コストの削減効果が高くなる。特に印刷用紙代については、1枚当たりの単価は小さいが、ケースによっては、数倍（5倍を超える場合も）高い単価で契約している事例も見受けられるので、過去の慣習に捉われず決

断することが重要である。

② **集中調達**

集中調達及び業者選定・価格決定プロセスの厳正化等によるコスト削減が重要である。

特に教員による備品等の購入については、教員の嗜好により結果として同じ物でも多くの種類が購入されることになる。したがって、業者選定や価格決定プロセス（合見積の実施の有無等）の見直しを集中調達と合わせて行うことにより、コスト削減を図ることが重要である。

(3) **学校法人出資事業会社での業務実施**

上記にあげたような清掃、警備や、制服、自販機、家具類などの調達業務を集約し専門に行う事業会社を設立して、業務効率化・コスト削減を実現している学校法人もある。複数の業者を競わせ、取引条件を見直すことにより、相当のコスト削減が可能となる。削減額は学校法人と事業会社で折半し、かつ事業会社の余剰金の一部は寄付金として学校法人の還元する仕組みを作っている学校法人もある。ポイントは、民間の事業会社の経営感覚で支出管理を行うことであり、まず学校法人の中での運営管理で対応することを検討すべきであるが、過去のしがらみを断ち切る意味においては、別会社を設立して行うことも大変有効と思われる。

コラム7　学校法人が出資する会社の管理

　学校法人において、学校法人内における関連サービスの充実や研究成果の活用・産学連携を推進することを目的とした株式会社の設立・出資が行われており、学校法人の経営強化のための重要なツールの1つとして活用されてきている。

　他方、「学校法人制度の改善方策について」（平成31年1月7日　大学設置・学校法人審議会学校法人分科会 学校法人制度改善検討小委員会）（以下、「改善方策」という）において、学校法人の出資する会社の「その運営について不明朗、不適切等との指摘を受けることがないよう、十分な配慮が求められる」、「出資会社運営の透明性の確保に向けた取組の工夫が求められる」と言及されており、「学校教育法等の一部を改正する法律案に対する付帯決議」（令和元年5月16日　参議院文教科学委員会）において、「学校法人の不祥事や不正等が繰り返されることのないよう、これらに対する告発が隠蔽されずに適切に聞き入れられる仕組みの構築等、より実効性のある措置について速やかに検討すること」が求められており、学校法人が出資する会社において生じる不祥事について管理体制の構築や現状の管理体制の見直しが求められている。

　学校法人の経営の一層の弾力化並びに経営の健全性の確保等の観点から、学校法人が出資して会社設立する際の留意事項として、「学校法人の出資による会社の設立等について（通知）」（平成13年6月8日13高私行第5号　文部科学大臣所轄各学校法人理事長あて　文部科学省高等教育局私学部私学行政課長・参事官通知）（以下、「通知」という）が発出されている。

　「通知」においては、「学校法人の出資による会社設立に関して国民から不明朗、不適正等の指摘を受けることのないよう、十分に配慮すること」が求められている。また、「改善方策」においては、学校法人の出資する会社（以下、「出資会社」という）について、「学校法人において、出資比率が2分の1以上であるなど、密接な関係を有する会社の状況について学内外への適切な説明と情報公開を進めるとともに、例えば、そうした出資会社の監査役に学校法人の監事が就任し、学校法人本体と合わせた監督体制を構築すること、学校法人の監事と出資会社の監査役の連絡会を設けるなど、出資会社運営の透明性の確保に向けた取組の工夫が求められる」とされており、国民からの批判的意見を受けぬ対応、積極的な情報公開、出資会社を含めた学校法人としてのガバナンス体制への取組みといった、より具体的で広範な管理体制の構築が求められている。

　学校法人や出資会社のホームページを通じて、学校法人と関係のある会社であ

ることが明示されているケースが多く、また、公表されている学校法人の計算書類の脚注において出資会社の概要、学校法人の取引内容等が公表されている。

そのため、出資会社と学校法人の関係は広く国民に周知されており、仮に出資会社において不祥事等の社会的影響を与える事案が発生した場合、学校法人自体に監督責任が問われ、学校法人の社会的評価が毀損するリスクがある。

昨今の学校法人の自律的で意欲的なガバナンスの改善や経営の強化の取組が求められている中で、学校法人のガバナンスの改善のためには、出資会社の管理にかかる体制の構築又は見直しを含めて検討することが必要である。

具体的には、学校法人が出資会社を管理する内部統制を適切に整備し、運用する仕組みを構築し、内部統制機能が適切に機能していることについて監事・内部監査部門がモニタリングする体制を整えることが必要である。

この点、出資会社で不祥事等が発生した場合、監事や内部監査部門の機能を問題視する傾向が強いが、監事・内部監査部門が実施する監査は、法人内に構築されている内部統制システムが有効に機能していることを検証することが基本である。仮に出資会社の管理体制が構築されていない又は不十分である場合、監事・内部監査部門によるモニタリング機能を期待することは難しいといえる。そのため、建設的な議論をするためにも法人内における出資会社の管理体制の構築・見直しを検討することが必要である。

学校法人の自律的で意欲的なガバナンスの改善や経営の強化の取組が求められている中で、出資会社の管理体制・ガバナンスの改善は緊々の課題であると思われる。

また、本コラムでは出資会社を対象として解説したが、仮に不祥事等が生じた場合に学校法人に影響を及ぼしうる関係法人や周辺団体がある場合は、これらについても出資会社の管理体制の検討に含めることが重要である。

第 8 章

学校法人の再生・再建手法

1 はじめに

　学校法人の経営状態が悪化し、自力での再生が困難になる以前の段階（いわゆる「正常状態」または「イエローゾーン」）では、例えば他の学校法人との連携や合併等を検討することも考えられるが、一般に経営が極度に悪化した段階（いわゆる「破綻状態」または「レッドゾーン」）ではこれらの方策の実現は容易ではないと考えられる。

　本章では、「自力での再生が困難となった場合の再生・撤退スキーム」と「M&A等による再生・再建スキーム」に分けて、それぞれのスキームの概要と対応手続等について解説する。

学校法人の経営状態	スキーム	具体的手法（例）
「破綻状態」「レッドゾーン」	1．自力での再生が困難となった場合の再生・撤退スキーム	(1) 私的整理による再生 (2) 民事再生 (3) 学生募集停止 (4) 破綻状態（破産手続）
「正常状態」「イエローゾーン」	2．M&A等による再生・再建スキーム	(1) 組織再編型再建策 　① 合併 　② 設置者変更 　③ 事業譲渡 (2) フランチャイズ型再建策 (3) スポンサー救済型再建策

2 自力での再生が困難となった場合の再生・撤退スキーム

(1) **私的整理による再生**

① **定義**

　私的整理による再生とは、個々の債権者（主に金融債権者）の同意を得て債務の圧縮を行い、学校法人の再生を図るものである。

② **メリット**

　一般に民事再生の場合には、マスコミ等に破綻したというイメージで大きく取り上げられるため、風評被害の影響も無視できないが、私的整理であれば、債権者と学校法人との間で再生計画を任意で進めることができるため、一般に風評被害のリスクが少なくなり、財産価値の大幅な減少を避けることが期待できるとされている。

③ **デメリット**

　一方で、私的整理の場合には民事再生のように裁判所の関与の下、法的手続きに則って債権債務関係を整理・決定できるわけではないため、複数の金融債権者の調整を行う必要がある。この金融債権者間の調整は、一般的には、金融債権者の数が多いほど、また、債権放棄の金額が多いほど困難となり、メインバンクが多大な負担を強いられるようなケースも多いため容易に調整が進まず、最終的に民事再生に駆け込むケースや学校法人にとって、不適切な者の介入を招くケースも想定される。

(2) **民事再生**

① **定義**

　民事再生とは、再建型の倒産手続きであり、債務者が引き続き事業を継続しながら債権者に対する弁済計画や経費削減等を定めた再生計画案を作成し、裁判所に提出し、出席した議決権者（債権者）の過半数、かつ議決権者の議決権の総額（債権額）の2分の1以上の議決権を有する者により可決された計画に基づいて、債務を圧縮し再建を図る仕組みである。

② メリット

裁判所の関与の下、法的手続きに則って債権債務関係を整理・決定できる。また、現体制の存続が可能である。

③ デメリット（課題を含む）

現行の民事再生法では民間企業を前提としているため、学校法人にとっては運用上、いくつかの課題が指摘されている。例えば、破綻を招いた原因が学部・学科構成にあるとして、大幅な改組転換を計画するとしても、開設に至るまでには相当の期間を要すること、さらに学生募集停止時期以後の混乱を避けることが必要なため、民事再生の申立時期を慎重に選ぶ必要があることが挙げられる。

また、民事再生制度では、旧経営者が引き続き事業の再建を図ることが前提になっているが、実際は支援者の意向が強くなり、経営者が交代する事例もあり、民事再生の成否はいかに適切なスポンサーを選定できるのかが鍵となる。スポンサーとしての本来の役割を果たし、再建に必要な資金援助を行い、経営を正常化させるような再生計画を立案していれば問題はないが、場合によっては、不必要に学校財産を売却する者や、税制上の優遇措置を悪用する者がスポンサーとして現れるおそれもあるからである。

金融債権者等の関係者は、再生計画が真に学校法人の再生にとって適切であるかを十分に審査することが求められるとともに、司法の立場からも、再生計画の適正性の判断と適切な監督委員や管財人の選任等が必要となる。

民事再生の手続きでは、再生計画が否決された場合は破産につながるので、学校法人の場合には、学生の修学機会の維持が困難となる。そこで、再生計画の認否に至る前の段階で、不適切なスポンサーを排除する必要がある。

「学校法人の経営改善等のためのハンドブック」（2021年1月　日本私立学校振興・共済事業団）（以下本書では、「ハンドブック」という）によると、再建型手続きの種類と特徴や民事再生手続きの流れについて、以下のように整理している（図表8－1、8－2）。また、「私立学校の経営革新と困難への対応—最終報告」（平成19年8月1日、日本私立学校振興・共済事業団　学

校法人活性化・再生研究会）（以下本書では、「研究会報告」という）では、民事再生手続きにおける学校法人の問題点について、以下のように整理している（図表8－3）。

図表8－1　再建型手続きの種類と特徴

手続き名	特徴	メリット	デメリット
民事再生手続き	裁判所が関与し、原則として監督委員の監督の下、民事再生法に基づいて再生計画案を立案し、当該計画を遂行して再建を図る手法	・手続きが公平・透明 ・反対する債権者も含めて法的に拘束可能	・破綻の事実が公表される ・一定の時間が必要 ・予納金等の負担 ・法定の手続きによる厳格な処理
私的整理（再建型）	裁判所外で行われ、第三者の介在を前提とせずに、債務者・債権者間の話し合いによる任意の合意に基づいて再建を図る手法	・破綻の事実が公表されない ・簡易、迅速、柔軟な処理 ・比較的廉価	・民事再生手続きのような法的拘束力がない ・一部債権者の主導により公平性、透明性に疑義が生じるおそれ
特定調停	裁判所が債務者・債権者間の調整を実施して再建を図る手法	・破綻の事実が公表されない ・裁判所の関与により合意形成の機運が高まりやすい ・迅速、柔軟な処理	・民事再生手続きのような法的拘束力がない
事業再生ADR	法務大臣の認証及び経済産業大臣の認定を受けた特定認証紛争解決事業者が選任する中立的な専門家が債務者・債権者間の調整を実施して再建を図る手法	・破綻の事実が公表されない ・中立的な第三者が主導するので公平性が高い ・迅速、柔軟な処理	・民事再生手続きのような法的拘束力がない

出典：「学校法人の経営改善等のためのハンドブック」2021年1月、日本私立学校振興・共済事業団、p.49。

第8章 学校法人の再生・再建手法

図表8-2 民事再生手続きの流れ

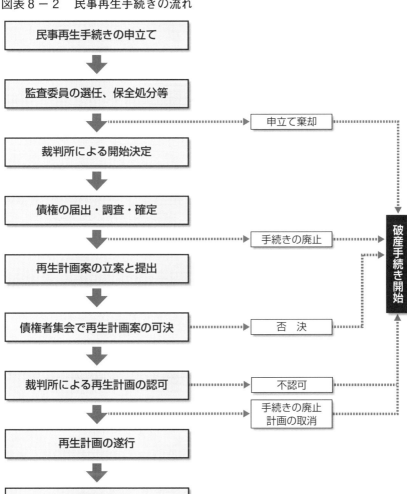

出典:「学校法人の経営改善等のためのハンドブック」2021年1月、日本私立学校振興・共済事業団、p.50。

図表 8 － 3　民事再生手続きにおける学校法人の問題点

番号	項目	学校法人	企業等
①	民事再生手続き申立て時期	短期間で迅速な処理が期待される民事再生手続きを学校法人に適用する場合には、11月以降の学生募集時期と入学時期の混乱を避けるために、民事再生の申立て時期を 4 月〜 6 月頃までとすることが望ましい。	時期を問わない。
②	民事再生手続き申立てによる影響	民事再生手続き申立てに伴う風評被害により、学生確保がさらに難しくなる可能性があり、再生計画に大きく影響する。	申し立てしても商取引が停止されることはないが、売上等は減少する。
③	再生計画案の検討期間	学部・学科の改組が再生計画の課題となることが多く、改組転換の申請から設置認可に 1 年近くを要する。民事再生計画の認可時期が改組の認可時期の前となり、再生計画案の実現性について疑義が生じる。	迅速な処置を旨とするため、標準スケジュールでは、5 ヶ月で再生計画の認否が決定される。
④	支援者の適正性の判断	公益的な学校法人の存続と再生を真面目に追求する支援者が期待されるが、学校法人の固定資産や残余財産を安価に手に入れて利益を得ようとする者が参入するおそれがあり、これらを排除する必要がある。	利益追求を目的とする。
⑤	再生計画案否決の場合	在校生がいるにも関わらず、直ちに破産手続きへ移行する可能性があり、在校生の転学、財産の処分等は相当な困難が予想される。	否決の場合は廃止となる。
⑥	収入源の確保	私立学校は主たる収入源が納付金となっており、学生数により納付金は長期的に固定されるため、計画が硬直的で、途中で増額できる余地は少ない。	多様な収入源を展開できる可能性がある。
⑦	迅速な対応の可能性	キャッシュ・フローを抜本的に改善する必要があるが、学校法人は収入の伸び悩みと支出の硬直性によって、収支改善、特に人件費の抑制などの費用の削減は容易ではない。	利益追求のため柔軟な改善が求められる。
⑧	経営者の継続と従業員の雇用	経営者が引き続き事業再建を図ることが前提となっているが、実際は支援者の意向が強くなり、経営者が交代する事例が多い。教育内容の見直しによっては、教職員の雇用も必ずしも維持されるものではない。	経営者が交代する事例が多く、従業員のリストラが行われることも少なくない。

出典：「私立学校の経営革新と困難への対応─最終報告」平成19年 8 月 1 日、日本私立学校振興・共済事業団 学校法人活性化・再生研究会、p.68。

(3) 学生募集停止
① 定義
　学生募集停止とは、ある年度以降の学生募集を停止するという対応を取るものである。

　学校法人においては、経営が悪化し自力での再生が困難になることを極力避けるよう努める必要があるが、仮に、有効な解決策が見つからず破綻が不可避であると見込まれる場合は、できるだけ早期の段階で、不採算部門について自主的な撤退に向けた判断を行うことが望ましいと考えられる。その具体的な対応が学生募集停止である。

　学生募集停止後は、学生が卒業するまで運営を継続し、在学生が全て卒業してから学校を廃止することになる。なお、学生募集を停止した学校が唯一の設置校の場合、学校法人に係る債務を整理した後、当該学校法人を解散することとなる。

② 留意事項
　学生募集停止にあたって考えておかなければならないことは、在学生が全員卒業するまで学校を存続させられるのかということである。学生募集停止を行ってから学生が卒業するまでに、大学で最低３年、短期大学で１年の期間を要する。この間の学生数の減少に伴い、収入の大部分を占める学納金は減少するが、教職員の退職金と私立大学退職金財団の特別納付金を含む人件費等の支出はほぼ従前通り必要となる。したがって、学校法人の経営者にはこれらの整理に要する資金を確保した上で、早期に学生募集停止を行う決断が求められる。

　なお、学校法人において事前に自主的な学生募集停止ができず、学生の修学機会を確保できないと判断する場合は、資金が枯渇する前に所轄庁に早急に相談し、転学支援などの適切な措置を講ずる必要がある。

　「研究会報告」では、学校の募集停止等の流れについて、以下のように整理している（図表８－４）。

図表 8 − 4　学校の募集停止等の流れ

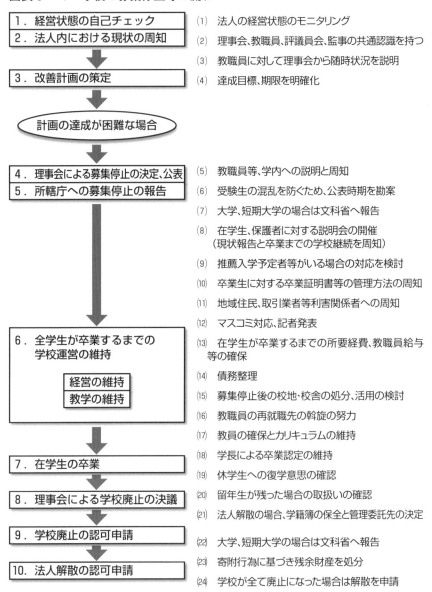

出典：「私立学校の経営革新と困難への対応─最終報告」平成19年8月1日、日本私立学校振興・共済事業団 学校法人活性化・再生研究会、p.66。

(4) 破綻状態
① 定義

破綻状態とは、以下の2つの場合が想定され、いずれの場合も破産法に基づく破産手続きに進むことになると考えられる。

> ・募集停止が間に合わず、資金ショート等により金融機関等の取引停止、競売、滞納差押え等の事態が発生し、教育研究活動の継続が困難となり、学校法人の機能が停止するに至った状態
> ・民事再生手続きの申立棄却、再生計画等の否決、再生計画の取消し等により、民事再生手続きによる再生が困難となった状態

破産手続きは、理事若しくは債権者による主たる事務所の所在地の地方裁判所への申立てにより開始決定がなされる。開始決定と同時に裁判所は破産管財人を選任し、学校法人は破産管財人の監督のもとに置かれることになる。

図表8-5 破産手続きの流れ

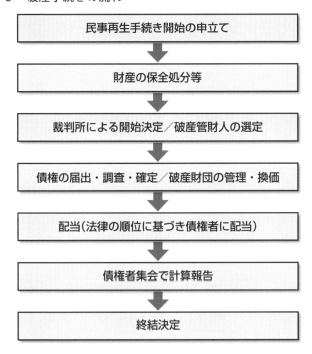

出典:「学校法人の経営改善等のためのハンドブック」2021年1月、日本私立学校振興・共済事業団、p.61。

② 破綻後の課題と対応策

　破綻状態に陥った場合には、以下のような課題への対応が必要になるが、こうした対応策は募集停止が間に合わず破綻した場合の非常的対策である。本来は自主的に募集停止し、在学生を卒業させてから学校を廃止することが経営者の基本的な責務である。学校法人が破綻に陥り、学生の修学機会を奪い、経営を途中で放棄する事態に陥った場合は、経営者はその責任を取って辞任するか、場合によっては経営者自身の私財提供や連帯保証が求められることもあると考えられる。

１）転学支援
◆　事前協定

　学生が在学している状態で学校法人が破綻した場合には、何よりもまず、学生の修学機会の確保を図ることが重要な課題となる。

　破綻した大学の運営継続が困難な場合には、近隣の大学への転学が望ましいと考えられる。あらかじめ国公私を含む大学（放送大学を含む）同士がそれぞれの自主性を尊重しつつ、コンソーシアム等を通じて協定の中に緊急時の相互の学生受入れや、教員派遣を盛り込む等、より強い連携・協力体制を準備しておくことが望ましいと考えられる。また、私学団体においても、学校間相互の連携を促進し、積極的に転学支援に取り組むことが期待される。

◆　近隣の大学の協力

　協定がない場合であっても、学校法人が破綻した際は学長等が率先して近隣の大学に状況を説明するとともに、学生の転学受入れについて協力を要請しなければならない。それでも転学が困難である場合には、文科省・事業団・私学団体が受入れ可能な大学を全国レベルで探し、転学生を斡旋する等の対応を行うべきである。

　しかし、転学については克服すべき多くの課題がある。例えば、近隣に同系統の学位を持つ学校がない場合や在学生が多く近隣校で収容できない場合には、転学者の受入れが困難となることがある。また、単位認定作業や推薦

入試等による入学予定者の扱いの検討等、受入れ校の多大な労力を要することがある。さらに、授業料等の二重払いが発生し得ること、学力レベルの格差があり得ること等である。

2）学生支援
◆ 近隣の大学による教育面の支援

学生の転学ができない場合、あるいは再生計画が否決され破産手続きに移行する場合においても、学生の修学機会を確保する必要がある。

まず破綻した学校においては、経営体制や教学組織の維持、卒業までのカリキュラム管理、運転資金の確保等を行う。その上で近隣の国公私を含めた大学からは教員の派遣や単位互換の拡大、科目等履修生の受入れ等の支援を受ける。

このように、破綻した大学は他の大学の支援を受けながら在学生の教育を維持し、在学生が卒業した時点で清算処理を実施する仕組みをつくることが求められる。

◆ 経営面の支援

破産手続きの申立てにより選任される破産管財人は、学校経営や学生保護を本来の業務としていないため、在学生の教育継続の観点が不足する場合がある。そこで、学校法人の経営を熟知し公共的性格が強い事業団等の団体がその補佐を行うことや、共同管財人若しくは事業管財人として選任されることが求められる。

3）学籍簿の管理

学校法人の破綻により学籍簿が散逸することになれば、学生の在学及び修了を証明する手段がなくなり、卒業生の就職等に支障をきたすことになる。このことは教育制度の根幹に関わる問題であり、学校法人は破綻、法人解散等の際の取扱いをあらかじめ定めておく必要がある。

4）教職員の転職支援方策の検討

　経営困難な学校法人や破綻する学校法人が発生することにより、専任又は非常勤の教職員の整理解雇の増加が予想される。やむなく経営破綻や学校廃止に至った場合には、学校法人の経営者は教職員の転職先の斡旋に努めるべきである。高度な教育研究実績を有する教員や事務処理能力・経験等を有する職員が人材として有効に活用されず失職することは、社会的にも損失であるといえる。

　また、「ハンドブック」によると撤退までの流れと留意点は以下のようになる。

　ア）撤退に向けた検討・準備（図表8－6）
　イ）理事会で募集停止を決定（図表8－7）
　ウ）全学生が卒業するまで学校運営を維持（図表8－8）
　エ）学校廃止・（必要に応じて）法人解散の決議（図表8－9）
　オ）学校の廃止の認可申請（図表8－10）
　カ）学校法人の解散の認可申請（図表8－11）
　キ）解散認可後の清算手続き（図表8－12）

図表8－6　撤退に向けた検討・準備

① 経営改善の見込みがあるのか、学校運営の継続が可能なのか
・経営改善計画がある場合、計画の目標を達成する見込みがあるかどうか判断する必要がある。 ・目標達成のために有効な解決策が見つからず、将来的に学校運営の継続が困難と見込まれる場合には、不採算部門もしくは学校法人自体を自主的に撤退する判断をせざるを得ないだろう。
② 募集停止の決定・公表時期及び、ステークホルダーへの対応方法の検討
・受験生に与える影響を考慮すると、遅くとも次年度の募集活動前に公表する必要があるだろう。公表時期から逆算して、理事会で募集停止を決定する時期を検討することとなる。 ・決定後に、ステークホルダーに対して、どのような内容をどう説明するのか事前に検討する必要がある。具体的な検討内容については、図表8－8「全学生が卒業するまで学校運営を維持」の項目を参照。

第8章 学校法人の再生・再建手法

③ 在学生が全員卒業し廃止するまでの運営資金を確保できるのか

- 在学生が全員卒業するまで学校を存続させ、廃止に至るまでの運営資金を確保することが重要となる。後述する《収入面》、《支出面》の内容を参考にしながら、募集停止から廃止までの資金計画をシミュレーションし、運営資金を確保できるかどうか確認する必要がある。
- 在学生が全員卒業するまで学校を存続できる見込みがない場合、資金が枯渇する前に所轄庁に早急に相談し、学生の修学機会が奪われないように転学支援などの適切な措置を講ずる必要がある。後述する破産手続きを検討する必要もある。

《収入面》
✓ 学生生徒等納付金
募集停止を行い学年進行が進むと、学生数の減少に伴い減少する。
✓ 私立大学等経常費補助金
募集停止を行うと原則として交付されないため留意が必要である。

《支出面》
✓ 人件費や諸経費
- 在学生に対しては、授業を継続し、全員を卒業させる必要がある。そのため、募集停止後の学年進行により学生数が減少しても、教職員は確保しなければならず、人件費等を急激に削減することはできない。そのため、人件費や諸経費の支出は、ほぼ従前どおり必要になるであろう。また、留年もしくは休学している学生が学業の継続を希望する場合には、修業年限どおりに卒業できないこともあり得るため、廃止時期が予定より遅れる可能性をあらかじめ見込んでおくべきである。
- 人件費については現在の支出以上に必要になる可能性を想定しておくべきである。例えば、在学生を全員卒業させるまでの間、教職員を確保しておくための割増の人件費などを検討する必要があるかもしれない。また退職金についても、早期退職に伴う割増の支給を検討することも考えられる。

✓ 私立大学退職金財団（以下、「財団」という）の掛金
設置しているすべての大学・短期大学・高等専門学校を募集停止する場合、財団の掛金に関する清算について確認を行う必要がある。財団の制度は、学校法人が財団の資格を喪失する場合、これまで学校法人が支払った掛金の累積額と、財団が学校法人に交付した金額を比較し、財団が交付した金額が掛金累積額を上回る場合は、その差額を特別納付金として学校法人が財団に納入するものとなっている。学校の廃止を検討する際には財団に相談し、清算に関する状況を確実に把握しておかなければならない。なお、高等学校・中等教育学校・中学校・小学校・幼稚園等を設置している場合は、各県に置かれている私立学校退職金団体にも確認する必要がある。

✓ 借入金等の負債
借入金等の負債がある場合には、今後の返済計画について検討及び調整が必要になる。事前に金融機関等と返済計画について相談すべきであろう。債務が過大な場合、債務の圧縮等を検討する必要があるが、金融機関等の債権者から同意を得られず債務整理が失敗し破産手続きに移行することがあり得るため注意が必要である。

✓ その他の想定される支出
教職員の転職支援費用、廃止になった学校の校舎・構築物の撤去費用、機器備品・図書の廃棄費用、弁護士費用、整理解雇等に伴う訴訟費用などが挙げられる。

④ 募集停止から廃止までのスケジュールや工程表の準備
今後の手続きに遺漏がないように、スケジュールや工程表を準備する必要がある。所轄庁に、手続きについて早めに相談を行うことが大切である。また、私学事業団への相談等を行い、準備の参考にすることもよいであろう。 なお、準備に当たっては、学内規程（特に雇用関係）の理解を深め、学内の意思決定プロセスをあらかじめ把握しておくべきである。
⑤ 非常時のための学校間連携
学生の修学機会の確保を図ることが、何よりも重要である。撤退などの非常時を想定して、あらかじめ学校間同士でそれぞれの自主性を尊重しながらも、コンソーシアム等を通じてより強い連携体制を準備しておくことが望ましい。緊急時の相互支援として、転学による学生受け入れや教職員派遣、学籍簿の管理などが挙げられる。

出典：「学校法人の経営改善等のためのハンドブック」2021年1月、日本私立学校振興・共済事業団、pp.53-54。

図表 8 － 7　理事会で募集停止を決定

理事会での決定
理事会において、前述留意点の検討結果を踏まえ、学生に与える影響や経営状態、今後の見通し等について改めて確認した上で、「〇〇年度に学生募集停止」することを正式に決定し、そのための準備を進めることについて共通理解を構築する。また評議員会においても、早期に理事会同様の手続きをとることが望ましい。
所轄庁への報告
所轄庁に対して募集停止の決定予定日（理事会開催日）をあらかじめ報告することが必要になる。理事会において決定した後も、決定したことを所轄庁に報告し、その後の学内状況（教職員及び在学生・保護者への対応状況等）についても随時報告することが必要となる。

出典：「学校法人の経営改善等のためのハンドブック」2021年1月、日本私立学校振興・共済事業団、p.55。

図表 8 － 8　全学生が卒業するまで学校運営を維持

① ステークホルダーに対しての説明及び対応、外部への公表
・理事会において決定された学生募集停止・学校廃止・学校法人の解散などを公表するに当たっては、ステークホルダーに対し丁寧に説明を行い、学内外に大きな混乱が生じないように理解を求めていくことが大切である。ステークホルダーとして想定されている者は、在学生、保護者（後援会）、教職員、同窓会、受験生、進学元の高校等、地方自治体、学生の実習先、関係団体、債権者、地域の関係者などが挙げられる。

- 説明を行う対象範囲や順序については、学校法人が置かれた状況（日頃の意思疎通の状況など各ステークホルダーと関係性、情報管理体制等）を踏まえ実施すべきである。募集停止の決定から時間を置かずに短期間で説明を行う必要がある場合には、理事長、理事等が分担して複数の関係者に同時に説明を行うことも必要であろう。留意すべきポイントを下記のa～dに記載する。

a　教職員への説明	➢ 教職員への説明会を学生募集停止決定後、速やかに開催する。学生募集停止に至った経緯（財務などの経営状態、継続が困難な理由等）、今後の見通し（大学等の廃止までの雇用計画、勤務又は退職等の条件、再就職支援、研究活動（研究費の支給）等）について丁寧に説明する必要がある。説明会を複数回実施することや、教職員と個別に相談するなどして誠意ある対応を心掛けるべきである。あわせて、教職員の労働組合がある場合には、組合に対しても丁寧に説明を行う必要があろう。 ➢ 在学生が卒業するまでの間の授業や就職支援、保護者への対応などについて協力を要請する必要がある。 ➢ 丁寧に理解を求める一つの工夫として、日頃から自法人もしくは自校の財務状況や入学者の推移などを逐一教職員に説明し、現在の経営状況が悪いことを法人内で共通認識しておくことが大切である。意表を突く形で撤退の話が挙がってきた場合、教職員から理解を得ることが難しくなることも考えられる。
b　在学生・保護者（後援会）への説明	➢ 教職員への説明後速やかに、在学生及び保護者への説明会を開催し、学生募集停止に至った経緯（財務などの経営状態、継続が困難な理由等）、全員卒業するまで大学等を存続し教育及び就職支援をきちんと行うことを伝え、不安や混乱が生じないように丁寧に説明を行うことが大切である。 ➢ 在学生及び保護者が説明会に参加できるように、説明会の回数、開催時間や場所などにも配慮し誠意ある対応を心掛けるべきである。学校によっては、地元以外から入学している学生もいるため、その場合には、保護者が説明会に参加しやすいように、学校の所在地以外の場所で説明会を開催することも必要になる。 ➢ 休学している学生に対しては、復学（卒業）の意思の有無、又は転学意思の確認を行う必要がある。その上で、学生が大学等での学業の継続を希望する場合には、当該大学等で卒業するために必要な教育体制を確保しなければならない。
c　入学予定者への説明	➢ 翌年度の入学予定者がすでに決定した後に、学生募集停止の決定が公表された場合は、入学予定者に対し経緯等について丁寧な説明を行う必要がある。

d　報道機関への公表	➢ 報道機関に対しては、社会的な影響を考慮して丁寧な説明をすべきである。具体的には、分かりやすい説明資料を作成・配付するほか、必要に応じて記者会見を行うことや、公表と同時にホームページなどでも情報発信を行うことが望ましい。 ➢ 公表前に情報がマスコミ等に漏れ、学内外に混乱が生じる可能性もあるため、事前に対策を検討すべきである。 ➢ 報道機関やホームページに公表する場合には、事前に所轄庁に対して、公表日・公表内容等を説明することが必要である。

② 在学生への教育や就職支援を継続、転学支援

- 学年進行で在学生が全員卒業するまでは教育を継続するために、カリキュラムの維持、必要な教員を確保することが必要である。修業年限どおりに学生が卒業するとは限らない。留年もしくは休学している学生が、学業の継続を希望する場合、卒業するために必要な教育体制（補講の実施、カリキュラムを維持するため教員の確保など）を確保しなければならない。就職支援についても、同様に行うことが必要である。
- 在学生や保護者に転学についての意向を確認し、仮に転学を希望する場合には、転学可能な大学等に関する情報を提供するなど、教職員にも協力を要請しつつ、必要な支援を行うことが適当である。その際には、在学生・保護者の希望（転学先の地域や条件など）を十分に聴取することが大切である。また、事前にリストアップしておいた転学の受け入れ先の大学等に対して、転学により学費や単位が学生の不利にならないよう、転学受け入れ可能人数や諸条件等についてあらかじめ調整・交渉し確認をしておくことが必要である。

③ 教職員の再就職支援等

- 教職員に円満退職を促せるように、丁寧に対応する必要がある。再就職先を見つけることは、教職員自身で行うことが基本ではあるものの、教職員が円滑に再就職できるように、紹介等の支援を学校法人が丁寧に行うことが望まれる。部門のみ廃止し学校法人は存続する場合においては、教職員本人の意思も踏まえつつ、学校法人内の他の部門での雇用を検討することが必要になる。
- いわゆる整理解雇をしなければならなくなった場合には、整理解雇の4要件（ア 人員整理の必要性、イ 解雇回避努力義務の履行、ウ 被解雇者選定の合理性、エ 手続きの妥当性）を踏まえて対応することが必要になる。

④ 学籍簿の管理及び卒業生への対応

- 学籍簿の管理や各種証明書の発行などについて、学校法人が存続する場合には、当該学校法人が行うこととなる。一方で学校廃止に伴い学校法人が解散する場合には、その管理委託先を決めなければならない。委託先の候補（他の学校法人や所轄庁、地元自治体など）に事前に連絡し相談することが必要になる。
- 学校法人の解散により学籍簿が散逸することになれば、学生の在学及び修了を証明する手段がなくなり、卒業生の就職等に支障をきたすことになることになるため、学籍簿の保全や承継などについて、事前に十分な準備をしておく必要がある。

- 学籍簿は少なくとも20年間保存しなければならないが（学校教育法施行規則第28条第2項）、昨今の就労の多様化から、卒業生にとって各種証明書等は生涯必要になるため、より長期にわたる保存を行うことが望ましい。
- 学籍簿に不備がある場合、学籍簿の承継後に各種証明書の発行が困難になってしまう事態が想定される。承継時には、双方が共同で学籍簿のチェックなどの確認を行い、書類の引き継ぎを適切に行うことが大事である。承継は、双方にとって相当の準備期間と作業が必要になることから、担当者の配置など体制整備が大切になる。
- 学籍簿が紙のみでしか保存されていない場合、管理しやすいように電子データ化を進めても良いであろう。大量の書類を承継する可能性もあるため、きちんとした保存場所の確保も念頭に置くべきである。
- 承継後の各種証明書の発行窓口がどうなるのか、ホームページや通知の発出等により、在学生及び卒業生にきちんと周知することも大切である。

⑤ 校地・校舎等の処分、活用の検討及び調整

- 在学生が全員卒業した後の校地・校舎等について、必要に応じて、学校法人内での活用や他の学校法人・地方公共団体等への譲渡や売却することを検討し調整する必要がある。廃止された学校の校地・校舎等を、当該学校法人内で他の用途に活用する場合は、所轄庁に対して校地・校舎等の使用変更の手続きを行う必要がある。
- 譲渡等の際には、校舎の撤去が必要になる場合もあるため、撤去費用も見込んでおくべきである。また、大学等の設置時に地元の地方公共団体から校地・校舎に対する寄付や補助金の交付がある場合、関係の地方公共団体と協議のうえ、当該地方公共団体に対し、土地の返還や校舎を寄付することで、既存施設を有効活用してもらうケースも考えられる。ただし、地方公共団体が大学等の誘致に当たり一定額を負担している場合には、その一部の金額の返還を求められることも考えられるため留意が必要である。
- 廃止とともに学校法人が解散する場合には、校舎が撤去されず放置されることがないようにすべきである。残余財産の承継先が見つからない場合には、早急に所轄庁に連絡し、相談すべきである。

⑥ 在学生が全員卒業し廃止するまでの運営資金を確保

在学生が全員卒業するまで教育を継続し、学校廃止もしくは法人解散に至るまでの運営資金を確保することが重要となる。具体的な内容については、前述の図表8－6「撤退に向けた検討・準備 ③ 在学生が全員卒業し廃止するまでの運営資金を確保できるのか」の項目を参照。

出典：「学校法人の経営改善等のためのハンドブック」2021年1月、日本私立学校振興・共済事業団、pp.55-58。

図表 8－9　学校廃止・(必要に応じて) 法人解散の決議

学校の廃止の決定
在学生が全員卒業、又は卒業が確実になった段階で、理事会において学校の廃止を決定する。
学校法人解散の決議
学校の廃止に伴い、学校法人を解散する場合、学校法人の解散についての議決も理事会において必要となる。また、寄附行為で解散に関して評議員会の議決を要すると定めている場合には、評議員会の議決が必要となる。解散について評議員会の議決を要すると定めていない場合でも、私立学校法第42条第1項第7号の規定により、あらかじめ評議員会の意見を聴取する必要がある。

出典：「学校法人の経営改善等のためのハンドブック」2021年1月、日本私立学校振興・共済事業団、p.58.

図表 8－10　学校の廃止の認可申請

所轄庁への学校廃止の手続き
在学生が全員卒業したあと、所轄庁に対し学校の廃止の手続き（廃止認可申請書の提出や寄附行為変更認可申請書の提出など）を行い、認可を受けることが必要になる。手続きが遅延し、休眠状態となることがないように留意しなければならない。文部科学大臣所轄の学校法人で都道府県知事所轄の学校も設置している場合には、文部科学省への提出とあわせて、都道府県に対しても寄附行為変更認可申請書を提出することが必要になるため、あらかじめ都道府県に相談することが良いだろう。

出典：「学校法人の経営改善等のためのハンドブック」2021年1月、日本私立学校振興・共済事業団、p.58.

図表 8－11　学校法人の解散の認可申請

所轄庁への法人解散の手続き
・学校の廃止に伴い学校法人が解散する場合には、学校の廃止の認可申請とあわせて、所轄庁に対し学校法人解散認可申請書を提出することが必要となる。 ・認可申請前に、理事会において、残余財産の処分方法や学籍簿等の保存方法について決定しておく必要がある。

出典：「学校法人の経営改善等のためのハンドブック」2021年1月、日本私立学校振興・共済事業団、p.58.

図表8−12　解散認可後の清算手続き

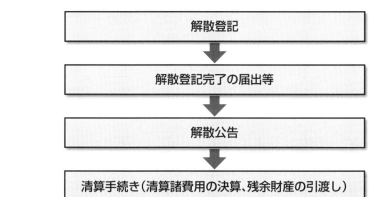

出典：「学校法人の経営改善等のためのハンドブック」2021年1月、日本私立学校振興・共済事業団、p.59。

❸ M&A等による再生・再建スキーム

　学校法人は、法律上、資産保有要件が定められており（私学法第25条）、原則として、その所有する学校教育に必要な施設及び設備を第三者に譲渡することができないため、仮にその保有資産に対して担保権を設定したとしても、実際にこれを実行し換価することは難しい。

　また、株式会社などと異なり学校法人には、株式や持分が存在しないため、これらを担保とした資金調達やデット・エクイティ・スワップによる債務の株式化ができない。

　学校法人は、学校関係者のみならず広く第三者を対象として募集する学校

債を利用して独自に資金調達を行うことも可能であるが、多数の引受人を見込むことができるのは財政状態が安定し、かつ知名度の高い学校法人に事実上限られる。

したがって、財政状態の悪化した学校法人が金融機関から新たな融資を得ることは不可能であり、別の学校法人との経営統合又は企業などからの資金援助の道を模索する他ないのが現状である。

日本では学校法人に関する法規制及び行政の裁量が大きく、迅速且つ抜本的な再生スキームを採用することができないため、学校法人の再生案件の数は少ないが、これまでに行われた日本の学校法人及び米国の学校の再建事案を分析すると、再生・再建スキームは以下の3つのカテゴリーに分類することができる(図表8－13)。

図表8－13　M&A等による再生・再建スキーム

カテゴリー	概要（例）
(1)　組織再編型再建策	学校法人の合併、設置者変更手続きなどによる経営再建策 ① 合併 　私立学校を経営する学校法人同士が1つになる ② 設置者変更 　複数の学校を経営する学校法人がそのうちの単数又は複数の学校を他の学校法人に移転させる ③ 事業譲渡 　大学又は大学の一部の学部・学科を閉鎖し、当該大学又はその一部の学部・学科に属する学生、教員及び資産などを他の大学に移転させ経営統合を行う
(2)　フランチャイズ型再建策	フランチャイズ化による経営再建策
(3)　スポンサー救済型再建策	第三者からの資金提供による経営再建策

(1) **組織再編型再建策**

組織再編型再建策の典型的なパターンは、同一地域内における同一規模の

学校同士の経営統合、及び同一地域内における大学による短大の経営統合である。

組織再編型再建策の場合、一定の地域内において競合する教育体制の統合によるシナジー効果の最大化の見地から、同一地域内で行われる点に特徴がある。米国では、90年代、18歳人口の減少により私立大学（私立短大を含む）の経営統合が進められたが、そのほとんどが同じ州又は同じ地域内における大学同士の合併により実施されている。なお、日本における大学の経営統合案件数は少ないものの、米国のように同一地域内での統合が行われているケースが多い。

① **合併**
　◆　定義

学校法人の合併とは、私立学校を経営する学校法人同士が1つになることをいう。

合併には、「新設合併」（新たな法人を設立し、全部が解散する）と「吸収合併」（1つが存続し、他方が解散する）があり得るが、学校法人の合併の特徴について、「新設合併」はほとんど例がないため、以下では学校法人の「吸収合併」に焦点を当てて解説する。

　◆　概要

合併（吸収合併）の場合、存続する学校法人に対して、吸収される学校法人の債権債務が承継されるため（私学法第56条）、債権者保護手続きが要求されている。

そのため、吸収される学校法人の債務が多額である場合、債権者から異議が出される可能性があり、債権者から異議が出された場合には、学校法人は、当該債権者に対して弁済や担保提供を行わなければならない（私学法第53条2項、第54条2項）。

したがって、大口債権者に対しては、あらかじめ合併の趣旨・目的、合併後の事業計画、債権弁済の見込みなどを説明し、合併を行うことについて事

前に了解を得ておく必要がある。

　私学法上の合併手続きは、あくまで学校法人同士の合併であり、合併当事者となる各学校法人が設置する学校自体が合併により直ちに統合される訳ではない。

　すなわち、私立大学Aを経営する学校法人甲が、私立大学Bを経営する学校法人乙を吸収合併する場合、学校法人甲のもとで私立大学Aと私立大学Bの２つの大学を存続させることも、合併と同時に私立大学Aと私立大学Bを１つの私立大学に統合することも可能である。

　例えば、学校法人Aと学校法人E大学との合併に関するプレスリリースでは、両学校法人の合併後もE大学の在学生が卒業するまでE大学を存続させ、他方でK学院では、E大学の人員とノウハウを活かした形で学部を設置し、合併後の新入生の募集は同学部において行われることになった（図表8－14）。

図表8－14　学校法人の手続合併例

学校法人／大学	大学	合併時期	旧学校法人／大学	合併の特徴	備考
学校法人A／A大学	E大学A大学教育学部	XXX9年4月	学校法人E／E大学	合併後、A大学文学部の教育学系とE大学教育学部を基礎にA大学教育学部をE大学のキャンパスに新設。E大学は廃止（E大学短期大学部は、E短期大学と改称し存続）。	（注）
学校法人C／C	C大学H大学	XX16年4月	学校法人H大学／H大学	合併に伴い法人名も変更。将来的な大学統合を見据えた相互補完型合併（５年後に大学統合を実施）。	

注：E大学のXX13年10月18日付けプレスリリース

E大学廃止の認可について	E大学は、XX13年3月31日の卒業生をもって在校生がいなくなったため、XX13年6月28日付で文科省に廃止認可申請を行い、XX13年10月17日付で認可された。

合併と同時に学校の統合を行うか否かを問わず、学校法人同士の合併においては学校教育の効率化のみならず、在学生の修学機会の確保にも十分に配慮した統合案を策定する必要がある。

合併する学校法人の合併手続きは、以下の通りである（私学法第52条以下）（図表 8 − 15）。

図表 8 − 15　学校法人の合併手続き

No.	合併手続き
1	理事の 3 分の 2 以上の同意
2	評議員会の議決（ただし、寄附行為において定めがある場合に限られる）
3	所轄庁の認可
4	財産目録及び貸借対照表の作成（所轄庁の認可があった時から 2 週間以内に作成しなければならない）
5	債権者保護手続き（所轄庁の認可を受けた日から 2 週間以内に、公告と知れたる債権者に対する個別催告を行う。債権者の異議申述期間は、少なくとも 2 ヶ月以上でなければならない）
6	登記（学校法人の合併の効力は登記によって生ずる）

図表 8 − 16　学校法人同士における合併等の類型例

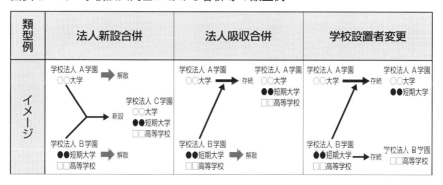

特徴	・学校法人の合併認可申請を行い、新しく学校法人を設立し、双方の法人が解散する	・学校法人の合併認可申請を行い、合併後存続する法人に一方の法人が吸収される形（解散）になる	・設置者変更に係る認可申請を行い、学校の設置者を変更する ・設置している一部の学校の設置者を変更し、双方の法人が存続する ・組織等の同一性が保持されることが前提である
特徴			・上記イメージ以外のケースとして、設置者変更によりすべての学校を譲渡した場合、譲渡した法人の法人部門のみが残ることもあり得る。その場合、譲渡した法人は、清算を行い解散する
メリット	・名実ともに対等合併になり得る	・学校法人を新設する必要がないため、法人新設合併よりも負担が少ない	・法人同士の合併よりも負担が少ない
デメリット	・学校法人を新設する必要があるため負担が大きい ・合併に向け、教職員の給与や処遇、財務面などを調整する必要がある ・負債等も承継する可能性がある	・内容が対等合併であっても形式上は吸収合併にみえてしまう ・合併に向け、教職員の給与や処遇、財務面などを調整する必要がある ・負債等も承継する可能性がある	・譲渡側は、土地・建物を含めた資産の譲渡など支出が生じる ・譲受側は、譲受の対価を相手方に支払う可能性がある

出典：「学校法人の経営改善等のためのハンドブック」2021年1月、日本私立学校振興・共済事業団、p.36。

図表8-17 学部単位での合併等の類型例

類型例	学部設置者変更(全部)	学部設置者変更(一部)	学部新設後に転学
イメージ	X大学 a学部 → X大学 存続 a学部 b学部 c学部 Y大学 b学部 c学部 → 廃止	X大学 a学部 → X大学 存続 a学部 c学部 Y大学 b学部 c学部 → Y大学 存続 b学部	X大学 a学部 → X大学 存続 a学部 新b学部 新c学部 Y大学 b学部 c学部 → 廃止
特徴	・学部の設置者変更により、すべての学部を他法人の大学に設置者変更を行う ・別法人間でのみ利用できる ・組織等の同一性が保持されることが前提である	・学校ではなく、一部の学部のみを別の大学に設置者変更する ・別法人間でのみ利用できる ・組織等の同一性が保持されることが前提である	・一方の大学で学部を新設し、もう一方の大学の学生が新学部に転学することで転学元の大学を廃止する ・原則、学部を新設する手続きが必要となる

出典:「学校法人の経営改善等のためのハンドブック」2021年1月、日本私立学校振興・共済事業団、p.37。

「ハンドブック」では、合併等までの流れと留意点について以下のように整理している(図表8-18)。

図表8-18 合併等までの流れと留意点

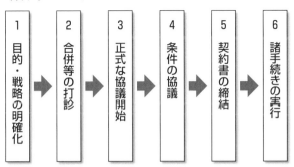

1 目的・戦略の明確化 → 2 合併等の打診 → 3 正式な協議開始 → 4 条件の協議 → 5 契約書の締結 → 6 諸手続きの実行

No.	手順	内容	
1	目的・戦略の明確化	法人自身の教育・研究の将来ビジョンを踏まえ、合併等の目的・戦略を明確にすることで、合併等がその場しのぎとならないことが大切である。メリットとデメリットを分析し、相応しい相手候補を絞っていくことになる。 合併等は、その目的によって、以下の類型が想定される。	
		同一系列型	・設立母体が同じ ・宗派や教育理念が同一
		目的共有型	・将来ビジョンを共有できる ・相乗効果や機能補完に期待
		規模拡大型	・新設より容易 ・スケールメリットをいかせる
		危機回避型	・単独での継続は不可 ・早期の決断が求められる
2	合併等の打診	① 相手方に打診し、意向を確認 ② 正式な協議開始前の調整 ③ 外部への相談や取材	
3	正式な協議開始	① 基本合意書の締結 ② 協議体制の整備 ③ ステークホルダーへの説明 ④ 正式な協議開始についての公表 ⑤ デュー・デリジェンス（取引前の資産の適正評価）の実施	
4	条件の協議	① 教学関係における主なポイント ✓ 建学の精神や教育理念等をどのように承継するのか調整する ✓ 合併等前の必修科目や共通科目、取得可能だった免許・資格などカリキュラムの調整をする ✓ 学生の成績評価や管理方法、再入学の取扱いなどを統一するための学則等の改正を行う ✓ 学籍簿や成績管理、証明書発行等のシステムの移管・統一化を行う ✓ 在学生の経済的負担が過大にならないように、合併等後の学生生徒等納付金や奨学金制度に配慮する ✓ 合併等後の学生の通学手段や課外活動への配慮をする ✓ 合併等後の入試方法や募集活動、広報活動、指定校推薦などの調整をする ② 教職員の人事関係における主なポイント ✓ 教職員と個人面談をするなど丁寧に理解を求め、モチベーションの低下を防ぐ ✓ 教職員の雇用継続の有無、給与・勤務時間・休暇・定年などの待遇の調整を行う ✓ 就業規則、給与規則、退職金規定などの諸規定の改正を行う	

		✓ 人権に関わる規則は合併等の実施までに統一させる（コンプライアンスやハラスメント防止、賞罰、服務規程等） ✓ 教職員の組織体制の再編や職位等の調整をする ✓ 人事交流を行う場合の調整を行う ✓ 教員と職員の関係性（距離感）を統一し、教職協働しやすい環境づくりを行う ③ 財務関係における主なポイント ✓ 双方の勘定科目のすり合わせをし、必要な規程改正を行う ✓ 資産や基本金などを承継する調整を行う ✓ 教員の研究費の配分方法の調整を行う ✓ 財務システムの一本化を行う ✓ 関連会社の調整を行う ✓ 合併等後の予算案や事業計画（施設設備の改修等）などの策定を行う ✓ 合併等後の補助金がどうなるのか所轄庁や私学事業団等に確認する ④ 学校等の譲渡などに係る金銭の交付（設置者変更に限る） ⑤ その他
5	契約書の締結	① 評議員会での意見聴取（必要に応じて議決） ② 理事会決議（合併に関する『特別決議』）
6	諸手続きの実行	私立学校法等において、合併に係る諸手続きが定められており、合併等を実行する期日から所要期間を逆算して行わなければならない。

出典：「学校法人の経営改善等のためのハンドブック」2021年1月、日本私立学校振興・共済事業団、p.37。

② 設置者変更

◆ 定義

設置者変更とは、学校という教育施設そのものの同一性を保持しつつ、その設置者すなわちその管理主体及び経営主体を変更することをいう。

◆ 概要

私立中学A、私立高校B、私立大学Cを設置している学校法人甲が、私立大学Cの設置者を学校法人甲から別の学校法人である乙に変更することによって、私立大学Cのみを切り離し、学校法人乙に承継させることができる。

学校法人はその設置する私立学校に必要な施設及び設備を保有しなければならないという資産保有要件が課せられているため（私学法第25条）、設置者変更の場合であっても、設置者変更によって新たに当該学校の設置者とな

る学校法人が、承継する学校に必要となる校舎などの施設及び設備を既に保有しているような特段の事情がない限り、設置者変更の対象となる学校の施設及び設備を承継させることになる。

これに対して、設置者変更を行う学校法人の負担する債務をどの程度承継させるかについては、学校法人同士の協議によって決定することになる。

例えば、私立中学A、私立高校B及び私立大学Cを経営する学校法人甲が、設置者変更によって私立大学Cのみを学校法人乙に承継させる場合、学校法人乙に承継させる債務は、私立大学Cの経営のための借入金に限定されず、私立中学Aや私立高校Bの経営のための借入金を承継させることも可能である。

もっとも、私立大学Cの経営のための借入金であるか否かを問わず、学校法人甲の債務を学校法人乙に承継させる場合には、債権者である金融機関などの個別の同意を得る必要がある。

以下は、学校法人が設置運営する複数の学校のうちの一部を他の学校法人に移した事例、及び学校法人同士の合併と異なり公立学校も絡んだ事例であ

図表8-19　学校法人の設置者変更例

学校法人／大学	大学	変更時期	旧学校法人／大学	設置者変更の特徴	備考
学校法人A大学／A大学	A大学附属中・高	XXX7年4月	学校法人D学園／D中・高	学校の分離。 A中学校とA高等学校を学校法人A大学に承継させ、名称をA大学附属中・高に変更。	
学校法人B／B大学	B中・高	XXX6年4月	E市立E女子高校	市立高校を移管。 中学校は移管後のXXX7年4月に設置。	
学校法人C／C大学	C大学	XX20年4月	学校法人F／F大学	学校法人FのF大学の一部の学部を学校法人CのC大学へ譲渡（設置者変更）を実施。その後、法人合併及び大学統合を行った。	(注)

注：「2040年に向けた高等教育のグランドデザイン」答申（2018年11月）を受け、学部譲渡による法人合併を可能とした制度改正を適用したものである。

る（図表8-19）。

学校法人の設置者変更手続きは、以下の通りである（図表8-20）。

図表8-20　学校法人の設置者変更手続き

No.	設置者変更手続き
1	理事の3分の2以上の同意（設置者変更を行う学校法人のみならず、設置者変更によって学校を承継する学校法人においても寄附行為の変更が必要となる）
2	所轄庁の認可

③ **事業譲渡**
◆ 定義

一般事業会社における事業譲渡とは、対象会社の事業の全部又は一部を譲渡することをいう。

複数の事業を行っている会社が、特定の事業のみを譲渡したい場合や対象会社に存在する潜在的な債務を切り離すことを目的に選択される手法である。

◆ 概要

法律上、学校法人の事業譲渡に関する規定は存在しないが、上述した設置者変更手続きのように、既存の制度・手続きを利用することによって、事業譲渡と同様の効果を生じさせることができる。

例えば、学校法人甲が設置している私立大学Aを、私立大学Bを設置している学校法人乙に承継させる方法として、私立大学Bにおいて、私立大学Aの設置する学部と同系統の学部の設置手続きを行うと同時に、私立大学Aにおいては廃校手続きを行い、私立大学Aの施設、教員及び学生を私立大学Bに承継させる方法（私立大学Aの学部の一部を私立大学Bに承継させることも可能である）などが挙げられる。

◆ 留意点

このような事業譲渡を行う場合（設置者変更手続きによる場合も含む）に

は、とりわけ在学生及び事業譲渡を行う学校法人の負担する債務の取扱いが問題となる（図表8－21）。

図表8－21　事業譲渡を行う際の留意点

項目	留意すべき事項
在学生の取扱い	・事業譲渡の対象となる学校又は学部に在籍する学生は、原則として、承継先の学校に全員転校させることが要請される。 ・在校生の転校が難しい場合には、新入生の募集を中止し、在学生を全員卒業させた後に事業譲渡を行うなどの措置を講ずる必要がある。
債権者の同意	・事業譲渡を行う学校法人がその負担する債務の全部又は一部を他の学校法人に承継させる場合には、債権者の同意が必要となる。
債務が多額のケース	・学校法人の負担する債務が多額であり、承継先の学校法人において弁済することができない場合には、破産手続き開始又は民事再生手続き開始の申立てを検討することになると考えられる。 ・この点、一般事業会社の民事再生案件では、債権放棄とともに営業の全部譲渡を行い、営業譲渡代金をもって、債権者への一部弁済に充てるという方法がとられる場合がある。 ・学校法人の民事再生手続きにおいて、民事再生法第42条に基づき、私学法上明文規定のない事業譲渡を行うことができるか否かについては、解釈上争いがあるところではあるが、少なくとも設置者変更などの私学法上の手続きを利用した事実上の事業譲渡の方法により、学校法人が設置する学校を別の学校法人に承継させ、債権者に債権放棄させるとともに、事業譲渡代金をもって債権者への弁済に充てることは、法律上可能であると解されている。

(2)　フランチャイズ型再建策

　◆　定義

　フランチャイズ型再建策は、就職に直結する専門性の高い教育を提供する学校が、同内容の教育を提供している学校に対して資金援助を行うとともに、経営及び教育指導方法等のノウハウを提供し、経営統合を図るものである。

　◆　概要

　このフランチャイズ型再建策は、とりわけ服飾、美容、医療及び福祉などのように専門的な教育、又は職業訓練を兼ねる内容の教育を提供する短大や

専門学校において有効な再建策である。

　企業側もこのような学校と提携することにより、優秀な人材を確保するとともに、就職後の人材育成に費やすコストを削減することができるため、企業又は同種の学校法人において、資金援助を伴う経営統合を実施するインセンティブが働きやすい点に特徴がある。

　また、フランチャイズ型再建策は、教育内容に着目した経営統合であるため、組織再編型再建策よりも地域的な制約を受けない。

　さらに、就職に直結した教育を各学校において統一的に提供するという点において、研究又は学問・学術性に比重を置く４年制の大学よりも、短大や専門学校に適した再建策であるといえる。

　以下は、フランチャイズ型再建策の事例である（図表8－22）。

図表8－22　フランチャイズ型再建策の事例

学校法人	学校	破綻時期	破綻手続	破綻原因	スポンサー	再建策の内容
学校法人A学園大学	A学園大学	XXX4年6月	民事再生（東京地裁）	虚偽申請による大学開設認可の発覚	Aグループ	Aグループは、関西を中心に総合病院や医療系の学校を経営する医療法人である。T学園大学は医療福祉学部を有しており、病院や医療系の学校を持つAグループからの支援により、教育内容の更なる充実化が期待できること、また当該医療法人がT学園に対して理事を派遣し、実質的な経営統合が図られているという点において、フランチャイズ型再建策に分類することができる。

(3) スポンサー救済型再建策

◆ 定義

スポンサー救済型再建策とは、他の学校法人又は第三者が資金提供を行うことにより経営再建を図る方法のことであり、通常、民事再生手続きと併せて実施される。

◆ 概要

スポンサー救済型再建策は、前述した組織再編型再建策やフランチャイズ型再建策に比べて支援効果が低いため、定員割れの状態が続いており将来の学生の獲得見込みも乏しい学校の再建策としては最適なものではない。

すなわち、スポンサー救済型再建策により再生可能な学校は、十分な定員が確保されているにもかかわらず、過剰な設備投資などの不適切な経営により財政状態が悪化した学校法人に限定されるものと考えられる。

なぜなら、学校法人の場合、学生納付金が極めて重要な収入源であるため、定員割れが解消できない学校法人では十分な学生納付金を集めることができず、仮に民事再生手続きにより負債を圧縮したとしても融資した資金の回収が見込めないからである。

以下は、スポンサー救済型再建策の事例である（図表8－23）。

図表8−23　スポンサー救済型再建策の事例

学校法人	学校	破綻時期	破綻手続	破綻原因	スポンサー	再建内容
学校法人A学園	A学園高等学校 同附属幼稚園	XXX5年10月	民事再生（東京地裁）	新校舎への移転のための過大投資	学校法人及び高等学校はA社が承継。附属幼稚園は、学校法人B学院が承継。	学校法人A学園は、民事再生手続き開始を申し立て、債権者から債権放棄の同意を得るとともに、その経営する高校については予備校などを経営するA社から、同幼稚園については医療福祉専門学校などを経営する学校法人B学院から支援を受けることを決めた。 学校法人A学園が設置するA学園高校は、サッカーの名門校であり、知名度も高く、十分な生徒の入学が期待できることがスポンサー確保の要因になったものと考えられる。

　本章では、「自力での再生が困難となった場合の再生・撤退スキーム」と「M&A等による再生・再建スキーム」に分けて、それぞれのスキームの概要と対応手続き等について解説を行った。

　近年の大学進学率の頭打ちや少子化の進行といった状況を踏まえると、今後、競争力のない大学は自然と淘汰されていくものと思われる。

　その過程において重要なことは、学校法人を破綻させずにその数を徐々に減らしてソフトランディングさせ、在学生の修学機会を守ることである。

　そのため学校法人には、財務、法律、マーケティング、人件費改革及びM&Aのマッチング等の様々な分野の専門家のサポートを受けながら、最適な再生・再建策を選択することが求められるのである。

Column コラム8　DXを通じた大学の経営強化

　コロナ禍を契機として、これまで民間企業が先行していた「DX（デジタル・トランスフォーメーション）」の取組は、国・官公庁などの公的組織にも広く浸透しつつあり、学校法人の経営においても欠かせない要素になってきている。

　しかし、「『DX』とはそもそも何か？」「新しいシステムやソリューションを導入するための費用負担ばかりが多くなるのではないか？」との漠然とした懸念や疑問も多く、思い切った取組に踏み出せないという声も多く聞かれる。果たして「DX」とは何者であり、学校法人経営の強化に役立つものになりうるのか。

　「DX」とは、「企業がビジネス環境の激しい変化に対応し、データとデジタル技術を活用して、顧客や社会のニーズを基に、製品やサービス、ビジネスモデルを変革するとともに、業務そのものや、組織、プロセス、企業文化・風土を変革し、競争上の優位性を確立すること」（2018年12月、経済産業省「DX推進ガイドライン」）と定義される。

　学校法人において、例えばオンライン授業等の学修環境や研究費管理のキャッシュレス化・システム化を新たに導入することはDXの重要な一部分であるといえる。しかし、より重要なことは、それぞれの学校法人が少子高齢化の進む社会の中で競争力をより強固にするために、自らの強みをより際立たせるガバナンス、組織、業務プロセスの変革を生み出すことであり、その手段としてデータとデジタル技術をいかにうまく組み合わせていくかということがDXの重要課題となる。

　学校法人における具体的なアプローチとして、変革のターゲットには様々な切り口が考えられる。

① 　教育のコンテンツ・手法
② 　研究のコンテンツ・手法
③ 　ガバナンス体制と業務プロセス
④ 　情報基盤・セキュリティ

　近年におけるデジタル技術の発展のスピードは目を見張るものがあり、今後も新しいサービス・ソリューションが次々に生み出されていくと見込まれる。目先の商品・サービスに振り回されることなく、中長期の目線で自らが目指す変革に見合った「DX」の一歩目を踏み出していくことが肝要である。

〈執筆者紹介〉

【執筆責任者】

有限責任監査法人トーマツ　監査・保証事業本部　パブリックセクター・ヘルスケア事業部（以下、PSHC）
　　パートナー　奥谷　恭子（公認会計士）

【監修者】

有限責任監査法人トーマツ　監査・保証事業本部　PSHC東日本
　　シニアマネジャー　恩田　佑一（公認会計士）
　　シニアマネジャー　船木　夏子（公認会計士）

【執筆者】

有限責任監査法人トーマツ
●監査・保証事業本部　PSHC東日本
　　シニアマネジャー　加藤　暁夫（公認会計士）
　　シニアマネジャー　栗井　浩史（公認会計士）
　　シニアマネジャー　佐久間己晴（公認会計士）
　　マネジャー　　　　髙橋　佑季（公認会計士）
　　シニアスタッフ　　今井　裕了（公認会計士）
　　シニアスタッフ　　手塚　嵩史（公認会計士）
　　シニアスタッフ　　吉田　直道（公認会計士）

●監査・保証事業本部　PSHC中京
　　マネジャー　　　　岩田　香織（公認会計士）

●監査・保証事業本部　PSHC関西
　　マネジャー　　　　明定　大介（公認会計士）
　　マネジャー　　　　武市　歩　（公認会計士）
　　シニアスタッフ　　中居　紅美（公認会計士）
　　シニアスタッフ　　森　　由美（公認会計士）

デロイト ネットワークとは、デロイト トウシュ トーマツ リミテッド（"DTTL"）、そのグローバルネットワーク組織を構成するメンバーファームおよびそれらの関係法人の総称です。DTTL（または"Deloitte Global"）ならびに各メンバーファームおよび関係法人はそれぞれ法的に独立した別個の組織体であり、第三者に関して相互に義務を課しまたは拘束させることはありません。DTTLおよびDTTLの各メンバーファームならびに関係法人は、自らの作為および不作為についてのみ責任を負い、互いに他のファームまたは関係法人の作為および不作為について責任を負うものではありません。DTTLはクライアントへのサービス提供を行いません。詳細は www.deloitte.com/jp/about をご覧ください。

デロイト アジア パシフィック リミテッドはDTTLのメンバーファームであり、保証有限責任会社です。デロイト アジア パシフィック リミテッドのメンバーおよびそれらの関係法人は、それぞれ法的に独立した別個の組織体であり、アジアパシフィックにおける100を超える都市（オークランド、バンコク、北京、ハノイ、香港、ジャカルタ、クアラルンプール、マニラ、メルボルン、大阪、ソウル、上海、シンガポール、シドニー、台北、東京を含む）にてサービスを提供しています。

本書は読者の皆様への情報提供として一般的な情報を掲載するのみであり、デロイト ネットワークが本書をもって専門的な助言やサービスを提供するものではありません。皆様の財務または事業に影響を与えるような意思決定または行動をされる前に、適切な専門家にご相談ください。本書における情報の正確性や完全性に関して、いかなる表明、保証または確約（明示・黙示を問いません）をするものではありません。またDTTL、そのメンバーファーム、関係法人、社員・職員または代理人のいずれも、本書に依拠した人に関連して直接また間接に発生したいかなる損失および損害に対して責任を負いません。DTTLならびに各メンバーファームおよびそれらの関係法人はそれぞれ法的に独立した別個の組織体です。

〈著者紹介〉

有限責任監査法人トーマツ

　有限責任監査法人トーマツは、デロイト トーマツ グループの主要法人として、監査・保証業務、リスクアドバイザリーを提供しています。日本で最大級の監査法人であり、国内約30の都市に約3,200名の公認会計士を含む約6,900名の専門家を擁し、大規模多国籍企業や主要な日本企業をクライアントとしています。

　デロイト トーマツ グループは、日本におけるデロイト アジア パシフィック リミテッドおよびデロイト ネットワークのメンバーであるデロイト トーマツ合同会社ならびにそのグループ法人（有限責任監査法人トーマツ、デロイト トーマツ コンサルティング合同会社、デロイト トーマツ ファイナンシャルアドバイザリー合同会社、デロイト トーマツ税理士法人、DT弁護士法人およびデロイト トーマツ コーポレート ソリューション合同会社を含む）の総称です。デロイト トーマツ グループは、日本で最大級のビジネスプロフェッショナルグループのひとつであり、各法人がそれぞれの適用法令に従い、監査・保証業務、リスクアドバイザリー、コンサルティング、ファイナンシャルアドバイザリー、税務、法務等を提供しています。また、国内約30都市以上に1万5千名を超える専門家を擁し、多国籍企業や主要な日本企業をクライアントとしています。詳細はデロイト トーマツ グループWebサイト（www.deloitte.com/jp）をご覧ください。

2015年3月30日　初版発行	
2018年1月15日　初版2刷発行	
2022年4月30日　第2版発行	
2025年3月28日　第2版3刷発行	略称：学校法人経営分析（2）

やさしくわかる
学校法人の経営分析（第2版）

　　著　　者　ⓒ　有限責任監査法人
　　　　　　　　　トーマツ

　　発　行　者　　　中　島　豊　彦

　　発行所　同文舘出版株式会社
　　　　　　東京都千代田区神田神保町1-41　〒101-0051
　　　　　　営業（03）3294-1801　　編集（03）3294-1803
　　　　　　振替 00100-8-42935　https://www.dobunkan.co.jp

©2022 For information, contact Deloitte Touche Tohmatsu LLC.
Printed in Japan 2022

製版　一企画
印刷・製本　三美印刷

ISBN978-4-495-38452-4

JCOPY〈出版者著作権管理機構 委託出版物〉
本書の無断複製は著作権法上での例外を除き禁じられています。複製される場合は、そのつど事前に、出版者著作権管理機構（電話 03-5244-5088, FAX 03-5244-5089, e-mail: info@jcopy.or.jp）の許諾を得てください。